Eugène Ionesco

Romans

Nouvelles Scènes de la vie future, France-Forum, 1977, Atelier Marcel Jullian,1979.

Les Chiens funèbres, La Croix, 1980.

Essais et biographies

L'Avenir se présente bien ou de la Régression en histoire, Éditions Ouest-France, 1984.

Que faire du tragique ?, France-Forum, 1991.

Études sur le théâtre : Ionesco, Beckett, Sartre, Anouilh, France-Forum.

Pierre Corneille en son temps et en son œuvre ; enquête sur un poète de théâtre au XVIIe siècle, Flammarion, 1977.

Pascal, Flammarion, 2000.

Racine, Flammarion, 2004.

Œuvres dramatiques

Nouvelles Scènes de la vie future : création sur France Culture en 1979 ; réalisation : G. Godebert avec P.E. Deiber, F. Chaumette ; création au théâtre d'Enghien en 1983 ; mise en scène : D. Leverd.

Bonaparte en Brumaire ou le Napoléon imaginaire : création sur France Culture en 1981 ; réalisation : G. Godebert avec J. Négroni, A. Duperey, C. Ferrand, M. Bouquet, F. Chaumette, R. Party, R. Coggio, J. Guiomar, H. Gignoux.

Le Conquérant des mots perdus : création sur France Culture en 1984 ; réalisation : Anne Lemaître avec M. Lonsdale, R. Pellegrin.

James Monde ou l'Angoisse du héros en quête d'auteur, 1984.

Y-a-t-il quelque part quelqu'un qui m'aime ? : création sur Radio-Notre-Dame en 1987 ; réalisation : D. Leverd.

La Recherche de l'absolu : adaptation du roman d'H. de Balzac, création sur France Culture en 1986 ; réalisation : E. Frémy avec J. Topart, E. Dandry, C. Laborde, J. Duby, E. Dechartre.

Le Bar de l'Espérance, cinq textes créés sur France Inter en 1986 : *Une femme sans défense* ; *L'Embarras du soi* ; *Un mot peut en cacher un autre* ; *La Paix sur la terre* ; *Le Bar de l'Espérance* ; réalisation : M. Audran avec D. Ceccaldi et M. Simon.

Les Tribulations de Pierre Paul Gédéon Preux, huissier de justice ou le Miel et l'Amertume ; création au théâtre de la Plaine en 1986 par les comédiens de Médicis.

Le Jugement de Constantin le Grand : création en 1988 sur France Culture ; réalisation : A. Lemaître avec F. Chaumette, J. Topart, Dora Doll, P. Vaneck, F. Marthouret, P. Galbeau.

suite des œuvres du même auteur en fin de volume

André Le Gall

Eugène Ionesco

Mise en scène d'un *existant spécial*
en son œuvre et en son temps.

Flammarion

ISBN : 978-2-0812-1991-5

À ma femme

CHAPITRE I

IMAGES D'ENFANCE
ET D'EXTRÊME ENFANCE

L'orateur : Eugène, ils disent que tu as fauté.

Eugène Ionesco : ... Ma Rodi, ma femme, la jolie demoiselle Burileanu que j'ai épousée, et que je n'ai pas su rendre heureuse. Je lui ai fait du mal, je l'ai trompée [1].

L'orateur : Il ne s'agit pas de ça, Eugène, ça, ça leur est complètement égal !

Une voix : Il sait bien qu'il ne s'agit pas de ça !

L'orateur : Vous êtes qui, vous ?

La voix : Je suis l'Intervenant extérieur.

L'orateur : Et vous intervenez pour dire quoi ?

L'intervenant extérieur : Je suis la voix qui dit ce qui est. Je suis la voix du réquisitoire.

L'orateur : Ah bon !

L'intervenant extérieur : Et vous, vous êtes qui ?

L'orateur : Je suis l'Orateur.

L'intervenant extérieur : Vous avez retrouvé la parole depuis *Les Chaises* ?

L'orateur : Je suis tombé sur la tête et j'ai retrouvé la parole, oui.

Eugène Ionesco : Le monde m'étant incompréhensible, j'attends que l'on m'explique [2]...

L'intervenant extérieur : Et vous comptez sur cet *orateur* pour vous donner des explications ?

L'orateur : Ce que je peux essayer d'expliquer, c'est la vie magnifique et terrible d'Eugène Ionesco.

L'intervenant extérieur : Il faudrait plutôt dire *la vie grotesque et tragique* d'Eugène Ionesco, aussi grotesque et aussi tragique que celle de Victor Hugo auquel le même Ionesco a consacré en 1935-1936, et sous ce titre, une biographie dont on n'a que la première partie, la seconde étant perdue, à moins qu'elle n'ait jamais été écrite.

Eugène Ionesco : ... Je l'ai insultée... j'ai honte devant ma fille, devant moi-même, devant Dieu... mon Dieu, je lui ai fait tant de mal, tant de mal. Je vous demande pardon. Je lui demande pardon. À ma fille aussi [3]....

L'intervenant extérieur : Radotage sénile ! On vous dit qu'il ne s'agit pas de ça !

L'orateur : Non, il ne s'agit pas de ça, Eugène ! On y reviendra. Essayons de commencer par le commencement.

L'intervenant extérieur : Vous travaillez pour l'auteur de ce livre ?

L'orateur : Pas du tout ! Lui c'est lui. Moi c'est moi. Et moi, c'est le dossier de la défense que je suis chargé de constituer.

L'intervenant extérieur : Exercice difficile et sujet à révision vu le brouillard dont l'intéressé a su envelopper plusieurs épisodes obscurs de sa vie.

L'orateur : Date de naissance, 13 novembre 1909, selon le calendrier julien, 26 novembre selon le calendrier grégorien. Le calendrier julien s'applique en Roumanie jusqu'au lendemain de la Première Guerre mondiale.

L'intervenant extérieur : 1909 en effet, et non 1912, comme on peut le lire encore dans bon nombre d'ouvrages. Et il ne s'agit pas d'une erreur, paresseusement recopiée par les biographes et les chroniqueurs. Non ! Lisez la notice du *Who's who du XXe siècle*, c'est toujours l'année 1912 qui y est mentionnée comme année de naissance d'Eugène Ionesco. Or, bien entendu, les notices composées chaque année pour le *Who's who* n'ont pu l'être que sous le contrôle de Ionesco lui-même. Il ne s'agit donc pas d'une erreur, mais d'une fausse information diffusée délibérément par l'intéressé. Pourquoi ? Si l'on en croit les confidences que rapporte Emmanuel Jacquart, éditeur de l'œuvre dramatique dans la Pléiade, c'est pour avoir été classé au début des années cinquante parmi les *jeunes auteurs* avec quelques autres, dont Samuel Beckett, qu'Eugène Ionesco a cru expédient de se rajeunir de trois ans. Pour justifier son classement parmi les *jeunes*, il lui a semblé qu'il lui fallait avouer moins de quarante ans. D'où la date de 1912 qui a été ensuite fréquemment reprise, et encore dans des publications postérieures à 1990. Or la date de 1909 est connue depuis le début des années quatre-vingt puisque c'est celle qui figure dans l'*Hugoliade* ou *La Vie grotesque et tragique de Victor Hugo*, rééditée en français en 1982. C'est bien la date du 26 novembre 1909 qui est la bonne.

L'orateur : Ce jeu sur les dates est assez accordé à l'esprit de Ionesco.

L'intervenant extérieur : Très accordé en effet ! Le personnage pousse même le cynisme jusqu'à faire l'aveu de sa fraude dans *Tueur sans gages. Bérenger*, le double de l'auteur, reconnaît qu'il s'est rajeuni de plusieurs années. Son interlocuteur le rassure : « Le code ne prévoit pas de sanction pour ce genre de dissimulations, de coquetteries[4]. » Le procédé signifie qu'il ne faut se fier en rien à ce que dit Ionesco de lui-même. Son œuvre théâtrale comme ses écrits autobiographiques ne sont qu'une longue mise en scène de soi-même d'où toute sincérité est bannie.

L'orateur : C'est tirer d'une fantaisie chronologique des conséquences tout à fait disproportionnées. S'il y a une œuvre marquée du signe de la vérité intérieure de son auteur, je devrais dire des vérités intérieures contradictoires, concomitantes ou successives de son auteur, c'est bien celle d'Eugène Ionesco.

L'intervenant extérieur : Allons donc ! Dès 1935, à vingt-six ans, Ionesco, en faisant le portrait de Victor Hugo, nous livre le sien. Cela se lit en filigrane dès les premières pages de son *Hugoliade*. Ionesco nous montre le jeune Hugo envoyant son ode sur le *Rétablissement de la statue d'Henri IV* à l'Académie de Toulouse pour complaire à sa mère malade qui espère pour lui la notoriété littéraire. L'ode est couronnée. Selon Ionesco, Victor Hugo en tire le principe de toute sa pratique littéraire ultérieure : « Plus tard, et durant toute sa vie, c'est ainsi que Victor Hugo procédera : des poésies, de la littérature, de l'éloquence à la périphérie des grandes douleurs et des événements majeurs de la vie. Il se mit dès lors à l'école de l'insensibilité et de la vanité. Il perdra systématiquement toutes les occasions de vivre les expériences graves, et ses souffrances seront, dorénavant, fausses et littéraires. Il ne s'appartiendra jamais. Il sera condamné à l'insensibilité et à la superficialité, à la vanité, à l'amour vicieux de la gloire et des applaudissements qui lui achèteront toutes ses valeurs spirituelles... En lui transmettant ses ambitions à elle, démesurées, Sophie Hugo lui a assuré sa gloire littéraire. En effet, pour devenir un grand homme, l'unique condition est de le vouloir avec acharnement. Apprendre le métier d'homme célèbre, comme on apprend le métier de menuisier. La caractéristique de la biographie des hommes célèbres, c'est qu'ils ont voulu être célèbres[5]. » Cette passion de vivre dans la mémoire des hommes est la passion des maîtres. Si Ionesco s'était avisé, ce qui est hautement improbable, de suivre, dans les années trente, la production littéraire du chef de bataillon Charles de Gaulle, il aurait pu lire à l'avant-dernière page du *Fil de l'épée* (1932) cette confidence : « On ne fait rien de grand sans de grands hommes, et ceux-ci le sont pour l'avoir voulu[6]. »

L'orateur : Mais que pense Ionesco de cet amour *vicieux* de la gloire et des applaudissements, qu'il prête à Victor Hugo ? « En fait, le génie n'est qu'une longue volonté, infatigable et acharnée. Une volonté sans retournement, sans regrets... L'homme célèbre et génial est celui qui abandonne toutes les choses vraiment essentielles... tous les absolus de l'esprit. L'homme de génie ou de grand talent est un abdiqué de l'esprit, un raté, un non-lucide, monomane, obsédé de lui-même, quintessence de toutes les vanités, tandis que le Saint est obsédé seulement de Dieu. Le génie s'aime lui-même plus qu'il ne devrait aimer les choses... Il n'y a pas d'homme célèbre qui ne soit génial ou célèbre sans l'avoir voulu[7]... »

L'intervenant extérieur : Écrivant en roumain, à presque deux mille kilomètres de Paris, le jeune Ionesco emploie exactement les mêmes termes que Charles de Gaulle, à peu près au même moment.

L'orateur : Mais ce portrait est, pour Ionesco, celui d'un personnage qui lui sert de repoussoir et non de modèle. Je lis dans son *Hugoliade* : « Pour s'accomplir eux-mêmes, les différents Victor Hugo cultivent le talent comme une propriété foncière... Le talent c'est la spécialisation, l'éducation par des exercices et par l'entraînement de quelques qualités d'ailleurs générales. Tout homme moyen peut devenir *tant qu'il veut* (s'il sait vouloir) talentueux et, à un moment donné, même génial. Être talentueux n'est pas plus honorable que d'être riche. Mais plus on s'élève spirituellement, plus on devient pauvre. Le Saint n'a ni génie ni talent[8]. »

L'intervenant extérieur : Le Ionesco de 1935 ne croit pas du tout que le génie soit à la portée de l'homme moyen, et il ne se prend pas du tout pour un homme moyen. Il vient de faire paraître un ouvrage à scandale, *Non*, où il donne libre cours à toute sa dépressive arrogance. La différence entre Charles de Gaulle et lui tient en ceci : alors que le premier fait lucidement l'un de ses possibles autoportraits dans *L'Homme de caractère*, le second projette le sien sur un grand écrivain mort, et l'assortit d'une vertueuse récusation qui lui donne bonne conscience, mais qui ne change rien au fait que ce portrait révulsif constitue son propre programme de vie.

L'orateur : Une tentation peut-être, pas un programme de vie.

L'ANCIEN ROYAUME

1909. Slatina. 26 novembre : naissance d'Eugène Ionesco, premier enfant de Thérèse Ipcar, d'origine française, et d'Eugen N. Ionescu, sujet roumain. Roumain ? Le rappel de quelques données élémentaires d'histoire et de géographie n'est peut-être pas totalement inutile. Valachie, Moldavie, Bessarabie, Transylvanie, Bucovine, Dobroudja, Banat... cela nous dit bien quelque chose, mais enveloppé tout de même de flou et d'incertitude. On situe ces contrées quelque part dans les lointains de l'Europe de l'extrême sud-est, aux confins de l'Ukraine, de la Russie, de la mer Noire, de la Bulgarie, pas très loin de la Turquie. C'est en effet de ce côté-là qu'il faut regarder. Historiquement, les deux entités structurantes sont la Valachie et la Moldavie. De même que l'Italie a l'allure d'une botte, la Petite Roumanie, telle que le traité de Paris la constitue en 1856, fait penser à un brodequin. Au sud, la Valachie, séparée de la Bulgarie par le Danube ; à l'est, la Moldavie avec pour frontière le Prut ; au-delà, la Bessarabie qui fait partie de l'Empire russe. À vrai dire, si le traité de Paris fonde en 1856 l'autonomie des principautés valaque et moldave, il ne va pas jusqu'à en proclamer l'unité. L'unité ne s'établit qu'à l'initiative des Roumains eux-mêmes. Débordant les calculs des grandes puissances européennes, les assemblées moldave et valaque, auxquelles avait été laissé le soin de choisir leurs princes régnants, prirent le parti, en janvier 1859, de désigner toutes deux le colonel Alexandre Cuza. Trois années plus tard, les deux assemblées fusionnaient pour ne plus en former qu'une seule, donnant naissance à la Roumanie, la Petite Roumanie, dira-t-on entre les deux guerres, lorsque les traités de paix de 1919-1920 auront donné au pays des Roumains son extension maximale.

Qui sont ces Roumains qui ont réussi à s'imposer aux puissances européennes, au point de soustraire les terres qu'ils habitent aux protections et dépendances auxquelles elles étaient assujetties depuis des siècles ? Leur histoire a amplement varié au cours des XIXe et XXe siècles, c'est-à-dire que la représentation que les Roumains se sont faite de leur passé s'est obligeamment accommodée avec les idéologies culturelles des différents courants qui ont, successivement ou simultanément, animé la vie politique du pays.

Le premier fait qui s'impose, c'est la langue : si nombreux que soient les éléments slaves, turcs ou hongrois qui s'y sont intégrés, la langue des Roumains dérive à l'évidence du latin. D'où la première hypothèse : l'empereur Trajan, ayant conquis la Dacie à la suite de deux campagnes militaires, en 101-102 puis en 105-106, des colons en provenance de l'Empire ont chassé les Daces qui avaient survécu aux exterminations guerrières. Dans la première moitié du XIXe siècle, en un temps où ils étaient encore assujettis à l'Empire ottoman, où le panslavisme russe les menaçait autant qu'il les protégeait, où le mouvement des nationalités redessinait la carte de l'Europe, les Roumains se sont voulus les descendants d'un peuplement latin qui les autorisait à revendiquer le soutien des puissances occidentales. L'école historique transylvaine s'était appliquée vers 1800 à faire disparaître les Daces du passé roumain. Dans le courant du XIXe siècle, les Daces sont réapparus avec des historiens comme Hasdeu (1838-1907). On leur a même découvert une religion, celle du dieu Zalmoxis, dont Mircea Eliade fera grand cas au XXe siècle. Les Roumains apparaissent alors comme une synthèse du peuplement dace et du colonat romain. Domination romaine et mariages mixtes : la langue du vainqueur aura subsisté malgré le retrait des légions au sud du Danube en 271-272, malgré les multiples invasions – Goths, Huns, Gépides, Avares, Slaves, Magyars –, dix siècles au terme desquels le peuplement subsistant se révèle romain de langue, orthodoxe de religion. Aux XIVe et XVe siècles, nouvelle menace : les Ottomans. Invasion des Balkans, franchissement du Danube : malgré la résistance roumaine et quelques victoires intermittentes, la submersion turque semble irrésistible. Successivement, la Valachie et la Moldavie doivent accepter la suzeraineté de la Sublime Porte dont le joug durera plus de trois siècles avec des épisodes héroïques tels l'épopée en 1599-1600 de Michel le Brave. Les principautés doivent payer le tribut. La longue résistance du peuple roumain, encadré par le clergé orthodoxe, traverse les siècles.

Au XVIIIe siècle, le sultan confie le gouvernement des principautés à des fonctionnaires grecs ou hospodars, dont la préoccupation principale est, à l'ordinaire, de rançonner le pays. Pour les Roumains c'est la période phanariote, du nom du quartier de Constantinople, le Phanar, où se concentrent les héritiers de l'époque hellénistique ayant survécu au naufrage de la conquête turque. L'affaiblissement progressif de l'Empire ottoman, la volonté de la France et de l'Angleterre de s'opposer à l'expansion russe, la faveur personnelle de Napoléon III à l'égard des patriotes moldaves et valaques font renaître au XIXe siècle une Roumanie rayée de la carte, enfouie dans les profondeurs du temps, mais non pas morte.

La réécriture de l'histoire roumaine fait brièvement une place éminente aux Slaves durant les années 1950, lorsque la prédominance soviétique s'affirme sans partage. Mais ce sont principalement les Daces qui ont fait un retour triomphal dans l'histoire roumaine, dès le milieu du XIXe siècle. L'extrême droite nationaliste entre les deux guerres, puis le national-communisme sous Ceaucescu leur ont redonné une place que quelques travaux pseudo-scientifiques sont venus opportunément confirmer. La vertu de cette historiographie était de contrer une autre thèse, dite *immigrationniste,* selon laquelle la population roumaine serait une population de migrants venue d'au-delà du Danube. L'historiographie hongroise avait accueilli avec ferveur cette conjecture, y voyant le moyen de contester les prétentions roumaines en matière territoriale.

Tous les ingrédients d'une comédie loufoque sont réunis dans ce combat autour d'un passé dont la connaissance devrait relever de la seule investigation historique, mais que les idéologies politiques et les intérêts nationaux façonnent au gré des circonstances. L'entreprise a été poussée si loin que l'origine latine de la langue elle-même s'est trouvée contestée, au mépris de l'évidence. La comédie des origines, dans sa variante linguistique, a trouvé son expression dans l'œuvre de Ionesco. Rappelons-nous dans *La Leçon,* cet ample et savant développement du *Professeur* : « Ainsi donc, mademoiselle, l'espagnol est bien la langue mère d'où sont nées toutes les langues néo-espagnoles, dont l'espagnol, le latin, l'italien, notre français, le portugais, le roumain, le sarde ou sardanapale, l'espagnol et le néo-espagnol et aussi pour certains de ses aspects, le turc lui-même plus rapproché cependant du grec, ce qui est tout à fait logique, étant donné que la Turquie est voisine de la Grèce et la Grèce plus près de la Turquie que vous et moi[9]... ». *Le Professeur* est si pénétré de l'importance de son exposé qu' ordonne à l'élève d'en prendre note. Puis il enrichit son propos de quelques considérations empruntées à la linguistique comparée : « Ce qui distingue les langues néo-espagnoles entre elles et leurs idiomes des autres groupes linguistiques, tels que le groupe des langues autrichiennes ou habsbourgiques, aussi bien que des groupes espérantiste, helvétique, monégasque, suisse, andorrien, basque, pelote, aussi bien encore que des groupes diplomatique et technique – ce qui les distingue, dis-je, c'est leur ressemblance frappante qui fait qu'on a bien du mal à les distinguer l'une de l'autre – je parle des langues néo-espagnoles entre elles, que l'on arrive à distinguer, cependant, grâce à leurs caractères distinctifs, preuves absolument indiscutables de l'extraordinaire ressemblance, qui rend indiscutable leur communauté d'origine, et qui, en même temps, les différencie profondément – par le maintien des traits distinctifs dont je viens de parler ».

La géographie roumaine est aussi tourmentée que l'histoire. D'orientation nord-sud, comme la Moldavie, les Carpates orientales s'infléchissent vers l'ouest pour former une barrière au nord de la Valachie. Carpates orientales et méridionales encadrent la Transylvanie comme une forteresse naturelle, âprement disputée au cours des siècles. En parallèle aux Carpates, le Prut coule du nord vers le sud, le Danube de l'ouest vers l'est. Le Prut rejoint le Danube avant que celui-ci ne se jette dans la mer Noire en un vaste delta qui occupe le nord de la Dobroudja.

Initialement réduite aux deux seules principautés, la Roumanie de 1859 reste, en outre, sous la suzeraineté théorique de l'Empire ottoman pendant encore deux décennies. En 1880, la Roumanie obtient la reconnaissance internationale de sa pleine souveraineté, à la suite de la défaite de la Turquie dans le conflit qui l'oppose à la Russie en 1877-1878. La Doubroudja du Nord lui est attribuée. La contribution de la Roumanie aux opérations aura consisté à laisser passer les troupes russes sur son territoire. Son intervention dans la seconde guerre balkanique, aux côtés des Serbes, des Grecs et des Ottomans, contre les Bulgares, lui vaut en 1913 la Dobroudja du Sud.

Depuis 1883, la Roumanie fait partie du système d'alliance qui lie l'Allemagne à l'Autriche-Hongrie (Triplice). Le colonel Cuza ayant été destitué en 1866, il a été remplacé par le prince Charles de Hohenzollern-Sigmaringen. Avec un grand savoir-faire politique, Carol Ier règne sur la Roumanie jusqu'à sa mort le 10 octobre 1914. Si ses sympathies personnelles l'entraînent vers les empires centraux, son gouvernement est beaucoup plus partagé.

En fin de compte, et bien qu'il y ait un clan favorable à la Triplice, c'est le courant adverse qui l'emporte. La disparition de Carol Ier, l'arrivée sur le trône de son neveu, Ferdinand, sensible aux sympathies de l'opinion majoritaire, la francophilie des élites roumaines, l'espoir de récupérer la Transylvanie, font qu'en août 1916, la Roumanie se range aux côtés de la France et de la Grande-Bretagne.

Aussitôt l'armée roumaine pénètre avec succès en Transylvanie, occupe un tiers de la province, mais se trouve bientôt aux prises avec une puissante contre-offensive austro-allemande qui aboutit à l'entrée du général Mackensen, le 6 décembre 1916, à Bucarest. En janvier 1917, le front se stabilise en Moldavie. Mais l'armistice germano-russe du 15 décembre 1917 qui prive la Roumanie de son allié dans la guerre, oblige le cabinet roumain à ouvrir des pourparlers. Un gouvernement favorable aux Allemands est installé à Bucarest en février 1918, sous la direction d'Alexandru Marghiloman. Ce gouvernement conclut en mai 1918 une paix qui soumet la Roumanie au contrôle germano-autrichien. Ratifié par la Chambre le 28 juin, cet accord se heurte au veto du roi. Dans la deuxième moitié de 1918, le sort des armes se retourne. L'armée roumaine fait un retour en Transylvanie en novembre 1918. Ainsi la Roumanie lors des traités de paix se trouve à nouveau dans le camp des vainqueurs.

Filiations

C'est dans la Petite Roumanie d'avant 1914 que paraît Eugène Ionesco, le 26 novembre 1909. Ses origines ont été étudiées en Roumanie, notamment par le généalogiste Mihai Sorin Radulescu. Eugène Ionesco est le premier enfant de l'union d'Eugen N. Ionescu et de Marie-Thérèse Ipcar. Le père, né en 1881, à Iasi, capitale de la Moldavie, est le fils de Sophie Popescu et de Nicolas Ionescu. Étudiant à Bucarest, puis professeur de dessin industriel à Iasi, Nicolas Ionescu retournera à Bucarest pour y exercer les fonctions de sous-directeur d'une école d'arts et métiers.

Peut-être originaire de Galicie, sous souveraineté austro-hongroise, la famille maternelle paraît avoir des liens très forts avec la France.

La mère de Marie-Thérèse Ipcar se nomme Aneta Ioanid. Elle est née en 1863. Orpheline de père en 1866, elle est élevée dans la famille Abramovici où sa mère, Areta Ioanid, est employée en qualité de servante ou de gouvernante. Areta Ioanid, arrière-grand-mère de Ionesco, a épousé Mihai Ioanid, tous deux de nationalité roumaine, d'origine grecque et de religion orthodoxe. À l'âge de douze ans, Aneta, grand-mère maternelle de Ionesco, est placée à son tour dans une autre famille, la famille Ipcar. Anna Ipcar, veuve de Jean-Sébastien Ipcar, a un fils, Jean Ipcar, qui épouse Aneta lorsque celle-ci atteint l'âge de seize ans.

Jean Ipcar est de religion luthérienne. Aneta adhère au luthéranisme de son mari. Lorsqu'elle mourra, le 7 février 1933, à la Maison protestante des vieillards de Nanterre, le service religieux sera célébré, le 9 février, par un pasteur de l'Église réformée évangélique de France ainsi que l'indique l'extrait du registre des enterrements de cette église. Si sa fille, Marie-Thérèse Ipcar, mère d'Eugène Ionesco, a la nationalité française à la naissance, elle le doit à Jean Ipcar. Jean Ipcar, ingénieur électricien de formation, aurait travaillé à la Société des chemins de fer roumains. Ionesco est donc roumain par son père, Eugen Ionescu, et il est d'ascendance française par sa mère, Marie-Thérèse Ipcar. Aneta Ipcar a eu douze enfants. Les implantations que l'on connaît à quelques-uns d'entre eux confirment bien le lien avec la France : cabinets dentaires de Sabine à Paris, exercice du métier d'électricien par Ulysse en Normandie, qualité d'ancien combattant de Verdun d'Armand, direction d'une centrale électrique par Émile, l'aîné, à Tunis. Mais le lien avec la Roumanie demeure : Émile Ipcar, oncle de Ionesco, est aussi consul de Roumanie dans le protectorat français de Tunisie. Que Jean Ipcar soit mort à Paris en 1924 et Aneta

Ipcar à Nanterre en 1933 confirme bien le lien de la famille Ipcar avec la France. Il n'est pas sûr que ces quelques noms suffisent à épuiser l'information concernant la filiation d'Eugène Ionesco. Devenue veuve, Anna Ipcar, son arrière-grand-mère, a vécu en concubinage avec Émile Marin, dont le patronyme suggère l'origine française. Jean Ipcar a-t-il pour père Jean-Sébastien Ipcar, mari d'Anna Ipcar, ou bien est-il le fils d'Émile Marin ? Le prénom du fils aîné d'Aneta Ipcar, Émile, serait-il à interpréter comme un indice à cet égard ? Qu'Émile Marin ait été de religion luthérienne comme Jean Ipcar ne suffit pas à conclure, mais confirme bien l'interrogation.

Quel était le nom de jeune fille d'Anna Ipcar, arrière-grand-mère maternelle de Ionesco ? Reportons la question pour le temps où la réponse revêtira les allures d'un séisme existentiel.

DÉCOUVERTES

Scrutons plutôt l'enfance du héros. 26 novembre 1909 : que font à Slatina Marie-Thérèse Ipcar et Eugen N. Ionescu ? Ils se sont mariés en 1906 ou 1907 à Bucarest, selon le rite orthodoxe. Licencié en droit de l'université de Bucarest, Eugen N. Ionescu appartient à l'administration préfectorale. Il exerce d'abord en sous-préfecture. En 1909, il est secrétaire général de la préfecture de Slatina. C'est là que surgit Eugène Ionesco. Sa stupéfiante aventure débute fin mars ou début avril de cette même année 1909, pour connaître le 26 novembre une novation majeure. Le jeune Ionescose se découvre, se démarque, se délivre en même temps qu'il délivre sa mère. Sans doute prend-il soin de noter tout ce qui lui arrive. Ce qui est sûr, c'est que, soixante ans plus tard, il sera en mesure d'écrire pour nous ses mémoires d'extrême enfance. Cela s'appelle *Découvertes*. Il s'agit d'une autobiographie où les vrais souvenirs se mêlent à des reconstitutions qui, pour n'être que vraisemblables, n'en sont pas moins, avouons-le, hautement probables : « Et puis j'ai grandi et puis j'ai vieilli, j'ai eu deux ans, j'ai eu trois ans, j'ai fait des découvertes saisissantes [10]... » L'ouvrage, illustré d'œuvres picturales de l'auteur lui-même, est paru en 1969. L'année d'avant, 1968, on pouvait lire dans *Présent passé, Passé présent* : « J'ai oublié mon enfance [11] ». Il faut croire que non. Dans *Découvertes,* Ionesco nous donne à voir les étapes fondatrices de son curriculum vitae originel : « Difficilement, attentivement, philosophiquement je distinguais le moi du non-moi [12] ». Expérience majeure, non exempt d'occasions d'irritation : le sujet mesure déjà son impuissance à ordonner tout ce monde extérieur qui l'ignore ou qui l'oublie. Tout au plus peut-il crier ; mais l'efficacité du cri n'est pas garantie. Au moins ses dons d'observation lui permettent-ils déjà de distinguer dans ce qui l'entoure, ce qui bouge par soi-même et ce qui, de soi, est immobile. Il y a son père, sa mère, son chat. Et il y a les objets. À la marge le classement peut comporter des difficultés : où mettre la locomotive ? Autre distinction : le connu et l'inconnu, c'est-à-dire la paix des choses familières par opposition à la menace des conjonctions imprévues, l'eau trop chaude qui brûle, le couteau qui coupe. S'introduit ainsi la distinction entre ce qui est amical et ce qui ne l'est pas. « Il y avait la soif, il y avait la faim [13] ». Et puis « il y avait le sourire de ma mère ». Ces expériences inaugurales sont l'occasion pour Ionesco de contester que la pensée soit le produit du langage. C'est, bien sûr, l'inverse. « Pleurer, crier, c'est indiscutablement penser et exprimer sa pensée... Avant que la société ne me fournisse un vocabulaire, j'en créais un moi-même [14] ». Et d'observer : « Sans vocabulaire, j'avais donc déjà inventé la métaphysique, l'étonnement... devant le monde. » Dans la foulée, il invente aussi la morale : « Le bon était le bien, ce qui faisait du mal était méchant [15] ». Pas besoin de mots pour que l'enfant manifeste qu'il a reconnu le visage maternel : le sourire suffit. C'est parce qu'il a des choses à dire que l'enfant Ionesco invente des mots ou se sert de ceux qu'on lui tend. « Il y avait de la pensée, une sorte de pensée, avant le mot [16] ». Évidences ? Auteur déjà considérable, le Ionesco de 1969 avance ces évidences-là avec prudence tant elles sont en dissonance par rapport aux théories régnantes du moment. Reconstitués certes, ces mémoires d'extrême enfance sont, à tout prendre, tout aussi plausibles que n'importe quelle autofiction ou n'importe quel traité de pédiatrie sur l'évolution de l'enfant. Angoisse devant « un inconnu non assimilable [17] », émerveillement devant l'objet, étonnement « que cet objet (appartienne) au monde [18] », sentiment de la « situation de dépendance [19] » où il se trouve : Ionesco, comme tout un chacun, se demande au commencement comme il se demandera à la fin : « Qu'est-ce que cela veut dire [20] ? » Comme tout un chacun, il s'adresse « à la création, à toute l'humanité, au cosmos tout entier ». Et, aussitôt, surgit le double mouvement : « Pour ce qui est de la présence de ce monde, pour ce qui est du fait qu'il y a le monde, j'en avais déjà pris mon parti, je m'y étais presque habitué (et pourtant ni alors ni depuis, au fond de moi-même, je ne m'y suis fait vraiment) [21] ». Cependant au bout de quelques mois, le jeune Ionesco, pragmatique, nous assure qu'il avait déjà admis qu'« en gros, ça allait bien, (que) le monde était en place [22] ». Et puis un jour, son père lui ayant tendu les mains, il a compris qu'il fallait les saisir. Il s'est assis dans son berceau. « Il y eut un tel changement dans le monde, une telle transformation que je me mis à pousser des cris de joie et de stupéfaction [23] ». Vers la fin de sa première année, nouvelle mutation, majeure elle aussi : l'enfant Ionesco découvre qu'avec ses pieds et ses jambes il peut avancer. Le voilà qui marche. Nouveaux cris de joie. « J'avais trouvé un nouveau sens à la vie. Un nouveau but [24] ». Aussi se met-il à trépigner lorsqu'on prétend interrompre l'exercice et le faire rentrer à la maison. Marcher ne veut rien dire. Mais il veut continuer à marcher. La vie s'engouffre comme une tempête pour imposer son sens alors que l'intelligence se perd en questions. Seulement « à quatre ans, j'ai appris la mort. J'ai hurlé de désespoir [25] ». Ce savoir-là aussi, c'était pour la vie. Cependant, malgré la mort, malgré la violence du père, malgré les petits garçons bien moins gentils que les mignonnes petites filles, malgré l'ennui, « car les enfants s'ennuient [26] », il a été donné au Ionesco en voie d'émergence de faire l'expérience d'une lumière « plus forte que (ses) détresses [27] », une lumière qui a suffi pour que son « âme s'emplisse d'une joie indicible ». C'est cette capacité à s'émerveiller qui le maintient en vie, nous confie-t-il. Et c'est pour parler de cette lumière, de cet étonnement plus fort que l'angoisse que, devenu grand, l'enfant Ionesco s'est consacré à la littérature, avouant : « Je ne suis bon qu'à faire de la littérature. Je suis né pour la littérature [28]. » Ces sortes de tropismes se déclarent dès l'enfance : « À l'âge de dix ans, j'ai voulu écrire mes mémoires [29] ». Même si l'entreprise s'est arrêtée au bout de la deuxième page, même si les deux pages sont perdues, le projet témoigne de la hauteur et de la profondeur de la vocation, et qu'importe si, un demi-siècle plus tard, l'homme à la plume admet qu'il n'a pas encore trouvé le langage qui exprimerait « cette vérité indicible (qu'il) essaie constamment de dire ».

Encore des images d'extrême enfance. Une lanterne magique projette l'image d'un chat qui fait le gros dos, tout hérissé, sur une table. « Quand on a fait la lumière dans la pièce, j'ai crié : *encore* [30] ». Puis, au retour de cette séance, le voici, par une nuit étoilée, qui marche la main dans celle de son père, longeant une clôture. Il arrive un peu plus haut que les genoux de son père. Bientôt son père le prend dans ses bras. « Nous marchâmes assez longtemps pour arriver à la station de tramway ». La première phrase de *Présent passé, Passé présent* récapitule la quête existentielle majeure d'Eugène Ionesco : « Je cherche dans mon souvenir les premières images de mon père [31] ». Il est en chemin de fer, il ne voit pas le visage de son père, seulement ses épaules. Sa mère, près de lui, a un chignon. Survient un tunnel. Il hurle. Autre image : lumière, couleurs, matin d'été ; il ne voit toujours pas la figure de son père. Le voici maintenant au marché. Ombre et lumière ; des hommes très grands portent des blouses vertes. Questions du fils, réponses du père. « Cette fois je vois son visage... il me tient dans ses bras... il porte un chapeau melon [32]... » Image de la mère à présent : « Jeune, les yeux noirs, son rire était dans les yeux... » Complice, la mère rit avec les enfants, lui et sa sœur, Marilina. Journée heureuse.

Avec le temps, Eugène Ionesco a-t-il perdu sa faculté d'émerveillement, comme il voudrait nous le faire croire dans ses *Découvertes* de la soixantième année ? « Nous ne nous rendons plus compte à quel point tout cela est insolite, à quel point tout cela est miracle et merveille [33] ». Si. Nous nous en rendons compte. Et Ionesco ne cessera de s'en rendre compte, et de nous en rendre compte. Ce qui est vrai, c'est que, dès l'extrême enfance, ayant reçu le monde en don, le jeune Ionesco y a dressé sa tente, immobile au sein du monde, ayant rejoint sa place. « Ce n'est plus moi, c'est le monde, c'est la création qui bouge, qui se déploie, terrible et fastueuse, pour mon éblouissement : un récit, une épopée, un spectacle [34]. » Lorsqu'il assure n'avoir rien appris depuis l'âge de sept ou huit ans, peut-être exagère-t-il. Au contraire, on peut le croire lorsqu'il observe que ce *pourquoi* que l'enfant ne cesse de répéter au fur et à mesure que lui apparaissent les objets, les contraintes, les événements, est un pourquoi d'intégration, « un pourquoi qui accepte [35] »... Sa propre enfance lui fait penser que « la sérénité appartient à l'extrême jeunesse... », non à la maturité. Ainsi qu'il apparaît, Eugène Ionesco a fait preuve d'une grande prévenance à l'égard de ses biographes, leur livrant un matériau tout préparé, qu'il leur suffit de distribuer dans l'espace et dans le temps pour raconter son histoire. Il a porté cette bonne volonté si loin, qu'il leur a livré jusqu'à ses premières émotions, celles dont personne ne se souvient, et qui, pour être enfouies hors des prises de la mémoire, n'en vivent pas moins dans les profondeurs de l'âme, d'une vie ardente, silencieuse, volcanique. Pure reconstitution ? Sans doute. Affabulation ? C'est autre chose. Les *Découvertes* d'Eugène Ionesco ont une allure si communément universelle, elles approchent de si près l'expérience que chacun peut imaginer avoir vécue dans sa propre enfance, elles s'expriment en une langue d'une clarté si parfaitement classique, que le lecteur les reçoit comme de vraisemblables évidences. Certes, il lui faut cependant un peu se méfier. Il n'y manquera pas. Comme il ne manquera pas de juger à leur juste valeur les innombrables confidences que charrie le long cours des œuvres autobiographiques. C'est en toute légitimité que l'écrivain construit son autofiction. Il n'a prêté aucun serment de dire la vérité, toute la vérité, rien que la vérité. On se doute bien qu'il y a eu dans la vie d'Eugène Ionesco des épisodes dont il s'est dispensé de nous entretenir. On ira en chercher quelques-uns. Mais pour tout dire, on n'a aucun goût pour la fouille des poubelles. Si Ionesco mobilise la plume, c'est parce que Ionesco a écrit une œuvre. Ce qui vaut d'être scruté, c'est le rapport de l'auteur avec son œuvre. L'œuvre d'art n'est pas un document, une archive à déchiffrer. Si elle relève de l'art, c'est que l'artiste a réussi à l'arracher à la gangue de l'informulé, pour lui communiquer une force de signification et une puissance d'action qui lui confèrent son autonomie et sa durée. Reste que l'objet spécifique de l'entreprise biographique est de faire paraître sur la scène l'auteur à côté de son œuvre pour que le lecteur entre dans la familiarité de la relation qui unit l'un à l'autre. Les secrets de famille n'importent qu'autant qu'ils sont des secrets de fabrication. Les autres peuvent rester dans le sein des familles. L'ambition est de faire entendre une voix singulière au milieu des grondements d'un siècle de fer et de feu, de mettre en scène un sujet roumain venu au monde quelques années avant que l'Europe n'explose, et qui aura vécu assez longtemps pour voir s'effondrer le mur de Berlin et la tyrannie démente du couple Ceaucescu. Biographie politique, culturelle, morale, récit des enfantements littéraires, des lectures, des influences, des batailles, des triomphes et de quelques défaites, enquêtes, plaidoiries, réquisitoires, mais point d'arrêts, pas de jugement, surtout pas de jugement, chronique des combats pour la liberté, historique des angoisses, des dépressions, des déréflictions, des exaltations, telles qu'elles nous sont fraternellement offertes dans les livres de confidence, flux et reflux du doute et de la foi, joie des affections proches, longue entreprise de compagnonnage, bonheur discret d'une fréquentation familière, amicale salutation d'ici-bas.

1911. 11 février : l'enfant Ionesco n'a pas quinze mois, il se voit doté d'une petite sœur, Marilina, perdant ainsi le monopole des caresses et des sourires maternels.

ROUMANIE 1900 : ARRÊTS SUR IMAGES

1911, la famille Ionesco quitte la Roumanie et s'installe à Paris. Alors qu'à Slatina, n'ayant pas encore atteint la trentaine, il assurait déjà l'intérim du préfet, dirigeant à ce titre les services préfectoraux, Eugen N. Ionescu abandonne pour un temps la carrière préfectorale pour conduire à son terme une thèse de doctorat en droit.

Non content de cette première thèse, Eugène N. Ionescu, dans la foulée, en soutiendra une seconde, à l'université de Tubingen. Eugen Ionescu n'est pas n'importe qui. Par les emplois que ce brillant sujet occupe, jeune encore, dans la carrière préfectorale, par sa détermination à sortir du cadre étroit de la Petite Roumanie dont témoigne la recherche de titres universitaires européens, par le choix de la France et de l'Allemagne comme terres d'accueil pour cette immigration intellectuelle temporaire, en ce début du XXᵉ siècle, Eugen Ionescu fait preuve à la fois d'ardeur et de lucidité dans la construction de son avenir. Le père sera longuement malmené par le fils. Mais le duel est inégal entre celui qui tient une plume et qui laisse derrière lui une trace, et celui qui n'a que sa voix pour se défendre et qui la perd lorsque la vie le quitte. Dans les dix années qui précèdent la Première Guerre mondiale, Eugen Ionescu, entre vingt-cinq et trente-cinq ans, prend d'assaut un avenir qui, pour lui, se situe dans une Roumanie encore réduite, pour l'essentiel, aux deux principautés d'origine, mais que la passion nationale porte aux revendications territoriales.

Les Roumains sont nombreux en Transylvanie, en Bessarabie, en Bucovine, dans le Banat et dans le Maramures, toutes provinces proches de la Petite Roumanie. Dispersés, ils aspirent à leur unité politique au sein d'une Grande Roumanie. Les minorités, parfois dominantes comme l'aristocratie magyare en Transylvanie, craignent ces revendications irrédentistes. Les majorités paysannes des provinces avoisinantes y voient le moyen de se délivrer du pouvoir des minorités ethniques qui les dominent et de la suzeraineté des empires russe et austro-hongrois dont elles relèvent.

Pour autant, le traitement que la Petite Roumanie réserve à ses propres paysans n'est pas exemplaire. Les modalités de l'action administrative dans les campagnes laissent une large place aux formes de pression les plus directes et les plus régressives. Eugène Ionesco, en 1977, rapporte une confidence que lui a faite un ami de son père. Accompagnant celui-ci dans ses tournées d'inspection du temps qu'il était sous-préfet, cet ami a pu observer qu'Eugen Ionescu, allant de village en village, trouvait toujours quelque reproche à faire au maire, le plus souvent un paysan. « Alors il le battait, il le giflait[36] ». Comportement, au demeurant, on ne peut plus courant : en période électorale en particulier, les efforts de persuasion des candidats revêtent communément les formes les plus physiques.

Même entre les individus, les relations gardent et garderont longtemps encore cette allure de confrontation directe dont témoigne l'anecdote que raconte Ionesco à la fin de sa vie dans *La Quête inter-mittente* (1987). Son enfance s'étant déroulée en France, il était à l'adolescence, au début des années vingt, de retour en Roumanie. En vacances en Transylvanie, récemment conquise, il se promène en juillet dans la campagne des environs d'Elöpatak. Seul, tenant à la main, un bâton de coudrier, portant un beau costume avec un col bleu marine, il fit la rencontre d'un « petit paysan à peu près de (son) âge... habillé simplement, pauvrement... (à la) figure rude... (qui le) dévisageait sans aménité [37]. » Il y avait une rivière et, enjambant la rivière, un pont si étroit qu'on ne pouvait s'y croiser. « Nous nous rencontrâmes, nez à nez au milieu du pont étroit. Nous levâmes, menaçants, nos bâtons. Nous étions seuls, face à face... Nous nous regardâmes, yeux dans les yeux, bâtons brandis, pendant une vingtaine de minutes, sans bouger. La force était dans les regards. J'avoue ma première défaite, ou ma première lâcheté. Je fus le premier à tourner le dos, pour lui laisser la place libre. J'avais honte. » D'autant plus honte qu'ensuite, dans la rue principale de la ville, le paysan affichait un « visage triomphant », prêt pour un nouveau défi « dont il était sûr qu'il sortirait victorieux. Et toujours dans ses vêtements rapiécés. » Rapport de force entre l'adolescent bourgeois de Bucarest et le jeune paysan de Transylvanie, transposition symbolique dans la Grande Roumanie de l'après-guerre des confrontations qui, de longue date, marquent dans l'Ancien Royaume les rapports entre la minorité gouvernante des villes et le peuple paysan des campagnes.

Longues périodes de soumission entrecoupées de jacqueries sanglantes. En 1907, la Moldavie et la Valachie présentent au monde la dramatique image d'une révolte paysanne écrasée par l'armée sous la direction d'un gouvernement à majorité libérale. La Roumanie n'a que les apparences d'une démocratie : monarchie constitutionnelle, chambre des députés, sénat, majorités alternatives, conservateurs et libéraux se succédant au fil des élections. Certes. Mais la réalité, c'est la distribution des sujets entre des collèges regroupant des catégories sociales définies selon des critères de résidence et de revenus. La réalité, c'est une représentation de chaque collège sans aucun rapport avec son poids démographique. Le système censitaire ne permet pas aux revendications sociales de s'exprimer politiquement. Aussi, à peu près à l'époque où Eugen Ionescu fait ses débuts dans la carrière préfectorale ou s'apprête à les faire, les paysans de Moldavie se soulèvent. Le mouvement commence dans un village dont le nom est lourd de signification : *Flaminzi*, *Les Affamés*. L'incendie gagne le sud, se répand en Olténie et en Valachie, dans les districts de Vlasca, Teleorman, Olt et

Dolj. Aux barbaries paysannes répondent les tirs d'artillerie de l'armée. Des villages entiers sont détruits. On cite le chiffre de 11 000 morts du côté des insurgés.

Cette Roumanie du début du XXe siècle, où naît Eugène Ionesco, a des institutions politiques, une administration – préfectures, sous-préfectures –, une capitale qu'on a surnommée *le Petit Paris*, une vie culturelle et mondaine qui, constamment, évoquent, imitent, copient la France. Le français est d'un usage courant dans les milieux instruits. « Nos pères pensaient en français[38] », se fait dire Paul Morand au milieu des années trente. Mais il ne s'agit que d'une mince pellicule à la surface d'un pays en état d'arriération économique. La population terrienne, archaïque, est tenue en tutelle par l'aristocratie foncière, surveillée par les fonctionnaires de l'État, accoutumée au long des oppressions séculaires à survivre en sauvegardant sa foi, ses lois, son être, maltraitée, soumise, mais indomptée, capable de jacqueries forcenées. La Roumanie ressemble à un pays occidentalisé, mais ne l'est que superficiellement. Français de culture, de langue et de mère, Eugène Ionesco sera travaillé, sa vie durant, par cette contradiction entre la Roumanie tournée du côté de la France qui est la sienne, et une Roumanie aux mœurs rétrogrades où les maîtres font battre leurs domestiques par la police, où les officiers giflent les soldats, où les sous-préfets se font les agents électoraux musclés des majorités en place, où les maires au zèle défaillant se font injurier par les représentants de l'État. Au carrefour de deux mondes, celui d'un Orient féodal où le servage n'est pas si loin, celui d'un Occident qui exalte les libertés individuelles, Eugène Ionesco vivra cette contradiction au sein même de son propre foyer, entre un père à forte présence, agent assez représentatif d'un ordre social et administratif sans complexe, et une mère de plus modeste condition, attachante par sa faiblesse même, prédestinée au rôle de victime. D'où chez lui une sensibilité à vif pour tout ce qui est injustice, arbitraire, méfaits de la force brute, arrogance des maîtres actuels ou à venir, piétinement des prédateurs chassant en meute ; sensibilité tourmentée par le spectacle à répétition des désastres historiques de l'espèce humaine. Indigné et sarcastique, passionné et désabusé, ayant absorbé dès son enfance roumano-française une dose substantielle de ce composé instable, Eugène Ionesco aura été immunisé contre les entraînements idéologiques qui, au long du XXe siècle, ont conduit bon nombre d'esprits parmi les plus distingués aux plus étranges complicités.

PÈRE ET MÈRE

À Paris, de 1910 ou 1911 à 1922 ou 1923, les lieux de séjour se succèdent : Maisons-Alfort, rue Madame dans le VIᵉ arrondissement, puis, dans le XVᵉ, rue ou square de Vaugirard, rue du Théâtre, hôtel du Nivernais rue Blomet, rue de l'Avre. En 1921-1922, de retour de La Chapelle-Anthenaise, Eugène Ionesco fréquente l'école de la rue Dupleix, avant de regagner la Roumanie. Médiocrement logé, le couple vit inconfortablement. De temps en temps, les nécessités de son travail incitent le père à se réfugier à l'hôtel. Les Ionescu reçoivent des subsides de la famille. Non loin de chez eux, la tante Sabine, sœur aînée de la mère de Ionesco, tient un cabinet dentaire. Désuni, le couple connaît les disputes. On imagine bien que le jeune haut fonctionnaire roumain se trouve un peu à l'étroit dans ce cadre resserré où l'espace et l'argent manquent, où les récriminations s'entrecroisent, où les enfants encombrent. En 1912 ou 1913, Eugène et Marilina ont eu un petit frère, Mircea. Victime d'une méningite, Mircea meurt à l'âge de dix-huit mois.

Survient la guerre : août 1914. L'Europe s'englue dans le sang et la boue. Un temps, la Roumanie sauvegarde sa neutralité. Eugen Ionescu garde donc la possibilité de s'y rendre et d'en revenir. Août 1916 : la Roumanie se rallie aux puissances de l'Entente. Eugen Ionescu est rappelé en Roumanie. Il quitte Paris et regagne son pays pour n'en plus revenir cette fois, laissant sa famille en France. Pour Eugène Ionesco, c'est le cataclysme fondateur.

Ce père parti laisse dans la mémoire du fils des images indélébiles, sortes de souvenirs visuels qui hantent la mémoire, sans qu'on puisse distinguer à coup sûr la part de vie vécue qu'ils renferment et la part d'invention que l'imagination créatrice y a rajoutée. Images du père que le fils n'a cessé, au fil de ses confidences, de nous livrer. Immense déploration existentielle, procès dont nous n'avons que le réquisitoire, au travers duquel il faut deviner les éventuelles circonstances atténuantes de l'accusé.

Restent les scènes de la vie enfantine des années 1911 à 1916, telles qu'elles s'entrechoquent dans la mémoire d'Eugène Ionesco hors de toute certitude chronologique.

Dans son *Journal* des années quarante, intégré à *Présent passé, Passé présent*, Ionesco écrit : « Trop tard. Dans quelles profondeurs chercher cette lumière ensevelie... Des siècles me séparent de moi-même[39]. » Jusqu'à trente-cinq ans, nous dit-il, le regard peut encore porter sur le passé. Au-delà, c'est déjà l'autre pente qui commence, celle qui descend vers la vallée de la mort. « Je fais des fouilles dans une terre dure pour y retrouver les débris de ma préhistoire ». Que cherche-t-il ? Il ne le sait plus. Ombre et lumière.

Les jours heureux aussi laissent leurs traces. Déménagements, emménagements. Image : il y a son père, « je le sens, telle une ombre, haute [40] ». Il y a lui et sa sœur qui jouent, complices, encouragés par le regard du père. Il y a la mère, « jeune, les yeux noirs », qui rit avec eux. Instant qui suffit à convaincre l'enfant que le bonheur est possible. « Une journée heureuse. Tous nous sommes joyeux ».

Rue Madame. Deux pièces, une à droite, une à gauche. Immeuble sombre. Son père l'assied sur un tabouret ou sur une chaise, pose le tabouret ou la chaise sur une table. Altitude vertigineuse. Il est seul avec son père. Son père se rase. « Je lui pose des questions sans cesse... Il répond, il explique [41] ».

Image du temps où Mircea aura vécu sa furtive existence. Mircea, un an ou quinze mois peut-être, se tient assis. Sa sœur, son frère, sa mère et son père jouent à cache-cache avec lui, se retirant dans la pièce d'à côté, puis surgissant brusquement. Éclats de rire de Mircea. Mircea « riant, riant... Je vois ma mère, riant du même rire que mon frère. Je vois moins bien mon père... il y est lui aussi [42]. » Encore quelques mois et le frère et la sœur découvriront que Mircea, l'enfant aux yeux noirs pareils à ceux de sa mère, n'est plus là.

Au-delà du cercle conjugal, il y a le cercle de la famille. Tante Sabine, l'aînée des sœurs Ipcar, chirurgien-dentiste, diplômée, dispose de trois cabinets à Paris. Elle habite une belle maison, rue Clodion, où elle et son mari invitent volontiers les Ionescu. Le premier mari de tante Sabine, monsieur Goton, était un « joyeux luron, joyeux Français, heureux de vivre [43] ». Une table dans une petite salle à manger. « Mon père est avec nous [44] ». C'est le moment du départ. Son père le prend dans ses bras. Par-dessus son épaule, il regarde le papier. « On se voit voir... Je me vois jouer ». Distanciation : « C'est comme si j'étais un frère regardant son frère ». Très jeune, trois ans peut-être, le voici au cinéma. Incendie sur l'écran. Il se souvient des pompiers avec leur camion rouge et leurs casques brillants. Mais ces pompiers sont-ils ceux du film ou ceux qu'il a peut-être vus, passant devant lui, à proximité de la rue Clodion ?

Scène de cinéma encore. Tempête sur l'écran. Les vagues se déploient avec une telle puissance qu'il craint de les voir déferler dans la salle. « Je crie [45] ».

Scène de dimanche après-midi en banlieue : repas chez les amis d'un oncle, nouvellement retraités. Réunion d'adultes : ennui de l'enfant. Le jeune Ionesco sort dans le jardin, avise des fraises, les dévore toutes, brigandage qui, lorsqu'il est découvert, sème la désolation. La mère, complice de l'enfant, feint la honte. Pour qu'il se distraie, on lui désigne un coteau où il pourra se promener. « Je traverse un chemin creux, plein d'ombres. Je débouche en pleine lumière [46] ». Et c'est l'une de ces découvertes, l'un de ces enchantements par lesquels s'inaugure la vie : « Des coquelicots rouges dans du blé jaune, un ciel tellement bleu, tellement bleu », un rouge, un jaune, un bleu comme il n'en a jamais vus depuis. Jamais revu non plus « une lumière aussi jeune, aussi fraîche, aussi neuve. Ce devait être le premier jour de la naissance du monde. Le monde venait à peine d'être créé et tout était vierge ».

Avec le temps et l'habitude, les couleurs se sont estompées, le regard s'est fatigué. C'est ce que nous dit Ionesco. Cependant, la lumière n'est pas perdue. Les fraises non plus. Soixante ans plus tard, dans *L'Homme aux valises* (1975), l'un des personnages dira : « Et puis une toute petite colline pleine de coudriers. Après, les prairies, un jardin avec des fraises [47]... » L'écrivain, prédateur de soi-même et des autres, tire parti, tout au long des décennies, des images confuses qui subsistent des scènes d'autrefois. Présence du père. « Je me promenais souvent avec lui. Je vois toujours son chapeau melon [48] ». Pour aller d'Alfort à Grenelle, la famille utilise le bateau-mouche. Nez collé à la vitre, l'enfant Ionesco s'absorbe dans la contemplation des remous qui brassent l'eau du fleuve à mesure que progresse le bateau. « Il est près de moi. Je le sens. » Il arrive que le bateau se fasse attendre. Attente nocturne dans le froid que le vent rend plus vif. « Il me tient dans ses bras. Il y a ma mère, ma tante. »

Le père, pardessus noir et chapeau melon, vient d'arriver rue du Théâtre dans le XVᵉ où demeure à présent la famille. C'est la guerre. L'enfant joue avec des soldats de carton ou de plâtre. Le père l'interroge. Il parle *tranquillement*. La mère sourit.

Voici le père furieux : il a acheté à la sœur une poupée énorme, réputée incassable. La sœur l'ayant laissée tomber, la poupée se brise, subissant le sort commun que connaissent les poupées qu'on lui achète. Irrité, le père s'éloigne à grands pas. La scène se déroule dans « la maison où se trouvait auparavant mon petit frère qui est mort [49] ».

Sortie dans la rue. L'enfant est avec la mère. Sentiment qu'ils sont à la recherche de la clinique où est né son frère. Indécision anxieuse de la mère. « Elle a sa petite figure ravagée par l'inquiétude, elle est triste. Nous ressentons douloureusement l'absence de mon père [50] ».

La mère, la tante Sabine, leur jeune sœur Cécile, toutes trois avec lui vont voir Marilina, mise en pension pour raison de santé, à Médan, dans le home d'enfants fondé par Émile Zola dans sa propre maison. Cour pleine d'enfants. Paraît la sœur, trois ans, en robe rose, qui semble ne pas savoir de quel côté se diriger. « Avait-elle perdu l'habitude de nous voir [51] ? » Il se passe quelque chose que l'écrivain adulte ne parvient pas à exprimer. « Comment pourrais-je retrouver ici la signification de cet indicible essentiel ? Tout s'est écroulé dans un océan sans limite. Il reste à peine à la surface quelques remous. Un regret sans remède [52]. » Image douloureuse. Sentiment d'un déchirement. Le père semble absent.

Souvenir d'indignation enfantine. Son père lit le journal. Il joue avec sa sœur, lui prenant ses jouets. Sa sœur lui dérobe ses cubes. Ces cubes sont à lui, à lui seul. Il la pousse. Il se fait gronder. Refuse de céder. Son père lui administre une fessée. Puis retourne calmement lire son journal sur le lit : « À ma stupéfaction, ma mère ne prend pas ma défense. J'étouffe de colère, d'impuissance. Je suis indigné. C'est contre l'ordre des choses. D'habitude, c'est moi le préféré, d'habitude, c'est à moi que l'on donne raison. J'avale ma fureur, je suis révolté. Je suis plein de rancœur contre lui, jamais je ne pourrai oublier cette honte... Je reste plein de rage, de cette colère que je ne puis assouvir [53]. »

L'intervenant extérieur : La voilà donc la cause de ce fameux conflit père-fils, dont Eugène Ionesco va entretenir la planète trois quarts de siècle durant ! Une fessée ! De surcroît, pas tout à fait imméritée !

L'orateur : Vous savez aussi bien que moi que ça n'est pas pour ça que le fils en veut au père. Ce qui a traumatisé le fils pour la vie, c'est d'avoir vu, un jour de son enfance, sa propre mère tenter de mettre fin à ses jours. On peut comprendre que la scène l'ait marqué.

L'intervenant extérieur. : Je sais ! Je sais ! Je sais surtout qu'il existe plusieurs versions contradictoires de cet épisode.

Eugène Ionesco : Ma mère est très malheureuse. Elle pleure. Il la gronde, il crie... Il a une voix très forte, un air méchant. Il continue. Ce doit être très dur, ce qu'il lui dit. Ma mère éclate en sanglots. Tout d'un coup, elle se dirige vivement vers la table de toilette près de la fenêtre. Elle prend la timbale en argent dont on lui avait fait cadeau, pour moi, le jour de mon baptême. Elle prend la timbale, elle y verse tout un flacon de teinture d'iode qui déborde, comme des larmes, comme du sang, et tache l'argent. Tout en pleurant, avec sa façon enfantine de pleurer, le visage grimaçant, ma mère porte la timbale à sa bouche [54]...

L'intervenant extérieur : Oui, d'accord, j'ai lu tout ça. Un peu mélo, ce récit ! D'autant que le récitant admet que sa mère n'avait peut-être pas vraiment l'intention de se suicider, comptant sur son mari pour l'arrêter. C'est en effet ce qui se produit. Eugen Ionescu bondit, retient la main de sa femme, lui prend la timbale, l'appelle par son nom. L'affaire se résume en somme à peu de chose.

Eugène Ionesco : Ma pitié pour ma mère date de ce jour. J'ai dû être infiniment étonné de m'apercevoir qu'elle n'était qu'une pauvre enfant, désarmée, un pantin dans les mains de mon père, et l'objet de sa persécution.

L'intervenant extérieur : Et vous vous êtes senti coupable, d'accord ! Ça ne vous a pas empêché d'exploiter sans vergogne cette scène en la reprenant à plusieurs reprises dans vos œuvres, mais en introduisant d'un texte à l'autre des modifications qui altèrent la crédibilité du récit d'origine, lequel se trouve dans *Présent passé, Passé présent* (1968). Une quinzaine d'années avant la publication de ce *Journal*, on trouve dans *Victimes du devoir*, (1953), une scène où l'un des personnages, *Madeleine*, ayant proféré : « C'est trop. Je n'en supporterai pas plus [55] », porte, elle aussi, un flacon à ses lèvres sans achever, elle non plus, le geste qu'elle a commencé. Dans le *Journal en miettes* (1967), c'est d'un rêve qu'il s'agit. Et cette fois le père a disparu. Ne reste qu'une femme brune, âgée, que Ionesco dit ressembler assez peu à sa mère. Robe noire. Sac noir. D'abord assez gaie et affectueuse, la femme est bientôt saisie par l'angoisse. Elle entre dans une violente colère contre lui. Le sac s'ouvre. De petites pilules de poison se répandent, chacune mortelle, que Ionesco doit récupérer, une à une, jusqu'à la dernière.

Eugène Ionesco : La femme me regarde avec férocité, elle m'injurie [56].

L'intervenant extérieur : Dans *L'Homme aux valises*, la même *Vieille Femme* reparaît, robe noire, sac noir, gants noirs, d'abord amicale, elle aussi, puis remplie d'angoisse et de colère, laissant échapper de son sac, elle aussi, des pilules qu'elle s'efforce d'avaler. Elle en est empêchée par un personnage identifié comme étant le *Jeune Homme*. Ici également, le père est absent, mais il est englobé dans les invectives : « Scélérat ! Je vous ai voué mon existence, à toi et à ton père ! Vous m'avez tuée tous les deux [57]. » La même tentative de suicide, reprise quatre fois, mais avec de telles variations qu'on peut se demander si la scène relève de la biographie ou de la fiction.

L'orateur : Comment pouvez-vous mettre sur le même plan quatre textes qui se présentent explicitement comme étant de nature tout à fait différente ? Ce qu'il y a dans *Victimes du devoir* et dans *L'Homme aux valises* appartient sans ambiguïté à la fiction dramatique. Ce qui est raconté dans le *Journal en miettes*, c'est un rêve. Dans *Présent passé, Passé présent*, c'est une tranche de sa vie que nous livre Ionesco. Il nous dit même que la timbale est toujours en sa possession, marquée de taches indélébiles, et que chaque fois qu'il la regarde, il se remémore la scène. Certes, l'événement s'est produit dans son très jeune âge, mais cette circonstance ne suffit pas à récuser le témoignage. Quant aux variations entre les récits, il faut y voir le travail de l'inconscient sur le réel dans l'élaboration du rêve, comme dans le *Journal en miettes*, ou le travail de l'artiste sur la vie dans l'agencement de la fiction comme dans *Victimes du devoir* et *L'Homme aux valises*. Ce qui mérite attention ce ne sont pas les variations, c'est, au contraire, la récurrence du thème dans l'œuvre de Ionesco.

L'intervenant extérieur : Sauf que ça n'est pas la même scène. Dans la confidence autobiographique, la présence du père est écrasante. C'est la violence de ses propos qui désespère Thérèse et la conduit à ce geste plus théâtral que véritablement suicidaire, qu'elle accomplit devant son fils, et que son fils ne cessera de mettre en scène. Le coupable, c'est le père. Du moins c'est ce que veut nous faire croire le fils. Mais, pour accéder à la vérité, peut-être faut-il être attentif aux aménagements que subit le récit dans les autres versions. Dans *Victimes du devoir*, c'est-à-dire dans le premier texte qui rend la scène publique, l'incrimination du père se charge d'une circonstance aggravante. La didascalie vient en effet préciser que le personnage dénommé le *Policier*, après avoir arrêté le bras de *Madeleine*, pour l'empêcher d'avaler le contenu du flacon qu'elle tente de porter à ses lèvres, modifie brusquement son attitude : « Soudain, tandis que l'expression de son visage change, c'est lui qui la force à boire[58] ». Si l'on assimile le *Policier* au père comme il est de coutume, le geste que lui prête ici le fils, devenu dramaturge, revient à lui imputer un crime dont il n'y a pas trace dans le récit supposé autobiographique tel qu'il figure dans *Présent passé, Passé présent*. Le fils ici, en la personne de *Choubert*, joue l'innocence, la complète fusion avec la mère. Le coupable, c'est le père.

Eugène Ionesco : J'ai huit ans, c'est le soir. Ma mère me tient par la main, c'est la rue Blomet après le bombardement. Nous longeons des ruines. J'ai peur. La main de ma mère tremble dans ma main.

L'intervenant extérieur : Mais dans le *Journal en miettes*, publié en 1966, Ionesco dit avoir été visité par un songe où c'est lui, et lui seul, que la femme injurie en le regardant avec férocité. Le père a disparu. Alors qui est le vrai coupable ?

L'orateur : Dans *L'Homme aux valises* (1975), l'accusation de la mère s'adresse au fils mais englobe aussi le père. En réalité le fils prend sur lui la culpabilité du père.

L'intervenant extérieur : Disons plutôt que le dramaturge Ionesco connaît mieux que quiconque les raisons qu'il a de culpabiliser.

L'orateur : C'est quand même son père, et non pas lui, qui, un jour de 1916, disparaît. C'est son père, et non pas lui, qui, à l'occasion d'un voyage en Roumanie, laisse sa famille à Paris et divorce en Roumanie à l'insu de sa femme. C'est son père, et non pas lui, qui se remarie, et sans que sa femme n'en sache rien, laissant à celle-ci le soin de subvenir seule aux charges de sa famille.

L'intervenant extérieur : C'est en effet la version que nous sert Ionesco dans *Présent passé, Passé présent*. Je rappelle que si Eugen Ionescu regagne la Roumanie, c'est parce que son pays est désormais en guerre aux côtés de la France et de l'Angleterre. Il ne fait que remplir ses obligations militaires.

Eugène Ionesco : Il avait quitté Paris pour aller, en 1916, à Bucarest faire la guerre, paraît-il. Il n'a pas fait la guerre. Il était fort comme un taureau. Il a été réformé [59].

L'intervenant extérieur : Que fera Eugène Ionesco en 1941-1942 sinon user de toutes ses relations dans l'administration du maréchal Antonescu pour se soustraire à la mobilisation dans l'armée roumaine ?

L'orateur : Les circonstances étaient différentes.

L'intervenant extérieur : En quoi ?

Eugène Ionesco. Ce n'est pas ce que je lui reproche. Je ne lui reproche pas non plus de nous avoir quittés et de s'être séparé de ma mère. On peut avoir envie d'une autre femme.

L'intervenant extérieur : Quelle soudaine compréhension !

Eugène Ionesco : Ce que je lui reproche, c'est d'avoir fait cela de la manière la plus moche. À un moment donné, il n'a plus donné signe de vie. Ma mère a dû travailler dans une usine pour me nourrir. Comme c'était la guerre, on ne pouvait pas correspondre avec Bucarest. Ma mère s'imaginait que mon père était mort sur le front comme tout le monde.

L'orateur : Si bien qu'elle a négligé pendant plusieurs années de s'informer de ce qui était arrivé à son mari. Jusqu'au jour où elle s'est avisée d'écrire au ministère de la Guerre de Roumanie, à la mairie, à la police.

Eugène Ionesco : Justement, loin d'être mort, c'est lui qui était devenu le chef de la police.

L'orateur : Plus précisément, chef de la *Sicuranze*, sorte de police politique et militaire du type DST-DGSE. Eugen Ionescu exerce cette fonction sous le gouvernement Marghiloman qui, de février à novembre 1918, durant l'intermède de l'occupation allemande, a dirigé la Roumanie.

L'intervenant extérieur : Vous n'allez pas en faire le fondateur de la *Securitate,* non ?

L'orateur : C'est vous qui posez la question, pas moi ! Ce qui est sûr, c'est que cette image du père disparu, devenu haut responsable de la police dans son pays, a durablement marqué Eugène Ionesco. Presque soixante ans plus tard, dans *L'Homme aux valises*, le *Premier Homme,* ayant exprimé le souhait de rencontrer un dénommé Julien, se fait répondre par l'un des policiers qui l'interrogent : « C'est mon supérieur hiérarchique. Il ne vous recevra pas. Il est trop occupé, il est directeur de la police[60] ».

Eugène Ionesco : Mon père avait obtenu le divorce et s'était remarié avec Lola. Il avait prétexté que ma mère se trouvait à l'étranger, donc qu'elle avait abandonné le domicile conjugal[61].

L'orateur : Pour conforter son dossier, il l'avait même embelli en y versant des faux, notamment une pièce confirmant les faits allégués, signée d'une sœur de Thérèse Ipcar.

Eugène Ionesco : Il avait contrefait la signature[62]...

L'intervenant extérieur : C'est du moins ce qu'on peut lire dans *Présent passé, Passé présent.*

Eugène Ionesco : La chose la plus embêtante, c'est que le divorce ayant été obtenu en faveur de mon père, il avait gagné aussi ses enfants, ma sœur et moi, au désespoir de Lola.

L'orateur : Aussi, n'ayant pas la garde des enfants, et le divorce ayant été prononcé à ses torts, Thérèse Ipcar n'avait droit à aucune pension alimentaire. En fait, et sans qu'elle n'en sache rien, elle avait été purement et simplement répudiée.

L'intervenant extérieur : Et c'est avec ce procès perdu, dont nous n'avons que sa propre version, que Ionesco nous encombrera de livre en livre, pendant un demi-siècle. C'est la mère qui est abandonnée, mais c'est le fils qui exploite littérairement le filon du traumatisme subi par personne interposée !

L'orateur : Non ! Vous savez bien que ce qui a véritablement traumatisé le fils a été vécu par lui personnellement, et réellement vécu par lui. Le traumatisme fondateur, c'est la scène de la timbale sanglante débordant de teinture d'iode, larmes de sang de la mère tentant de se suicider après l'altercation avec le père.

Eugène Ionesco : Si je suis comme je suis et pas autrement, je dois tout à ce fait initial, ou beaucoup. Je ne sais pourquoi, cela a déterminé l'attitude que j'ai prise vis-à-vis de mes parents, cela a dû même déterminer mes haines sociales. J'ai l'impression que c'est à cause de cela que je hais l'autorité, là est la source de mon antimilitarisme, c'est-à-dire de tout ce qui est, de tout ce qui représente le monde martial, de tout ce qui est fondé sur la primauté de l'homme par rapport à la femme [63].

L'intervenant extérieur : Il nous fait l'aveu de ses révulsions les plus frénétiques tout en admettant par ailleurs que la cause en est incertaine, que dans un couple on ne sait jamais qui est le jouet de l'autre, qui est la victime et qui est le bourreau, tant la réalité peut différer de l'apparence... Et si tout simplement ce conflit fameux venait de ce que le père faisait de l'ombre au fils et que le fils ne l'a pas supporté ? Je m'explique. Les responsabilités assumées très jeune par Eugen N. Ionescu en Roumanie, les travaux juridiques menés à leur terme par lui tant en France qu'en Allemagne laissent supposer une personnalité de premier plan. Peut-être était-il inévitable qu'un caractère aussi fort entre en conflit avec une individualité aussi impatiente et indisciplinée que l'était son fils. À côté des raisons qu'invoque le fils pour se justifier, il y a peut-être des motivations inavouées, obscures, inconscientes.

Eugène Ionesco : En tout cas lui et moi, nous sommes séparés jusqu'au jugement dernier et ce n'est qu'à ce moment-là que l'on réglera nos comptes et que les malentendus seront peut-être dissipés... Tout ce que j'ai fait, c'est en quelque sorte contre lui que je l'ai fait [64].

L'orateur : Cela a dû être écrit dans le courant des années quarante puisque Ionesco, dans le texte, dit avoir « passé la trentaine [65] ». Le propos n'a donc rien de définitif. Il reste presque un demi-siècle à Ionesco pour le corriger.

L'intervenant extérieur : Pour le radoter, oui ! En 1975, on découvre encore dans *L'Homme aux valises* que le *Premier Homme*, c'est-à-dire l'auteur, « déteste l'autorité [66] », tout comme l'auteur du *Journal* des années quarante. En 1981, retour du même thème dans *Voyages chez les morts*.

Eugène Ionesco : Depuis, j'ai eu pitié, à tort ou à raison, de toutes les femmes. Je me suis senti coupable. J'ai pris sur moi la culpabilité de mon père. Ayant peur de faire souffrir les femmes, de les persécuter, je me suis laissé persécuter par elles, ce sont elles qui m'ont fait souffrir[67].

L'intervenant extérieur : Qui a fait souffrir qui, ça reste à voir.

Eugène Ionesco : Tout le monde fait souffrir tout le monde[68].

L'intervenant extérieur : Analysez et commentez !

Eugène Ionesco : Je la vois encore avec ses larmes, décoiffée, la figure grimaçante, j'entends ses sanglots.

L'intervenant extérieur : Dans le *Journal* des années quarante, c'était seulement au père qu'allait l'exécration. De même dans *Victimes du devoir* (1953). Mais dans le *Journal* de 1967 je lis : « Mon père, ma mère, Lola, Mitica, peut-être aussi Costica, sont morts aujourd'hui. Si Dieu veut leur pardonner, je ne m'y oppose pas. Mais moi, je ne puis leur pardonner[69]... ». Ce *leur* qui englobe la mère dans la détestation générale est assez troublant. En 1979, dans des *Monologues* publiés dans la *NRF*, Ionesco réitère : « Depuis un demi-siècle le procès avec ma mère, mon père, la femme de mon père dure toujours[70] ». Un regret : « Des guerres, des exils, des décès ne nous ont pas donné le temps de dénouer le drame. » Quel drame ? Quel procès ?

LES IPCAR

1915 ou 1916 : première séparation d'avec la mère. Peut-être pour raison de santé, peut-être parce que le père était déjà parti, et que la mère devait travailler, l'enfant se trouva placé dans un établissement spécialisé. Où ? Du côté de Longjumeau ? Possible. Les souvenirs de Ionesco ne sont pas très précis. Ils n'en sont pas moins prégnants. Une gare souterraine, mais quelle gare, celle des Invalides, celle du Luxembourg ? Une ligne de chemin de fer, mais quelle ligne, celle de Sceaux ? Unique certitude : « séparé de ma mère, j'y fus constamment malheureux[71] ». Dortoir commun, réfectoire, grilles, hauts murs, un parc comme une cour de prison. Vers 1933, lorsqu'il fera son service militaire en Roumanie, Eugène Ionesco renouvellera cette expérience de la vie collective, et elle lui inspirera la même répulsion : « surtout ne pas être dans un dortoir commun[72] ». Cette hantise le poursuit même quand il dort, et qu'il rêve d'un voyage en mer comme dans le *Journal en miettes*. Dans *L'Homme aux valises*, le *Premier Homme*, au moment de monter à bord d'un bateau où s'entassent une multitude de voyageurs, se récrie : « Je ne veux pas être mêlé à tous ces gens-là...

Je veux une bonne cabine individuelle[73] ». Le même, se retrouvant dans la salle commune d'un hospice de vieillards, s'exclame : « Vous vous êtes trompé. J'avais demandé une chambre pour moi tout seul[74] ». Une chambre pour lui tout seul, une bonne cabine individuelle : sa vie durant, Ionesco aura eu le souci de s'assurer un toit, des revenus, des sécurités qui le mettent, lui et les siens, à l'abri du besoin, et qui lui permettent de composer son œuvre hors des embarras, du brouhaha et des bavardages. Faute de disposer de ce quant-à-soi protégé, il n'y a, et il n'y aura jamais pour lui, qu'agression extérieure, *inadmissible* intrusion des autres dans sa sphère personnelle.

La mère : elle lui rendait visite un dimanche sur deux. Elle apparaissait, elle disparaissait. Ionesco se souvient : « Je m'accrochais en hurlant à ma mère pour l'empêcher de partir[75] ». L'infirmière doit convaincre la mère de s'en aller sans emmener son garçon. Ramassage de marrons dans l'herbe. Représentation théâtrale. Facétie secrète du jeune Ionesco : il subtilise aux grands le jeu de cartes avec lequel ils ont l'habitude de jouer dans le dortoir, puis le replace subrepticement sur la table après que les soupçons se sont portés sur tout le monde sauf sur lui. Expérience juvénile du délit impuni. Une autre fois, expérience du bonheur, comme par effraction. La mère est venue le chercher, accompagnée de sa jeune sœur, Cécile, de son jeune frère, sans doute Alexandre qui mourra de tuberculose à vingt-cinq ans. Ils ont déjeuné dans une auberge. Ils ont bu de la limonade. Ils ont dansé. Ils se sont promenés : « Quelle fête ; que le monde était merveilleux au-delà des portes[76] ! »

Les Ipcar vivaient en tribu, nombreux, dispersés, mais vite rassemblés à l'occasion des fêtes et des réunions familiales. Ionesco se souvient que, du temps qu'ils habitaient rue de l'Avre, sa mère et lui se rendaient quelquefois rue Daumesnil où demeurait l'oncle Alexandre. Ils y retrouvaient les autres oncles et les tantes et, parfois, le grand-père ainsi que la grand-mère. Bien que se déplaçant en fauteuil roulant, sa grand-mère maternelle se transportait en métro à travers Paris, aidée par ses fils. Rue Daumesnil, l'oncle Alexandre exerçait l'activité de dentiste dans l'un des cabinets de tante Sabine. Ceci en toute illégalité car il n'avait aucun des titres nécessaires à l'exercice de la profession. Aussi lorsqu'on le vit un jour revenir, encadré par deux agents de police réclamant ses papiers, on crut que la supercherie était découverte. Il n'en était rien. Les agents voulaient seulement s'assurer qu'il n'était pas l'un de ces déserteurs qu'ils avaient mission de débusquer dans les rues de Paris. Déserteur, il ne l'était pas, il était réformé le plus légalement du monde. Parce que tuberculeux. Fiancé à

Mathilde, on disait qu'ils formaient un beau couple. Mais le mariage ne se fit jamais car bientôt l'aggravation de son état conduisit Alexandre à se rendre à Tunis où il alla séjourner dans la grande villa qu'habitait Émile, le frère aîné, directeur de l'usine d'électricité. Alexandre avait environ vingt-cinq ans lorsqu'il mourut à l'hôpital de Tunis. « Je le vois, son mouchoir à la bouche, car il crachait toujours et toussait... Grand-mère tenait le coup, mais le pauvre vieux grand-père ne pouvait retenir ses larmes [77]... » C'est vers ce temps-là que le jeune Ionesco eut l'occasion de voir un film tiré du roman de Paul Bourget : *Le Sens de la mort*.

Le Ionesco de 1981 se souvient aussi que c'est en fréquentant la rue Daumesnil qu'il s'éprit d'une certaine Jacqueline, demoiselle d'une douzaine d'années, fille d'un médecin voisin, allant jusqu'à faire sept ou huit fois le tour du pâté de maisons à seule fin de saluer autant de fois la jeune personne occupée à jouer à la balle. Elle était belle. Il n'osait l'aborder. Il ne la revit plus.

Malgré le malheur d'Alexandre, la vie du clan Ipcar « était gaie et bruyante... on riait beaucoup [78]... » Ionesco se souvient d'un séjour à Montfort-l'Amaury où Alexandre, un temps, exerça aussi le métier de dentiste, toujours dans un cabinet au nom de tante Sabine. Images d'un village lumineux. Souvenir d'une visite de tante Sabine un dimanche avec la tante Cécile et l'oncle Gaston, deuxième mari de Sabine, futur chef de travaux à la faculté de médecine.

Scènes de la vie quotidienne au jardin d'Éden

Dans la première décennie de sa vie, Eugène Ionesco aura expérimenté le tragique de la vie, sa pathétique splendeur, cependant qu'à quelques centaines de kilomètres de là, d'étranges enchaînements de causes et d'effets conduisaient des centaines de milliers d'hommes civilisés à s'exterminer à la baïonnette, à la mitrailleuse, au canon. C'était un fracas d'épouvante dont quelques bombardements parisiens donnaient un aperçu à Thérèse Ipcar et à son fils. À l'écart des terres bouleversées par ce séisme psychique, l'ordinaire de la vie subsistait. Les bourgs et les villages s'adonnaient à leurs occupations, sans que le silence fût troublé par le bruit des armes. Anémique, en manque de grand air, le jeune Ionesco se trouva, un jour, transplanté dans l'un de ces lieux, La Chapelle-Anthenaise, dans la Mayenne, à une douzaine de kilomètres de Laval. Un jour, La Chapelle-Anthenaise se fixerait dans sa mémoire comme l'image du paradis perdu. Le séjour a sans doute duré trois à quatre ans. Il a commencé avant que la guerre ne finisse. Au retour, Eugène Ionesco fréquentera l'école de la rue Dupleix où on le retrouve vers 1922.

Dans le *Journal* des années quarante, Ionesco note : « Il me semble, il me semble que les images du village et du Moulin s'effacent, petit à petit ou lentement s'engloutissent, ou plutôt, elles sont de plus en plus pâles, plus fanées, elles se dessèchent comme les feuilles en automne[79] ». Demeurent pourtant, se devinant dans la brume du souvenir encore proche, les coteaux herbeux, le ruisseau nonchalant, les buissons, les prés, les taillis, la montée qui conduit au bourg, le chemin étroit qui mène à la gare, dissimulé par des haies d'aubépine et une voûte de feuillages et de branchages, le jaune des blés, le rouge des coquelicots, et la puissance magique, et cependant perdue, des senteurs de la nature, le lavoir, l'écurie, la passerelle au-dessus du ruisseau. Il y avait une sorte de cabane qu'un garnement nommé Raymond fit mine de mettre à la disposition du petit Parisien pâlot, moyennant un sou par jour, la semaine étant payable d'avance. Accord conclu. Dès le lendemain, l'enfant Ionesco s'en fit chasser comme un occupant sans titre par le même Raymond, assisté, pour la circonstance, par un complice, prénommé Maurice. Ce Raymond, encore lui, l'ayant mis au défi de grimper dans un certain poirier, aussitôt le voilà qui y monte, pour découvrir, trop tard, qu'il vient de déranger un essaim de guêpes. Cette fine plaisanterie lui vaut moult piqûres et des enflures pendant trois semaines.

Eugène vient à La Chapelle-Anthenaise, accompagné de sa sœur Marilina. Ils sont accueillis dans une ferme datant des XVIIe et XVIIIe siècles, appelée « Le Moulin », tenue par le père Baptiste, la soixantaine à peu près vers 1920, sa femme, mère Jeannette, leur fille Marie, un peu plus de la trentaine. La guerre se rappelle aux villageois par la présence de soldats américains attendant leur départ pour l'Amérique. L'adjudant procède à un appel quotidien sur la place de l'église. De temps en temps, un officier vient en inspection. Un Américain est logé au Moulin.

Le peuple de La Chapelle-Anthenaise : il y a le comte, maire de la commune, qui a entrepris de transmettre sa charge à son fils, le vicomte, il y a leur opposant, un forgeron réputé rouge, il y a le curé, petit, sec, la quarantaine, assez porté sur le vin blanc et le cidre, furieux le jour où, visitant le Moulin, il découvre que la cruche à cidre a été délibérément remplie d'eau à ras bord. Grâce à lui, le catéchisme de l'Église catholique deviendra familier, pour la vie, à Eugène Ionesco. S'il s'est inscrit au catéchisme, c'est en dépit des moqueries du maître d'école, M. Guéné. Immergé au sein du peuple de La Chapelle-Anthenaise, il devient l'un des gars du lieu comme Ernest, Raymond, Maurice, Jean, fréquentent les filles, Mariette, Simone, Irène, Agnès. Petite fille blonde au rire clair, qu'il prend plaisir à faire rire par ses grimaces, Agnès a neuf ans comme lui. Sa *bonne amie*, c'est Simone, du moins c'est ce qu'a décrété le très spirituel Raymond dont l'ironie lui pèse au point qu'il s'écarte de Simone, l'évitant pour ne pas accréditer les insinuations de cet excellent camarade. Il s'interdit même de lui parler, alors que, pensionnaire comme lui au Moulin, elle vient de rentrer de Paris. Simone se venge en l'aspergeant au moyen d'un revolver à eau. Ils jouent à être mariés. Ils se tiennent par la main. Ils sont au milieu des prés, des herbes hautes, au pied des saules. Première communion de Simone. Blanche dans sa robe blanche, environnée d'autres petites filles en blanc, la voici à l'autel, puis de retour à la maison, si grave que l'enfant Ionesco ose à peine lui adresser la parole. Un peuple nombreux a été convié au Moulin pour la circonstance, selon une coutume transmise au long des générations. À l'étage, une table recouverte d'une nappe blanche a été dressée. Instant de fête comme la tradition savait en créer, afin que la mémoire, par le souvenir des heures singulières arrachées à l'universel écoulement du temps, pût s'assurer, à tout moment, que le passé avait bien été vécu, et que, si profondément enfoui qu'il fût, il demeurait, mystérieusement engrangé pour y avoir recours au besoin. Le curé ayant un peu forcé sur le vin blanc, le père Baptiste le reconduit au presbytère. Il y a, errant quelque part dans la mémoire d'Eugène Ionesco, la mère de Simone, cette madame C., qui ne l'aimait guère.

Rumeurs de sagesse commune, avec des révérences d'autant plus probantes qu'elles se portent sur des absents : « C'est pas l'gars Armand qui aurait dit ou fait cela [80] ». Cet Armand est un ancien pensionnaire du Moulin. Le jeune Ionesco a hérité de ses jouets ainsi que d'un costume du dimanche à boutons dorés. Le gars Armand sert de référence, tantôt flatteuse : « Tu es comme le gars Armand », tantôt dépréciative lorsque la comparaison est défavorable au gars Eugène. Il en va ainsi, par exemple, lorsque le nouveau pensionnaire, censé s'appliquer à l'arrachage des mauvaises herbes, n'élimine que les bonnes, faute de discerner les unes des autres.

Images d'enfance. Le père Baptiste l'a hissé sur le dos de Boulonne, jument tranquille qui va paisiblement par le chemin boueux. Avec Maurice, il garde les vaches qui broutent dans le champ. S'il était une vache, il aimerait l'herbe, se dit-il. Être une vache. Pêche à la ligne avec Maurice et Raymond. Petits poissons. Soudain un gros, que Maurice a ferré, si gros que le fil se rompt. Plongée du gros poisson dans l'eau.

Amertume de Maurice. L'enfant Ionesco est au milieu des champs et des saisons. Nuits de juin, jeux parmi les lauriers, chevaux, poulains. Printemps. Cloches du dimanche matin. Costume à boutons dorés. Marche vers l'église : « Le moment le plus heureux de ma vie... J'ai conscience de ma joie[81]... » Soleil tiède, haies d'aubépine, « tout est neuf ». Images et souvenirs comme des trésors perdus. Pas tout à fait perdus.

Des soldats américains se retrouvent au Moulin. L'un, professeur de danse, y demeure. Un autre vient y chanter en jouant de la guitare. Sa voix fait le bonheur de mère Jeannette. Un troisième, pâtissier, prépare un gâteau au chocolat. Au bourg, distribution chaque soir des surplus américains de crème au chocolat, dont il incombe au jeune Ionesco d'aller quérir une part pour le compte des habitants du Moulin. Journées de battage du blé, la batteuse entraînée par un manège que les chevaux font tourner. Ramassage clandestin de prunes en compagnie de l'oncle Alexandre en visite ; clandestinité inutile, la fermière leur disant : « Je les donne pour rien[82] ». Fracas de l'express Paris-Brest. Jeux avec d'autres garçons dans la grange parmi les tas de blé. Visite au père Dalibar, à la Brochardière ; ample consommation de cidre puis café et eau-de-vie qu'on sert aussi à l'enfant Ionesco. « Joie énorme[83] », note-t-il, retour difficile au Moulin ; accueil orageux de mère Jeannette.

Char fleuri, revêtu de verdure, feux d'artifice, fusées lumineuses. Dans la nuit d'été mouillée de pluie, Jules Marie, responsable de la fête, s'agite pour faire exploser les pétards. Il se dépense sous l'œil de Marie avec qui, peut-être, il aurait pu y avoir projet de mariage, si les circonstances s'y étaient prêtées. Tout ce remue-ménage intempestif ne lui attire que la réprobation de mère Jeannette : « Ah ! ce que c'est que de trop aimer la gloire, observe-t-elle. Il y a des gens comme ça[84] ». Parmi les gens comme ça, il y a peut-être le jeune Ionesco qui, près d'elle, se voit en chef de guerre. « Je joue tout seul dans le grand pré. De mon bâton, je décapite les fleurs des champs. Ce sont des ennemis. Je suis général, à cheval, sabre au clair[85]. » Quand il découvre que le père Baptiste l'observe de son regard muet, le général cherche le salut dans la fuite. Le héros n'est pas épargné par quelques irritations identitaires. Lorsqu'une vieille dame sans domicile fixe, mais qu'on dit instruite, réagit sur son nom roumain en faisant l'assimilation « Roumain, Romain, Romanichel, c'est la même chose[86] », il se rebiffe. Il lui débite des insanités malveillantes. Le voilà réprimandé, envahi de remords, faisant acte de repentance. « C'est comme le gars

Armand », conclut mère Jeannette, sans qu'on sache tout à fait comment interpréter le parallèle.

« Ils sont tous plus bêtes les uns que les autres[87] ». L'instituteur n'est pas content. Il a posé une question à toute la classe, puis, assuré que le jeune Ionesco saurait à lui seul compenser l'ignorance collective, il s'est tourné vers lui. En vain. S'étant révélé aussi ignare que les autres, le Parisien de Roumanie reçoit deux gifles, prix de gros acquitté par un seul pour la défaillance de tous.

La grande affaire des écoles primaires sous la IIIe République, c'était le certificat d'études, grâce auquel les élèves savaient lire, écrire et compter, et connaissaient de surcroît l'histoire et la géographie de la France. Aussi lorsque, vers 1921-1922, sa mère vient le chercher à La Chapelle-Anthenaise pour le ramener à Paris, Thérèse Ipcar s'entend dire par M. Guéné : « C'est dommage, il serait entré en première division, il aurait eu son certificat d'études cette année[88] ». Le regret du maître est aussi celui de l'élève. « Tu dois faire des études », lui dit sa mère. Comme le fils l'assure que, justement, il passera son certificat d'études à Laval cette même année, sa mère qui connaît la hiérarchie des diplômes, réplique : « Ce n'est pas la même chose ». Même si l'abandon conjugal a contraint Thérèse Ipcar à travailler pour subvenir à ses besoins, elle sait que son fils est un jeune homme que ses origines sociales et ses capacités scolaires prédisposent aux études secondaires et supérieures. Encore faut-il que le père assume ses obligations. En attendant, le jeune Ionesco a reçu tout ce que l'école élémentaire de ce temps-là transmettait. Même si, dans sa période roumaine, il avouera avoir un peu perdu la maîtrise du français littéraire, il n'en gardera pas moins la familiarité avec la langue, et lorsqu'il lui faudra se fixer définitivement en France, il en retrouvera aisément le plein usage. À la différence d'Eliade et de Cioran, le français aura été l'une des langues maternelles d'Eugène Ionesco.

Il a aussi acquis le goût des belles histoires. Ce qu'il attend, le jour de la distribution des prix, c'est que le gros livre rouge relié que lui destine M. Guéné raconte de telles histoires. Quand il s'avère qu'on veut l'instruire avec des descriptions géographiques ou des récits de chasse, le voilà franchement déçu.

Et la mère ? Oubliée ? Non : « À quatre ou cinq ans, je me suis rendu compte que je deviendrais de plus en plus vieux, que je mourrais[89] ». Révélation centrale. Sa mère aussi mourrait. Pas tout de suite. Mais cela viendrait. D'où l'idée du temps qui tue. Or « à La Chapelle-Anthenaise, je me trouvais hors du temps[90] ». Certes, il aime à voir sa mère. Mais loin d'elle, il lui est loisible d'oublier qu'elle mourra. Cet accommodement de l'être avec la mort, il ne l'expérimentera qu'étant à La Chapelle-Anthenaise. La Chapelle-Anthenaise signifie d'abord séparation d'avec la mère. Lorsque, pour la première fois, elle le conduit au Moulin, quel déchirement ! « Je ne peux plus résister... Je me précipite en pleurant dans les jupons de ma mère[91]... » À la gare, un jour de 1917 ou de 1918, ils sont descendus du train, mais à contre-voie, si bien que Marie, venue les chercher avec la petite Simone, a failli les manquer. Au Moulin, il est comme enveloppé « d'un mystère d'angoisse[92] », cependant que sa sœur, instantanément accordée au lieu et aux gens, « joue avec des petits chats qu'elle torture et qui miaulent affreusement ». La gare lui est apparue d'une beauté irréelle. Sa mère repartie, il s'est installé à La Chapelle-Anthenaise, à l'abri du temps et de la mort. Il avait cru comprendre que la mort survenait par accident ou du fait d'une maladie, « et qu'en faisant bien attention à ne pas être malade, en étant sage[93] », on pouvait y échapper sans qu'elle cessât cependant d'être là, « mystérieuse, illogique, terrible[94] ». Malade, il arrive qu'il le soit, comme n'importe quel enfant. Ou comme n'importe quelle vache. Quand il est malade en même temps qu'une vache, le vétérinaire, une fois traité la vache, vient l'examiner. Rien. Ce n'est rien. La vie, la vraie vie, c'est cette plénitude, c'est ce présent immuable, préservé du mortifère écoulement du temps, tel qu'il lui a été donné de le connaître à La Chapelle-Anthenaise. Aussi, lorsqu'un jour d'octobre, sans doute de l'année 1921, sa mère vient le chercher pour le ramener à Paris, il lui signifie son regret de partir. Marrie, la mère doit lui expliquer que Paris avec ses fêtes et ses lumières, ce sera tout de même mieux qu'une ferme dans un bourg de la Mayenne. Il y aura tante Sabine et sa belle maison toute proche où ils seront souvent accueillis. Ils vivront rue de l'Avre dans un appartement où habiteront également son grand-père et sa grand-mère. Lui, Eugène Ionesco, vers ses douze ans, quittera La Chapelle-Anthenaise comme on quitte le jardin d'Éden.

Dans le souvenir du mémorialiste, celui de 1939 comme celui des années soixante, ce temps hors du temps, ce lieu où le renouvellement des jours n'affecte pas la pleine souveraineté de l'enfant au milieu des choses qui passent, ce temps et ce lieu seront le temps et le lieu du paradis perdu : « Au Moulin, tout était joie... ». Un présent protégé de cette rupture définitive qu'induisait la mort, une succession de saisons, mais sans qu'il y eût *d'année prochaine,* tant une projection aussi lointaine était inaccessible à l'enfant, un jour sans fin au sein d'une durée immobile, ce furent des « jours de plénitude... de lumière[95]... », l'âge d'or de l'enfance, de l'ignorance. De livre en livre, la confidence d'Eugène Ionesco se répète, identique à elle-même, nostalgique, pathétique.

La Chapelle-Anthenaise, c'est aussi la foi reçue : « Je me suis inscrit au catéchisme[96] ». Le curé, médiocre pédagogue, un peu trop porté sur les boissons alcoolisées, n'en était pas moins le visage de la religion. La messe, pour laquelle il revêtait le costume du dimanche, l'eau bénite, les rires au fond de l'église, le dimanche des Rameaux, les rues « jonchées de fleurs, de feuilles, de branches[97] », sa première confession, à neuf ans, où le souci de n'oublier aucune faute lui fait répondre oui à toutes les questions du prêtre y compris à celles qu'il n'a pas comprises, le bonheur ensuite de se sentir « infiniment léger, purifié », lui, par excellence, le sujet coupable né coupable, retrouvant la liberté du pécheur pardonné.

Enfance : « C'est bien cela le paradis, le monde du premier jour[98] ». D'où la nostalgie infinie : « Être chassé de l'enfance, c'est être chassé du paradis, c'est être adulte », c'est s'apercevoir que ce sont les choses qui demeurent et nous qui passons, c'est être précipité dans le temps par une force centrifuge irrésistible, c'est oublier ce que, enfant, on avait compris. Pour Eugène Ionesco, La Chapelle-Anthenaise fut un cosmos heureux. « Joie... éblouissement... plénitude[99]... » Ce sont les mots qui viendront sous sa plume un demi-siècle plus tard. « Je n'ai jamais retrouvé l'enfance[100] ». Point de salut alors ? Si. Reste la grâce : « En dehors de l'enfance et de l'oubli, il n'y a que la grâce qui puisse vous consoler d'exister ou qui puisse vous donner la plénitude, le ciel sur la terre et dans le cœur ». D'où la question : « Comment peut-on vivre sans la grâce ? »

Le départ du jardin d'Éden, « première déchirure[101] », s'est opéré par le moyen de la carriole du père Baptiste. La mère Jeannette est restée au Moulin. Le père Baptiste les a accompagnés à la gare. Il n'a pas attendu que le train arrive. Une embrassade, une larme, puis il a tourné les talons. Sur le quai, surmontant son émotion, Marie, au bord des pleurs, a réussi à articuler : « J'ai idée que je ne te reverrai pas[102]... » Il reviendra en 1939. Elle sera toujours au Moulin. Père Baptiste et mère Jeannette, non. Ils seront morts.

ÉCHOS ET CORRESPONDANCES

Les souvenirs du Paris de ses douze ans, sont des souvenirs d'exil. « Je fus très malheureux. J'avais l'impression d'une prison[103] ». Sachant à présent que le temps détruit le bonheur de l'instant, il guette avec avidité les heures heureuses, impuissant à en empêcher l'écoulement.

L'émerveillement des séances de cinéma est altéré par la conscience que la séance aura une fin. « Un jour de fête n'était jamais assez long[104] ». Pour que l'écoulement du temps fût tolérable, désormais il lui fallait pouvoir en espérer quelque chose, en escompter quelque profit, une joie, des vacances, le repos du jeudi après le travail du mercredi, un voyage, une circonstance qui ferait du désastre imperceptible des heures qui se délitent une attente dont l'issue divertirait l'esprit de ce qui s'accomplit dans le silence des profondeurs. Habité, comme tout un chacun, par cet étonnement sacré devant la vie qui l'emporte, Eugène Ionesco, à la différence de tout un chacun, a fait de cet étonnement la matière de son activité, le matériau de son œuvre.

C'est aussi vers ce temps-là, 1922-1923, que du papillon naquit la chenille. Jusque vers dix ou douze ans, il était beau, l'un des garçons les plus beaux de La Chapelle-Anthenaise. Tandis que ses camarades allaient se délivrer de leur laideur avec l'adolescence, l'adolescence ferait de lui un jeune homme aux traits ingrats, avec un gros nez et de grosses lèvres. « Je dus accepter la situation, j'ai pu vivre sans être beau[105] ». Jamais cependant il n'aura de ressentiment contre la beauté, jamais il ne fera de ses productions une vengeance contre les splendeurs du monde. La laideur est toujours à portée. La beauté ne se livre qu'aux artistes. Elle n'est pas un leurre. « J'ai continué d'aimer la beauté, je ne l'ai jamais niée, jamais contestée ».

Paris 1921-1922. Adolescent, Ionesco retrouve sa famille maternelle. Dans *L'Homme aux valises* (1975) un personnage dénommé le *Vieil Homme* se présente au *Premier Homme*. Le *Premier Homme*, c'est l'homme aux valises. C'est l'un des personnages dans lesquels Ionesco a choisi de projeter une part de lui-même. « Nous sommes tes grands-parents maternels[106] », déclare le *Vieil Homme*. La *Vieille Femme* précise : « J'ai eu beaucoup d'enfants. Sept fils, cinq filles[107] ». De fait, les grands-parents maternels d'Eugène Ionesco eurent douze enfants, sept garçons : Émile, Cristian, Alfred, Ulysse, Théodore, Armand, Alexandre, et cinq filles : Sabine, Thérèse, Aurélie, Angèle et Cécile. Les correspondances entre l'œuvre dramatique et les éléments autobiographiques sont évidentes. Elles ne sont pas propres aux dernières pièces. Ces *applications* – c'est ainsi que l'on nommait au XVIIᵉ siècle les corrélations entre la fiction théâtrale et la chronique contemporaine –, se retrouvent deux décennies plus tôt dans *Victimes du devoir* (1953). Ionesco n'en fait pas mystère. « Je projetai sur scène mes doutes, mes angoisses profondes, les dialoguai ; incarnai mes antagonismes ; écrivis avec la plus grande sincérité ; arrachai mes entrailles : j'intitulai cela *Victimes du devoir*[108] ». La *Vieille Femme* de *Voyages chez les morts* revendique son identité : « Je ne suis pas madame, je suis ta grand-mère [109] ». La proximité entre les épisodes et les dialogues qui forment la trame des ouvrages dramatiques et ceux qui sont rapportés par Ionesco dans ses livres de confidence impose un constat majeur, celui de l'unité de l'œuvre et de la vie. L'interdépendance entre la vie, qu'elle soit vécue ou rêvée, et l'écriture, qu'elle soit autobiographique ou théâtrale, est une donnée fondatrice de la manière de Ionesco. Les douze enfants qu'évoque La *Vieille Femme* de *L'Homme aux valises* sont l'un des multiples exemples de ces sortes de transpositions pures et simples d'éléments empruntés à l'histoire familiale. Pour autant, l'œuvre dramatique ne saurait être invoquée pour établir un fait biographique. Le dramaturge, s'il prend la liberté de puiser amplement dans sa propre histoire, s'accorde non moins largement la faculté d'inventer des circonstances qui lui sont entièrement étrangères. Comme sa grand-mère maternelle, la *Vieille Femme* de *L'Homme aux valises* a eu douze enfants. Mais dans la même œuvre, il fait dire à un personnage qui renvoie à sa mère :

« J'ai eu deux fils, des petits-fils.

Ils sont morts à la guerre [110] ».

Ici la descendance que s'invente la femme relève de la seule fiction dramatique. L'œuvre dramatique n'est pas une source d'information fiable quant aux faits de la vie d'Eugène Ionesco, d'autant que bon nombre d'éléments qui s'y trouvent repris proviennent de rêves notés par lui et non de circonstances qu'il aurait vécues. Ce que le théâtre apporte, en revanche, c'est l'écho très plausible d'un milieu familial prégnant, tel qu'il a été perçu par le jeune Ionesco. Quand la *Vieille Femme* de *L'Homme aux valises* s'exclame : « Nous sommes si bien ensemble [111] » ; quand l'indication de scène qui précède précise que « la Femme, la Vieille Femme, le Vieil Homme, le Jeune Homme » forment un groupe serré qui s'avance vers le *Premier Homme*, figure de l'auteur lui-même ; lorsque la *Vieille Femme* dit au *Premier Homme* : « Tu as perdu tous ceux de ta famille [112] », il se peut que cet assaut nous dise quelque chose de ce qu'Eugène Ionesco a vécu au sein de sa grande famille, de la culpabilité qu'il y a intériorisée, et qui s'est insinuée dans sa vie, et jusque dans ses rêves. Lorsque, dans *Voyages chez les morts*, la *Grand-mère* énonce : « Il faut sauver Ernest. Il est immergé dans ses dettes [113] » ; lorsque la mère affirme, se voulant rassurante : « Je vais essayer, moi, de trouver l'argent » ; lorsque, plus loin, l'oncle Ernest réclame à *Jean* « beaucoup d'argent pour payer les dettes de la famille [114] », il se peut que cette redondance dans les préoccupations d'argent dise quelque chose de la situation de la famille Ipcar.

Le même *Ernest* se plaint qu'on le quitte après qu'il a « trouvé des situations pour toute la famille [115] ». Il est mal vêtu, malpropre, il s'indigne de son état : « Après tout ce que j'ai fait pour le genre humain. L'injustice ! L'injustice règne [116] ».

L'œuvre dramatique nous donne à entendre la rumeur puissante qui monte de la grande tribu des Ipcar. Les rêves aussi y font écho. Eugène Ionesco voit des maisons qui brûlent. « Je reconnais cette maison... J'y suis venu plusieurs fois dans mes rêves... c'est la maison que j'avais habitée avec ma mère [117]... les fenêtres sont très éclairées, c'est allumé à l'intérieur et pourtant il n'y a personne. Je m'aperçois que cet éclairage provient des flammes d'un incendie qui ravage l'intérieur de la maison [118] ». Les rêves où cette maison lui apparaît lui laissent toujours un sentiment de malaise.

Outre cette demeure où il a vécu avec sa mère, il a connu la belle maison de tante Sabine rue Clodion, sans doute aussi celle, plus petite, dont ses grands-parents étaient propriétaires à Clamart.

L'œuvre littéraire, où s'opère le brassage de la vie, est la source majeure où il faut puiser pour faire connaissance avec Eugène Ionesco, à condition de constamment garder présent à l'esprit que cette alchimie ne relève pas de l'histoire mais de la création artistique. Les confidences elles-mêmes sont à prendre avec circonspection.

En 1986, Ionesco, considérant son œuvre, est tout à fait conscient que des individus tels que l'auteur de ce livre viendront la visiter très attentivement : « On fouillera, trifouillera [119] » dans tout ce qu'il a écrit. Évidemment ! Pourquoi aurait-il écrit sinon pour être lu ? Pour autant on n'a pas le sentiment de regarder par « le trou de la serrure [120] ». On se contente de lire ce que l'auteur lui-même a laissé derrière lui. Et bien sûr, on ne pense pas qu'il ait *tout dit* : « On pourrait dire tout, à condition que tout le monde soit poète, artiste ou que tout le monde soit psychiatre ou prêtre [121]. » Comme il n'a pas échappé à Eugène Ionesco qu'il sera disséqué par bon nombre de lecteurs étrangers à ces catégories professionnelles, on peut en déduire qu'il aura pris toutes les précautions nécessaires pour garder par-devers lui ce que, légitimement, il ne jugeait pas utile de divulguer. Pour le reste, il confirme lui-même amplement qu'on peut puiser dans ses écrits des confidences le concernant, y compris dans son théâtre : « Les déboires que j'eus avec ma belle-mère, je les ai plusieurs fois racontés dans mes journaux intimes, ou, plus ou moins transfigurés, dans mes pièces de théâtre [122]. » Ce que le lecteur apprend dans *Souvenirs et dernières*

Rencontres (1986) ne fait que confirmer ce qu'il a déjà lu dans les *Entretiens avec Claude Bonnefoy* (1966). « J'ai toujours eu envie de tout dire [123]. » Il ne s'est pas contenté de *mots d'auteur*, il a écrit des *tirades d'auteur*. Il s'est adressé directement au public. « Je n'en avais pas moins l'impression... que je ne disais pas tout [124]. » Alors il a écrit un roman : *Le Solitaire*, pensant que le genre lui permettrait de s'exprimer plus complètement. Mais là non plus il n'a pas *tout dit*. « J'ai encore tout à dire ». Littérairement, le parti qu'il a pris de se mettre lui-même en scène lui cause parfois quelque appréhension. « L'erreur fondamentale que j'ai faite est celle-ci : au lieu de raconter des choses qui n'existent pas, je me suis mis à me raconter moi-même [125]... », déclare-t-il dans un entretien publié par *Tel Quel* en 1978.

Conclusion : il faut le lire, mais avec une loupe assez puissante pour discerner la transposition, la reconstitution, le décalage, l'affabulation, l'artiste n'ayant jamais prononcé le vœu d'exposer toujours la vérité matérielle des faits, mais seulement d'être le « témoin absolument objectif de (sa) subjectivité [126]. »

Et, par exemple, outre sa date de naissance farceusement reculée de trois ans, Ionesco a aussi avancé la date de la mort de sa grand-mère maternelle d'une dizaine d'années. Dans le numéro 1 des *Cahiers de l'Est* de janvier 1975, il raconte sous la rubrique « Événements inexplicables qui me sont arrivés ou qui m'ont donné à penser » l'épisode suivant. « À Bucarest. Je n'avais pas quatorze ans. Nous étions arrivés de Paris depuis deux ou trois mois [127] ». On se trouverait donc en 1923. « Après le déjeuner, nous étions, ma mère, ma sœur et moi, assis, dans la petite pièce qui servait de salon, autour de la table ronde, assez basse. Sur la nappe brodée, était posé un grand vase, en style *chinois*, avec des images peintes... Brusquement, sans qu'on y ait touché, le vase se brise en mille petits morceaux. Ma mère se lève, porte sa main au visage, s'écrie : *Maman est morte*. Ma grand-mère se trouvait à Paris. *Cela n'a aucun rapport,* dis-je ». Bien qu'aucune explication ne rende compte de ce qui vient de se passer, c'est sans excès d'étonnement que la mère, le fils et la fille ramassent les débris. « En fin d'après-midi, nous recevons un télégramme de Paris : ma grand-mère était morte ». L'épisode, repris dans les mêmes termes en 1979 dans *Un homme en question*, mérite un arrêt sur image. La perplexité du lecteur tient à la date du décès d'Annette Ipcar, mère de Thérèse Ipcar. Aneta Ioanid, épouse Ipcar, est morte le mardi 7 février 1933, à la Maison protestante des vieillards de Nanterre ainsi que l'attestent le registre de l'état civil de cette commune et l'extrait du registre des enterrements de l'Église évangélique missionnaire de

Grenelle. Le plus troublant est que les éléments d'information donnés par Ionesco, « à Bucarest, je n'avais pas quatorze ans... », sont suffisamment précis pour qu'ils ne puissent se confondre avec une simple erreur de décennie. La cohérence chronologique entre les quatorze ans et les quelques mois de séjour à Bucarest confère au propos une allure de vérité que les registres viennent pulvériser sans qu'aucun doute puisse subsister. Ce démenti de l'état civil aux réminiscences de l'auteur forme un précédent qui invite à la prudence dans l'emploi du matériau que Ionesco nous laisse concernant sa propre histoire. Prudence ne signifie pas suspicion systématique, récusation en bloc du témoignage de l'auteur sur lui-même. Il suffit de mettre en facteur commun, sans avoir à y revenir à chaque épisode, la note d'incertitude que la critique historique applique aux récits des mémorialistes du temps passé. Quand l'exercice concerne un écrivain, la note se complique d'un fort coefficient de narcissisme pathologique, de convenance artistique, d'inspiration poétique et de confusion mémorielle. Reste que, pour connaître l'auteur, l'autobiographie, si mélangée qu'elle soit de fiction, demeure une source décisive. S'il est inexact que sa grand-mère maternelle soit morte en 1923, il n'en reste pas moins que cet épisode du vase brisé, cette angoisse subite de la mère au sujet de la mort d'un proche, cette recomposition, autour de ses quatorze ans, d'éléments déplacés ou dispersés dans le temps, projettent sur l'intimité d'Eugène Ionesco des lumières qui ne sont pas à négliger.

Il y aurait une hypothèse qui suffirait à rétablir la vérité du récit à quelques détails près, c'est que le télégramme de la fin de l'après-midi concerne le grand-père et non la grand-mère. En effet Jean Ipcar est mort le 10 août 1924 à un moment où Ionesco avait largement dépassé les quatorze ans, mais sans avoir encore atteint sa quinzième année. En pressentant la mort de sa mère, Thérèse Ipcar n'aurait commis d'erreur que sur la personne du défunt.

CHAPITRE II

PREMIER ÉPISODE ROUMAIN

« LÀ-BAS JE ME SUIS SENTI EN EXIL »

Quelles sont les données chronologiques relatives aux années 1922-1938 ? De retour de La Chapelle-Anthenaise, Ionesco fréquente l'école de la rue Dupleix durant quelques mois, peut-être une année. Puis on le retrouve à treize ans, en 1923, à Bucarest, au lycée orthodoxe Saint-Sava, situé à proximité de la cathédrale catholique. L'établissement est l'un des meilleurs de Bucarest. Si Ionesco y a été admis, c'est qu'il pratique le roumain avec suffisamment de dextérité pour suivre l'enseignement qu'on y donne. Comme il ne semble pas avoir parlé habituellement le roumain en famille étant en France, il lui a fallu se réapproprier la langue qu'il a entendu parler durant les premiers mois de sa vie. Ce réapprentissage, préalable nécessaire à la poursuite d'études au lycée Saint-Sava, a pu lui demander quelque temps, au moins quelques mois. Faut-il conclure à sa présence en Roumanie dès le printemps 1922 ? Lui-même dit qu'il est arrivé à Bucarest quand il avait treize ans, ce qui conduit à retenir plutôt l'automne 1922 ou l'hiver 1922-1923 comme moment du retour. « Je ne me souviens plus du tout du moment précis de mon arrivée à Bucarest avec ma mère et ma sœur. J'étais déjà grand pourtant, j'avais treize ans[1]. » Dans ce cas sa pratique du roumain en 1923 témoignerait d'une rapidité d'assimilation qui n'est d'ailleurs pas à écarter. Tout en parlant lui-même le français durant le séjour parisien de ses parents, il a pu entendre son père et sa mère discuter, voire se disputer, en roumain, de sorte que son réapprentissage de la langue aura été quasi instantané, mais sans pour autant que sa pratique écrite soit parfaite. « J'ai appris le roumain là-bas », confie-t-il à Claude Bonnefoy. « À quatorze, à quinze ans, j'avais de mauvaises notes en roumain ». Vers dix-sept ou dix-huit ans, les notes deviennent bonnes. C'est en roumain qu'il écrit ses premiers poèmes. Ce qu'il perd parallèlement, c'est la pratique du français littéraire. La maîtrise lui en reviendra rapidement dès qu'il séjournera à nouveau en France, en 1938. « Cet apprentissage, ce désapprentissage, ce réapprentissage, je crois que ce sont des exercices intéressants[2] ».

Les événements majeurs qui marquent la vie d'Eugène Ionesco durant la décennie et demie que dure sa période roumaine sont l'obtention en 1928 du baccalauréat, en 1932 de la licence en philologie moderne, en 1934 de la *capacitate*, sorte de CAPES ou d'agrégation qui lui permet de devenir professeur de français. Il est nommé d'abord au lycée de Cernavoda, puis, à la rentrée de 1936, au séminaire orthodoxe de Curtea-de-Arges. À partir de Noël 1936, il enseigne au séminaire central de Bucarest avant de devenir responsable du service des relations avec l'étranger au ministère de l'Éducation. En 1938, il obtient une bourse de l'Institut français en Roumanie pour faire une thèse en France. Le 8 juillet 1936, il a épousé Rodica Burileanu. Trois mois plus tard, sa mère meurt.

En juin 1940, Ionesco est de retour en Roumanie ainsi que l'atteste la lettre qu'il écrit le 23 de ce mois à Alphonse Dupront, directeur de l'Institut français.

Le père est à l'aise, mais les relations avec son fils sont difficiles ; et l'esprit d'indépendance du fils est si âpre que, pour l'étudiant Ionesco, les années de faculté, de 1928 à 1934, sont des années de gêne financière, de chambres meublées, de cours de français à caractère alimentaire, en parallèle avec une activité littéraire et intellectuelle foisonnante.

Comment le sujet se voit-il en Roumanie, vers treize ou quatorze ans, arrimé à la demeure paternelle ? Ou, plus précisément, quelle image garde-t-il de lui, lorsque dans les années soixante et soixante-dix, il rassemble ses souvenirs de ce temps-là dans plusieurs livres de confidence : *Entre la vie et le rêve, Journal en miettes, Présent passé, Passé présent, Découvertes, Un homme en question* ?

« Oui, il y avait une déchirure parce que là-bas, je me suis senti en exil. » La Roumanie, c'est le pays du père. La France, c'est celui de la mère. « Mon pays était pour moi la France, tout simplement parce que j'y avais vécu avec ma mère, dans mon enfance, pendant les premières années de l'école et parce que mon pays ne pouvait être que celui dans lequel vivait ma mère[3] ». Patriote français, baignant dans l'atmosphère de la guerre puis de la victoire, il avait écrit vers les onze ans une pièce patriotique française, dans la plus belle langue du monde, le français. À Bucarest on lui annonce que la plus belle langue du monde, c'est le roumain, et que le peuple le plus courageux, c'est le peuple roumain. Il entreprend donc de revoir la pièce patriotique française, pour en faire une pièce patriotique roumaine. Ce qui est bientôt fait sans qu'il ait d'ailleurs à changer le titre qui était *Pro Patria*. S'il avait émigré au Japon, il n'eût pas manqué, note-t-il, de devenir un auteur patriotique japonais.

Avant de quitter la France, il avait écrit une autre pièce, comique celle-ci, et qui, selon un processus promis à de nombreuses réitérations, finissait par une accumulation paroxystique de gestes destructeurs : les enfants, héros de l'histoire, cassaient les tasses dans lesquelles ils venaient de goûter et jetaient leurs parents par la fenêtre. Le jeune Ionesco avait conçu ce scénario en réponse à la sollicitation d'un camarade un peu mythomane qui lui avait fait croire qu'il en ferait un film, étant déjà possesseur d'une caméra.

« JETÉ DANS LE TEMPS »

L'exil n'était pas que territorial. Il était aussi métaphysique. L'enfant de deux ans, saisi par le photographe vers 1911 ou 1912, avec son chapeau rond, sa bouche ronde, son visage rond, ses yeux ronds, vivant la Manifestation de l'être comme un émerveillement, avait encore du temps à vivre avant d'apprendre la mort. Cela lui arriverait vers l'âge de quatre ans. « Ce fut le début du malheur[4] ! » Ayant de surcroît découvert quelques années plus tard qu'il était lui-même, et seulement lui-même, il vivait sa distinction d'avec les autres comme une tragédie, comme une honte, car il y avait de la honte à ne pas se confondre avec les autres qui, eux, en même temps qu'ils étaient séparés de lui, étaient visiblement semblables les uns aux autres. Des murs s'élevaient jusqu'au ciel qui l'isolaient à jamais des autres. Cette solitude de la conscience dans son émergence individuelle, c'était l'expérience commune de l'enfance et de l'adolescence, mais vécue par Eugène Ionesco avec une acuité singulière, lestant de son poids de plomb la vie subséquente. Il y eut un temps où il était hors du temps. Puis il s'était trouvé « jeté dans le temps[5] ». Le temps, c'était la mort à venir. Toute sa vie, il aura tenté de reconquérir l'immobilité originelle au sein de laquelle il lui avait été donné de vivre « l'événement primordial, la Manifestation[6] ». Toute sa vie il aura tenté de se réinstaller au « centre métaphysique du monde[7] », récusant l'histoire, n'y voyant que « l'inflation des faits et des événements, c'est-à-dire leur dévalorisation[8] ». Or, dès l'âge de cinq ans, on l'avait *fourré dans l'histoire*. Le caractère hautement historique des exterminations militaires de la Grande Guerre ne pouvait manquer de happer dans son tourbillon cyclonique un enfant ayant neuf ans en 1918. À La Chapelle-Anthenaise, on lui avait appris à chanter à pleine voix : « Qu'il est noble et beau le drapeau de la France ». Cette même exaltation nationale qui régnait en France vers 1920, il la retrouvait, identique, en Roumanie, le sentiment de la victoire unissant les Français victorieux et les Roumains francophiles. Aussi l'adaptation roumaine de sa pièce française pouvait-elle s'opérer sans douleur. Il ne changeait pas de camp. Mais cette effervescence patriotique ne pouvait effacer cette singularité de la conscience individuelle, irréductible aux émotions collectives, qui se révélait dans l'amertume. « Je ne m'aimais pas depuis que je m'étais vu et depuis que j'avais compris ma séparation, depuis cette rupture, ce péché fondamental de ne pas être comme les autres, ne pas être les autres [9]. » *Je ne m'aimais pas...* Vivant l'autonomie du moi comme une rupture, comme une anomalie, comme une monstruosité, il décide de se raconter, d'écrire ses *Mémoires*. *Étonné d'être moi-même* : cet étonnement, auquel nul n'échappe, Eugène Ionesco avait entrepris d'en faire part à ses contemporains et à la postérité. C'était sa manière à lui de s'adapter à l'étonnement d'être au monde, à cette incommensurable stupeur qu'on peut apprivoiser, mais qui, régnant dans les profondeurs, n'en continue pas moins d'irriguer la vie de surface. « Je voulais parler de moi et du tout, et du moi dans le tout [10] ». Il conduit son projet de *Mémoires* jusqu'à la troisième page.

Deux pièces de théâtre, des mémoires, le troisième exercice littéraire, familier à l'adolescent Ionesco, lorsqu'il reparaît en Roumanie, c'est la rédaction. Au travers de la crainte révérencielle dont ses camarades d'école enveloppaient cette initiation, il avait compris que la difficulté principale de la *composition française* tenait à l'obligation où il serait d'inventer quelque chose, de tirer de lui-même la substance à exploiter : « C'était mon monde à moi qui allait surgir [11] ». Cela donna lieu à La Chapelle-Anthenaise à la découverte par l'élève Ionesco d'une forme littéraire singulière, le dialogue, dont le maître eût tôt fait de l'avertir qu'elle existait déjà alors qu'apparemment il pensait l'avoir inventée. Il n'avait rien inventé du tout. Cela n'altérait pas le bonheur que lui procurait cette projection de soi sur le monde en quoi consiste *aussi* la littérature. C'était une nouvelle naissance. Ce qui était un devoir scolaire était aussi une libération, un remède à la détresse.

C'est en ayant compris ces choses essentielles qu'Eugène Ionesco prend pied sur la terre paternelle vers 1922-1923.

Bucarest, années vingt

La chronologie citée en annexe à *L'Hugoliade*, publiée en français en 1982, mentionne l'année 1924 comme date de la migration. La préface d'Eugène Ionesco lui-même, en tête du livre, pourrait conférer une autorité particulière à cette chronologie si la présence de l'élève Ionesco n'avait été notée dès 1923 au collège Saint-Sava par ses condisciples. Lui-même, dans l'un de ses derniers textes, écrit : « Je venais d'arriver à Bucarest... J'avais treize ans [12]. »

Le léger flou qui enveloppe les dates ne change rien à l'essentiel, l'exil de l'adolescent francophone hors de la patrie maternelle, et son implantation en territoire paternel. Pourquoi ce mouvement vers la Roumanie ?

Rentré en Roumanie en 1916, sur fond de musique militaire et de patriotisme guerrier, Eugen Ionescu devient, selon la terminologie du fils, « chef de la police », sous le gouvernement Marghiloman. Ce gouvernement durant l'année 1918 collabore avec l'Allemagne, temporairement victorieuse. Le renversement du rapport de forces à la fin de 1918 met un terme à cette phase de prééminence germanique à Bucarest. Passé cet intermède, Eugen Ionescu choisit, vers 1919-1920, d'exercer la profession d'avocat. « Il ne plaidait pas, écrit Ionesco. Il faisait de la procédure. Il avait d'autres avocats qui plaidaient. Il était très habile, paraît-il [13] ». En même temps qu'il retrouve son père, le jeune Ionesco découvre Lola.

Lola : voici que surgit l'un des personnages majeurs de la dramaturgie d'Eugène Ionesco, tant celle qui structure sa vie que celle qu'il porte sur le théâtre. Lola, c'est Eleonora Buruiana, c'est la femme roumaine de son père, épousée sans doute en 1917, au lendemain du divorce prestement obtenu au retour de France. Lola aura dans le théâtre de Ionesco une place à la mesure de l'encombrement qu'elle lui aura causé dans la vie. Dans un article publié en Roumanie en mars 1946, et qui lui vaudra une condamnation par contumace, Ionesco soumet à une revue critique les différents types de la société roumaine faisant l'objet de sa particulière détestation. Il n'oublie pas d'y inclure le portrait d'une femme de petite vertu qui a « séduit le mari d'une malheureuse mère dont elle a à se reprocher la mort [14] ». Peut-être n'est-ce pas tout à fait un hasard si cette intruse porte le nom de Mme Eleonora. En épousant Eleonora, qu'il appelle Lola, Eugen Ionescu a épousé tout un clan. Lola a deux sœurs : Catherine et Maria (Mitsa). Elle a deux frères : Mitica et Costica. L'un des deux est fonctionnaire au ministère de l'Agriculture. L'autre est capitaine. Il sera ensuite procureur militaire.

Mais pourquoi l'adolescent Ionesco, fils de sa mère, abandonné par son père, se retrouve-t-il vers 1922-1923 en Roumanie, au milieu de ce clan hostile ? Parce que son père, titulaire du droit de garde en vertu du jugement de divorce, a réclamé que ses enfants le rejoignent ? Rien de tel n'apparaît. Il est clair que sa nouvelle femme ne l'aurait pas incité à se manifester pour exercer ce droit. C'est Thérèse Ipcar qui, découvrant, au terme de démarches qu'elle a d'abord négligé de faire, que son mari, loin d'être un héros mort pour la patrie, est devenu, en Roumanie, un avocat de grande réputation, riche et puissant, et constatant que le jugement qui attribue la garde au père ne lui alloue, en conséquence, aucune pension alimentaire, aura estimé qu'il était de l'intérêt de ses enfants qu'ils soient pris en charge par la famille Ionescu. Elle pouvait espérer qu'ils seraient bien accueillis par leur grand-mère paternelle, Sofia Ionescu, devenue veuve, par leur grand-tante Helena, sœur de Sofia, directrice d'un grand lycée de filles à Bucarest, par leur tante Marilina Mariescu, institutrice, sœur de leur père, par leurs cousins enfin. Tel sera effectivement le cas. « Ma grand-mère que j'aimais [15]... », écrira Ionesco en 1986. Thérèse voit bien que ce milieu bucarestois, diplômé, cultivé, relativement à l'aise, sera en mesure d'assurer à ses enfants, non seulement le gîte et le couvert, mais encore et surtout des études secondaires et supérieures dans des conditions qu'elle ne saurait leur offrir à Paris.

D'où la présence d'Eugène et de Marilina à Bucarest à partir de 1922-1923. Si Marilina se révèle peu douée pour les études, Eugène bénéficiera au collège Saint-Sava d'un enseignement dont il tirera grand profit. Il n'est pas sûr qu'il en eût été de même à Paris, en un temps où la gratuité du lycée restait à instituer en France. Francophone dans la Grande Roumanie francophile des années trente, Eugène Ionesco s'initiera aux lettres classiques, puis à la littérature moderne tant française que roumaine, la seconde étant largement sous l'influence de la première.

Prenant connaissance des conditions dans lesquelles le divorce a été prononcé, Thérèse Ipcar, selon son fils, découvre dans les archives l'attestation mensongère de sa sœur, ornée d'une fausse signature, qui confirme l'abandon de famille dont elle se serait rendue coupable. Il lui sera aisé, pense-t-elle, de démontrer que c'est un faux. « Ma mère raconte à mon père l'histoire de la lettre. Mon père va au tribunal, soudoie un employé, et la fameuse lettre disparaît du dossier : plus de preuves du délit [16] ». Si la source du récit, le fils, mérite qu'on l'accueille avec circonspection, le tableau que fait Paul Morand des mœurs de la fonction publique roumaine dans les années trente n'en dément pas la vraisemblance. Observant le fonctionnement des bureaux du ministère des Finances, Paul Morand nous montre dans son *Bucarest* (*1935*), comment procèdent les solliciteurs : « Les plus malins ont fini par apprendre la manière ; ils savent que s'ils prennent la file, ils perdront leur journée sans réussir à être introduits ; aussi *entrent-ils en boyards*, en clouant sur place le concierge par ce mot de passe fatidique qu'il faut connaître si l'on veut arriver à ses fins en Roumanie : *Tu ne sais donc pas qui je suis, moi !* [17] ». Corruption et passe-droit ne sont pas des exclusivités roumaines, mais la pratique en Roumanie en est si communément admise qu'il règne à leur égard une indulgence dont le même Paul Morand note qu'elle fait partie du mode de pensée du sujet roumain : « Vous le verrez tout le temps excuser le vol, faute vénielle : corruption, concussion, pillages... escroqueries, tout cela n'est pas bien grave dans un pays où le parasitisme est de tradition [18]... » Cet état d'esprit que rencontre Paul Morand dans la Roumanie des années trente ne suffit évidemment pas à garantir l'exactitude factuelle du récit d'Eugène Ionesco, mais seulement à en établir la crédibilité sociologique.

Ne pouvant obtenir la révision du jugement de divorce en plaidant qu'il est fondé sur un faux, ce faux ayant disparu du dossier, Thérèse Ipcar pouvait encore produire les quelques lettres qu'elle avait reçues de son mari après son départ de Paris pour Bucarest, et qui suffisaient amplement à prouver qu'elle n'avait pas déserté le foyer conjugal. « Mais tous les avocats avec qui ma mère prenait contact se dégonflaient les uns après les autres après les visites que mon père allait leur rendre. *Non, non, ils ne pouvaient pas mettre un confrère en prison* [19] ». C'est qu'en effet l'annulation du jugement, pour usage de faux, aurait pu avoir des conséquences pénales. Sur le plan juridique, les choses sont donc restées en l'état. Aussi bien, lorsqu'il évoquera dans les années soixante la tyrannie communiste qui s'est installée dans les pays de l'Est, Ionesco ne manquera pas de faire observer que la justice telle qu'elle fonctionnait entre les deux guerres n'était pas non plus d'une équité exemplaire, et que les habitudes ancestrales « constitutives des tempéraments de certains peuples » forment un terrain auquel les idéologies s'adaptent sans en changer la nature profonde.

Eugen Ionescu n'a évidemment laissé aucun plaidoyer pour sa défense. Dans cette position d'accusé où il se trouve, il est en butte au souverain privilège de la plume dont aura disposé son redoutable fils.

Et ce fils laisse traîner dans ses ouvrages de fiction d'étranges histoires qu'aucune famille n'apprécierait de voir divulguer. Celle-ci, par exemple, qui vient de *Voyages chez les morts*, où *Jean* figure l'auteur, *Lydia* sa sœur, *Madame Simpson* Lola, épouse du père de *Jean*. « C'est toi, déclare *Madame Simpson*, s'adressant à *Lydia*, qui es partie de la maison, un baluchon sur le dos, à quatorze ans. J'étais bien obligée de te chasser. Tu habitais la même chambre que ton père et moi. Tu nous séparais. Entre nous deux, espionne, tu empêchais toute intimité entre mon mari et moi [20]. » Mais dans ces mêmes *Voyages*, *Jean*, s'adressant à son père, présente les choses autrement, « ... tes affaires, finalement, tu les as mal arrangées dans ta vie privée avec ta femme, la deuxième qui ne pouvait plus te supporter et qui couchait sa nièce entre toi et elle pour que tu ne la touches pas. L'idiote aux grosses pattes [21]. » Dans l'une des pièces les moins connues de Ionesco, *La Nièce-Épouse*, datant, semble-t-il, du début des années cinquante, on trouve, au milieu de propos d'apparence loufoque, en réalité très liés aux singularités de la vie conjugale d'Eugen Ionescu, cette réplique d'un personnage féminin : « Canaille ! Tu veux te venger ? Tu n'auras plus mon corps [22] ». Dans *Voyages chez les morts*, *Jean*, s'adressant à son père, déclare : « Je ne t'ai approuvé que lorsque j'ai appris après ta mort que tu avais pris une maîtresse, ta servante tzigane [23]. »

Si l'on consulte les œuvres de confidence de Ionesco, on y lit que, « un mois » après l'arrivée de Thérèse Ipcar et de ses deux enfants, Lola a chassé Marilina « qui est partie avec son baluchon, en pleurant, chez ma mère. Moi, je restais [24]. » Ce maintien du fils au domicile du père est « la seule concession que Lola a faite à son mari. »

En recoupant les données empruntées à la chronique familiale avec celles que reprennent les fictions dramatiques, biographiquement transparentes, il se confirme que, chassée du domicile de son père par Lola, Marilina a été remplacée au milieu du lit par une nièce dénommée Hélène, et qu'Eugen Ionescu a pris pour maîtresse sa servante tzigane à qui il fera don d'un appartement ou d'une maison. Marilina ayant été chassée de la maison de son père, et étant retournée chez sa mère, Eugen Ionescu se voit dans l'obligation juridique de verser une pension alimentaire à Thérèse Ipcar. Si minime que fût cette pension, « il ne la payait pas ».

Quand se situe l'expulsion de Marilina ? « Un mois après notre arrivée », selon Ionesco. Est-ce à dire qu'à ce moment-là, leur mère est déjà installée à Bucarest ? On lit par ailleurs que Thérèse Ipcar ne s'établit en Roumanie que quelques années plus tard, en 1926 ou en 1928. Faut-il alors comprendre que, lorsque Marilina retourne chez sa mère, celle-ci se trouve encore à Bucarest, mais temporairement, pour régler les problèmes que pose la migration de ses enfants ? Ou le *mois* qu'aurait duré, selon Ionesco, le séjour de sa sœur chez leur marâtre relève-t-il de ces sortes d'approximations que leur mémoire facétieuse glisse subrepticement sous la plume des autobiographes ?

Thérèse Ipcar

Thérèse Ipcar : image de la mère malheureuse dans la dramaturgie d'Eugène Ionesco. *Le Journal du printemps 1939* l'évoque douloureusement. « Le soir, la nuit, une envie désespérée de revoir ma mère qui est morte et se trouve loin, là-bas. Je rêve d'elle, je vois son visage. Plus rien à faire, je me mords les poings, plus rien à faire pour la rendre heureuse. Elle pouvait à peine bouger ses lèvres quand elle m'embrassa pour la dernière fois en s'endormant à jamais... à cause de la trop grande fatigue, croyait-elle. Elle avait été dupée toute la vie [25]. » Une décennie et demie plus tard, la fiction dramatique relaie les confidences du *Journal de 1939*. Dans *Victimes du devoir* (1953), *Madeleine*, s'adressant au *Policier* qui figure le père, s'indigne : « Tu es un être ignoble ! Tu m'as humiliée, tu m'as torturée toute une vie. Tu m'as défigurée moralement. Tu m'as vieillie. Tu m'as détruite [26]. » *Choubert*, redevenu enfant, balbutie : « Père, mère, père, mère... » Encore trente ans, le père et le fils s'affrontent toujours dans *Voyages chez les morts*. Le *Père* décoche au fils une flèche à longue portée : « Tu étais de la race de ta mère et non de la mienne [27]. » Le *Père* accuse : « C'est elle qui nous a abandonnés. » *Jean* réplique : « C'est toi pour te remarier [28]. » En 1953, le plaidoyer paternel s'exprime par la voix du *Policier* : « Mais qui peut savoir ce qui s'est passé entre nous, si c'est sa faute, si c'est ma faute, si c'est sa faute, si c'est ma faute [29]... » *Choubert*, dans le rôle du fils, si engagé qu'il soit du côté de la mère, se désole de la mort du père : « Jamais plus hélas, jamais plus ta voix ne se fera entendre... C'était tout de même mes parents... » Il se fait répliquer par un autre personnage : « Ah ! tes complexes ! Tu ne vas pas nous embêter avec ça ! Ton papa, ta maman, la piété filiale... » Quatre décennies durant, c'est *ça* qui continuera *d'embêter* Ionesco.

Répudiée, dupée, malheureuse, Thérèse Ipcar n'aura cependant pas joué dans la vie le seul rôle de la femme trompée, dans une pièce aux allures de vaudeville franco-roumain, interprétée au ralenti du fait des distances et des troubles de communication qui en résultent. Non. À son retour à Bucarest, Thérèse Ipcar trouve à s'employer à la Banque nationale de Roumanie, et devient la secrétaire de Charles Rist. Professeur d'économie politique, Charles Rist (1874-1955), conseiller de Raymond Poincaré, est nommé sous-gouverneur de la Banque de France en 1926. À ce titre, il conseille les gouvernements turc et espagnol, les banques nationales d'Autriche et de Roumanie.

Le parti libéral, au sein duquel, de génération en génération, s'exerce l'influence de la famille Bratianu, recueille le pouvoir au terme de l'intermède de collaboration germano-roumaine de 1918. Les traités de Saint-Germain avec l'Autriche (1919), de Neuilly avec la Bulgarie (1919), de Trianon avec la Hongrie (1920), donnent ses nouvelles frontières à la Grande Roumanie. Le suffrage universel ayant été institué, les libéraux perdent le pouvoir aux élections de décembre 1919. Trois ans plus tard, ils le reconquièrent. Ils le conserveront jusqu'en 1928, sous réserve de la parenthèse, en 1926, du gouvernement du général Averescu, vainqueur des Allemands à Marasti en 1917. D'esprit jacobin et centralisateur, ils entendent promouvoir une politique de développement industriel. Leur politique se heurte aux réticences des investisseurs étrangers, notamment français. En décembre 1928, les nationaux-paysans sont portés au pouvoir par un raz-de-marée électoral. Le ministre de France en Roumanie analyse la situation en ces termes : « Le paysan roumain est peu instruit ; il n'a aucune éducation civique, mais il a de la finesse et de l'amour-propre. Il supportait mal dans son village l'omnipotence du gendarme. La dictature libérale l'avait exaspéré[30]... »

Dans la foulée de l'expérience Poincaré en France, un groupe d'experts français reçoit mission de redresser le budget roumain. Cette ouverture vers l'Occident est encouragée par un milieu intellectuel rassemblé autour de la revue *Viata Româneasca* à laquelle collaborera Eugène Ionesco. La mission française est placée sous l'autorité de Charles Rist et de son collaborateur, Roger Auboin. Elle s'installe à Bucarest en 1929. Il s'agit de mettre un peu d'ordre dans les finances publiques. C'est dans le cadre de cette coopération franco-roumaine que Thérèse Ipcar exerce son activité à la Banque nationale. Bilingue, son savoir-faire est reconnu. Il lui vaudra de pouvoir faire engager sa fille Marilina en qualité de dactylographe lorsqu'elle en aura l'âge, et que Marilina aura abandonné ses études secondaires. Thérèse Ipcar n'est pas une incapable, occupée à interpréter l'unique rôle de la mère malheureuse et de l'épouse bafouée que lui aura offert le répertoire dramatique de son fils. Elle est aussi une femme que ses compétences professionnelles et sa connaissance du français font recruter à Bucarest par le sous-gouverneur de la Banque de France. Il lui arrive de fréquenter les galeries de peinture. Le matin précédant la nuit où elle va mourir, son fils la rencontre visitant une exposition en compagnie de Marilina. Qu'elle soit là par intérêt pour l'art ou par affection pour sa fille, sa présence montre que les lieux de culture ne lui sont pas étrangers.

Eugen N. Ionescu

Sans doute faudrait-il aussi faire paraître le père dans un rôle qui ne serait pas celui que le fils lui a assigné dans son œuvre. Il faut cependant commencer par exposer cette ample, cette redondante, cette répétitive mise en scène d'Eugen N. Ionescu par Eugène Ionesco. Le portrait a pris l'allure d'un réquisitoire du fils contre le père. Il se transformera en retour en réquisitoire du fils contre lui-même, formant l'un des éléments de cet autre réquisitoire, sans fond, sans retour, sans fin, celui d'Eugène Ionesco contre Eugène Ionesco.

L'image du père, c'est d'abord celle d'une carrière. « Chef de la police », est-il indiqué dans le *Journal* des années quarante, en fait directeur de la *Sicuranze*, en 1918, sous le gouvernement Marghiloman. Sa compétence s'étendait, semble-t-il, au renseignement, à la lutte contre l'espionnage, à la surveillance politique. Écarté de ces responsabilités lorsque le sort de la guerre tourne en faveur des puissances occidentales, Eugen N. Ionescu n'en demeure pas moins un personnage considérable. Avocat de premier plan, bénéficiant de revenus substantiels, attentif à s'ajuster aux évolutions politiques, c'est le mot d'opportunisme qui semblerait le mieux s'appliquer au personnage. Ce n'est cependant pas celui que retient son fils.

Dans la proximité du mouvement légionnaire dans les années trente, lorsque la Garde de fer monte à l'assaut de l'État, Eugen Ionescu sera, à partir de 1945, l'un des trois ou quatre avocats que le régime communiste jugera utile de maintenir en place. Le carriérisme paternel revient avec insistance dans l'œuvre du fils. Le *Père* dans *Voyages chez les morts* essaie de se justifier : « Les nouvelles autorités ont exclu du barreau tous les avocats, sauf trois ou quatre dont j'étais. J'ai toujours été sage, je leur obéissais ». *Jean* lui réplique : « Qui as-tu pu défendre ? Tu n'avais pas le droit de les défendre. Tu les chargeais plutôt tes clients [31] ». Dans la fiction théâtrale, Ionesco pimente de son humour inventif les évolutions paternelles. Lorsque la fonction d'avocat finit par être entièrement supprimée par le régime en place, le personnage de *Voyages chez les morts* (1981) connaît un improbable rebondissement de carrière. « Comme j'avais été obéissant, ils ont été gentils, ils m'ont recyclé ». *Jean* croit aussitôt deviner : « Ils t'ont recyclé dans la police ? » Sa passion le trompe. Guidé par ses détestations, *Jean* désigne d'emblée la police comme l'unique mode de reconversion professionnelle qu'il imagine pour son père. Le *Père* le tire de son erreur : « Non, on m'a recyclé dans le roman, dans le roman réaliste ». Cette activité littéraire relève d'ailleurs, elle aussi, du ministère de la Police qui la subventionne. Le *Père*, cependant, tient à préciser : « Nous ne sommes pas des policiers... La preuve, on me censure ». Si l'auteur dramatique nous régale de sa savoureuse loufoquerie, son personnage, *Jean*, n'oublie pas de reprendre son réquisitoire. *Paul*, frère de *Mme Simpson*, c'est-à-dire l'un des frères de Lola, le capitaine, observe benoîtement : « On s'est toujours arrangés avec tous les gouvernements [32]. » *Jean* accuse le *Père* : « Tu as été le favori des francs-maçons, des démocrates, de la gauche, de la droite, des gouvernements nazis, de la Garde de fer, puis du régime communiste [33] ». On ne saurait bien entendu assurer qu'Eugen Ionescu ait été spécialement franc-maçon, ou qu'il ait formellement adhéré à la Garde de fer ou au Parti communiste, mais son savoir-faire lui aura permis de naviguer au milieu des flots tumultueux qui emportent la Roumanie au cours du tiers de siècle qui va de 1916 à 1948. Eugen Ionescu disparaît à l'automne 1948.

Opportunisme paternel ? Cynisme politique ? Ionesco corrige le portrait dans le *Journal* des années quarante : « Mon père ne fut pas un opportuniste conscient, il croyait à l'autorité. Il respectait l'État quel qu'il fût... Pour lui, dès qu'un parti prenait le pouvoir, il avait raison. C'est ainsi qu'il fut garde de fer, démocrate franc-maçon, nationaliste, stalinien. Toute opposition avait tort pour lui [34]... »

D'où l'autoportrait du fils. « Je hais l'autorité... Tout ce que j'ai fait, c'est en quelque sorte contre lui que je l'ai fait [35] ». Il a écrit contre la patrie roumaine, parce que la Roumanie c'était la patrie du père. « Je détestais l'État. Je ne croyais pas à l'État quel qu'il fût [36] ».

Au long des décennies, au fil des œuvres, le procès du père se déroule, se répète, se renouvelle. Violence, égoïsme, ce sont les moindres peccadilles que Ionesco, par la voix de *Choubert*, reproche au *Policier* qui figure le père dans *Victimes du devoir*. C'est l'accusation que porte *Jean* contre le *Père* dans *Voyages chez les morts*. « Tu battais tes domestiques, tu injuriais tes subalternes [37] ».

Pour faire bonne mesure, le fils, auteur dramatique, et donc souverainement libre d'inventer ce que bon lui semble, fait confesser au

Père par la *Voix du Policier* de *Victimes du devoir* des crimes dont on ne voit évidemment pas trace dans la vie d'Eugen Ionescu. « Ensuite, je fus soldat. Je fus obligé par ordre, de participer au massacre de dizaines de milliers de soldats ennemis, de peuplades, de femmes, de vieillards, d'enfants [38] ». L'histoire roumaine du XXᵉ siècle n'a pas été avare en exterminations de toutes sortes, mais il ne paraît pas qu'Eugen Ionescu y ait eu quelque part que ce soit. En revanche dans son *Journal en miettes* (1967), Ionesco se souvient de la violence de son père à son égard et de l'humiliation qu'il en ressentait : « Mon père... venait dans ma chambre quand j'étais collégien... Je me levais et le regardais farfouiller partout : dans mes tiroirs, dans mes livres. Il ouvrait mes cahiers, lisait mon journal le plus intime, mes vers à haute voix. Il était rouge de colère, de plus en plus en colère, il m'injuriait grossièrement [39] ». Cette confidence du *Journal* est reprise par *Jean* dans *Voyages chez les morts*. « Je suis toujours l'enfant malheureux que tu opprimais, que tu battais [40] ». Le même *Jean* y revient plus loin : « Tu me giflais, tu me battais [41]. » *Jean* ne fait que répéter en 1980 ce que disait *Choubert* au début des années cinquante dans *Victimes du devoir* : « Tu me frappais [42] ». Par la *Voix du Policier*, le *Père* hasardait quelques justifications : « Je vivais en état de colère perpétuelle. Mes ennemis devenaient de plus en plus puissants, de plus en plus riches. Mes protecteurs faisaient faillite [43]... »

Pour avoir répudié la mère et l'avoir remplacée par Lola, le père ne s'en trouve pas plus heureux. La *Madame Simpson* de *Voyages chez les morts*, dont l'auteur précise qu'elle est « assez belle, à peine vulgaire [44] », n'a aucune intimité avec son mari. Lola a été remplacée par une maîtresse tzigane dont *Jean* dans *Voyages chez les morts* dit à son père qu'elle est « la seule personne fréquentable dans (son) entourage [45] ». Cette maîtresse, c'est la revanche de la mère qui peut signifier à la marâtre : « Il ne vous aime plus du tout. En ce moment, il doit être avec... la bohémienne [46]. » Le *Premier Homme* interroge aussi le père dans *L'Homme aux valises* : « Où est ta maîtresse [47] ? »

LOLA

L'argent est un thème insistant dans *Voyages chez les morts*. La mère et les grands-parents sont dans la plus grande nécessité. Souci d'autant plus vif pour *Jean* que sa propre mère lui signifie que, pour ce qui est de l'argent, il n'a « jamais su en gagner par (lui)-même avec (ses) poésies [48] ». C'est bien la preuve que ces poésies ne doivent pas valoir grand-chose. *Jean* ne sait que vivre aux crochets des autres. Avec la marâtre, les conflits d'intérêts montent d'un ton. Tout occupé qu'il est à dresser son réquisitoire, *Jean* ne voit apparemment aucune contradiction à invoquer, face à *Madame Simpson*, sa qualité de fils pour justifier que son père lui ait envoyé de l'argent. « Régulièrement, énormément[49] » d'argent, souligne la marâtre. Le *Père* confirme : « Je t'ai toujours donné énormément d'argent. Tu es riche[50]. » *Madame Simpson* juge que le père a donné au fils « suffisamment d'argent de son vivant » pour que, son mari mort, tout lui revienne : « Tout a été mis à mon nom, c'est moi qui dispose de tout, c'est à moi la maison, c'est à moi l'argent. Toi ou ta sœur ou ta femme vous n'aurez rien[51] ».

Mari, maison, fortune, la marâtre ne cesse de répéter que tout lui appartient. Elle défend son territoire contre l'assaut qu'elle voit venir de la part de *Jean*, de sa mère, de sa femme, de sa sœur, de sa grand-mère. Lorsque la femme de *Jean*, *Arlette*, la menace de la loi, *Madame Simpson* réplique : « Mon mari est au-dessus de la loi, il entortille la loi », allusion assez transparente au procédé par lequel Eugen Ionescu a fait prononcer son divorce et disparaître du dossier le faux sur lequel il était fondé. *Arlette*, plus encore que *Jean*, s'indigne des prétentions de la marâtre de son mari. « Vous n'avez pas droit à cet héritage[52] », lance-t-elle, promettant qu'elle et *Jean* l'empêcheront d'accaparer ce qui leur revient.

Ionesco, dans son *Journal* des années soixante et dans *Un homme en question*, raconte ces conflits à propos de l'héritage paternel. Ce qu'il sait, il l'a appris de Nina, la belle-sœur de son père, de passage à Paris en mai 1968. Bref entretien, au demeurant, d'où il résulte que le ménage de son père avec Lola allait mal. « Ainsi, mon père avait eu une maîtresse, une Tzigane qui avait d'abord été sa bonne. Il lui avait acheté une maison et lui avait fait une rente. Tout cela s'était su et avait fait un drame terrible, paraît-il[53] ». Ionesco admet que les précisions dont il aurait voulu disposer lui manquent. En fin de compte, c'est tout de même Lola qui hérita de la plus grande partie de la fortune d'Eugen Ionescu bien que les héritiers naturels fussent sa sœur et lui. Lola meurt peu de temps après son mari et lègue tout son bien à sa nièce, celle-là même qui, Marilina ayant été chassée du domicile paternel, l'avait remplacée au milieu du lit. Mais, note Ionesco, « la plus grande partie de la fortune a été confisquée par le gouvernement communiste ». Cette « expropriation socialiste, expropriation qu'il a approuvée doublement[54] », est bien la seule mesure du régime communiste roumain à laquelle Eugène Ionesco ait applaudi. La nièce a tout de même pu conserver l'appartement dans lequel elle vivait.

La proximité des éléments qui sont dans les ouvrages de confidence avec ceux qui se retrouvent dans les fictions théâtrales confirme, s'il en est besoin, l'homogénéité autobiographique de l'œuvre entière. Les histoires que nous raconte Eugène Ionesco sont toujours les mêmes. Ce qui ne signifie pas qu'on doive les tenir pour vraies en chacune de leurs composantes. Y compris lorsqu'elles figurent dans des textes d'allure biographique, ces composantes peuvent varier : le *Journal* des années soixante donne à penser que son père « a tout légué, tous ses immeubles, à la nièce de sa femme ». *Un homme en question* confirme bien que la partie non saisie de la fortune d'Eugen Ionescu est revenue en fin de compte à cette même nièce, mais en passant par l'intermédiaire de Lola : « La fortune de mon père fut mise au nom de sa femme [55] ». C'est celle-ci qui a tout légué à sa nièce. C'est qu'entre le *Journal* de 1967 et *Un homme en question* (1979), l'information d'Eugène Ionesco s'est affinée, grâce au passage à Paris de Nina, belle-sœur de son père. Lorsque le *Père* dans *Voyages chez les morts* veut imposer sa seconde femme à son fils *Jean*, il la met en scène, morte, étendue sur son lit, encadrée de cierges allumés, s'exclamant : « Comme elle est belle, malgré l'âge et ses cheveux blancs [56] ». Pure fiction dramatique, puisque la chronologie place la mort d'Eugen Ionescu avant celle de Lola, mais qui permet au fils de faire entendre sur le théâtre le message que lui adresse son père, non sans y mêler la plaisanterie loufoque contre laquelle le dramaturge Ionesco se défend toujours si mal : « Ce n'est pas une mascarade. Ce cadavre en est la preuve vivante [57] ». Lorsque la marâtre s'insurge contre l'obstination de *Jean* à l'appeler *madame* et non tante Marguerite, sa récrimination n'est que la transposition sur le théâtre du mécontentement que Lola a pu manifester dans la vie de se voir donner du *madame* par Eugène et Marilina alors que les usages, dans un tel cas de figure, exigeaient qu'ils lui appliquent un terme plus familier, *tante* par exemple.

L'omniprésence de *Madame Simpson* dans *Voyages chez les morts* dit assez la place de sa belle-mère dans la vie du Ionesco des années vingt et trente à Bucarest. Les agacements, les détestations, les frustrations, les incompréhensions, les ressentiments familiaux se lisent au fil des répliques. Entre les personnages, l'amertume se déverse en toute occasion et sur tous sujets. La *mère* de *Jean* tient que, si le *Père* ne vient plus les voir, c'est qu'il « a peur de sa femme [58] ». *Madame Simpson* confirme cet ostracisme à l'égard de Thérèse Ipcar. « S'il n'y avait pas la famille de mon mari [59] ! » soupire-t-elle. La vérité des Ipcar et des Ionescu s'élève en nuages noirs au-dessus du texte dramatique.

Le *Père* précise un peu ses griefs à l'égard de la mère. « Elle n'était pas de notre rang[60] », dit-il. Il y voit la raison de la mésentente conjugale. « Je n'ai plus rien à faire avec cette famille-là[61]... ». *Madame Simpson* reproche à *Jean* d'avoir revu sa mère. « Tu as donc été la voir ! Ton père te l'avait interdit ». Elle marque sans indulgence la condition misérable de la première femme de son mari. « Elle habitait les bas quartiers, une maison basse, une seule pièce, sombre, humide[62] ».

Ce qui se laisse deviner entre les Ipcar et les Ionescu, c'est un clivage social. Les Ionescu tiennent qu'ils ne sont pas du même monde que les Ipcar. Est-ce la vraie raison de la rupture entre Thérèse et son mari ? Cause immédiate ou simple élément d'ambiance, l'alliance des Ipcar et des Ionescu a les allures d'une mésalliance. Ionesco dans un entretien accordé en 1983, dont il a revu lui-même le texte en 1989, confirme ce décalage social : « Il s'agit... d'un conflit entre familles de richesse inégale et de rang social différent[63] ». Le dissentiment n'oppose pas seulement un mari à sa femme, il se double d'un écart social qui sépare Thérèse Ipcar et ses enfants du clan que forment Eugène Ionescu et les Buruiana. Abandonnant à Paris un ménage conflictuel, Eugen Ionescu ne paraît pas avoir trouvé à Bucarest une femme avec qui il aura pu reconstituer un foyer pacifié. Peut-être Lola n'a-t-elle découvert que postérieurement à son mariage que la première femme de son mari était toujours vivante et qu'il avait deux enfants, eux aussi bien vivants. Dans le monde onirique où se situe *Voyages chez les morts*, *Madame Simpson*, se voyant reprocher par *Jean* d'avoir propagé le mensonge selon lequel sa mère serait morte, réplique : « C'est ton père qui a voulu faire croire cela à tout le monde, même à moi, surtout à moi afin de pouvoir m'épouser[64] ». Ses frères, « les deux capitaines », pouvaient accepter qu'elle se marie avec un veuf, non avec un divorcé. Mais, pour son compte, elle n'a « jamais vraiment cru à la mort » de la première épouse. Le divorce prononcé, Eugen N. Ionescu a-t-il tenté de faire accroire à la famille Buruiana que sa première femme était morte ? *Voyages chez les morts* pourrait le laisser penser. Prudence : *application* hautement conjecturale, rien qui vienne la recouper.

LA MAISON IONESCU

Le fils donne de la maison du père à Bucarest une image haute en couleurs, qu'il n'a pas cherché à flatter, on s'en doute. « Nous habitions tous, lui, moi, sa femme, ses beaux-frères, ses belles-sœurs, dans la même maison[65] ». Les conflits s'y réglaient avec une simplicité rustique. « Quand mon père criait contre sa femme, celle-ci descendait en pleurant se plaindre à ses frères. Il allait la chercher. » S'ensuivait une franche explication. « Les frères lui sautaient dessus. Il était fort, et se battait vaillamment ». Mais les frères étaient deux, de surcroît assurés du soutien actif des maris des sœurs de Lola « qui se trouvaient toujours là ». Aussi le père revenait-il de ces échanges familiaux « les yeux pochés ». Lola négociait son retour contre des concessions telles que le renvoi de la maison de Marilina, la relégation d'Eugène dans « la pièce la plus éloignée de l'appartement », son exclusion des « joyeux dîners très arrosés » qui réunissaient fréquemment « toute la famille, belles-sœurs, beaux-frères, nièces, cousins, copains ». Ces gens sont qualifiés par Ionesco de « fonctionnaires de deuxième catégorie, membres de la police, officiers subalternes ». Ils auraient dû prendre garde à l'adolescent à longue plume qu'ils écartaient ainsi de leurs agapes. Par exemple, le capitaine n'aurait pas dû menacer de passer son sabre au travers du corps de Thérèse Ipcar. Paroles en l'air évidemment, mais que le jeune Ionesco n'a pas laissé se disperser au vent des années vingt et trente, qu'il a, au contraire, fidèlement recueillies pour les resservir le jour venu. Au début des années cinquante, le *Professeur* de *La Leçon* prescrira à son élève : « Les sons, mademoiselle, doivent être saisis au vol par les ailes pour qu'ils ne tombent pas dans les oreilles des sourds [66] ». Les sons qui lui venaient aux oreilles étaient si stridents qu'ils ne pouvaient manquer d'être vivement appréhendés et soigneusement engrangés par le fils de Thérèse Ipcar. Le jeune Ionesco n'était pas sourd, et il se chargerait d'assurer aux propos qu'il recueillait un écho imprévisible. Il n'oublierait pas de noter que ce porteur de sabre, magistrat militaire sous l'ancien régime, le resterait sous le nouveau. Longue mémoire du fils. Dans *Voyages chez les morts*, le poète se souviendra de faire dire par la *Grand-mère* à la *Marâtre* : « Votre frère, lui, a tué, il a condamné des gens à la mort [67] ».

Lola, ses frères, ses sœurs, ses beaux-frères, tout un monde auquel Ionesco est resté étranger, par lequel il a été rejeté, mais le conflit central est avec le père. « Tu l'as abandonnée [68]. » Le fils se mobilise pour la mère. Cet antagonisme qui oppose *Jean* au personnage paternel de *Voyages chez les morts* n'est que la transposition des fantasmes oniriques qui, dans le cours des années soixante-dix, viennent visiter Eugène Ionesco. « Je fais souvent des rêves qui ont le même thème : la confrontation entre mon père et moi ». Cela se lit dans l'entretien avec Pierre-André Boutang et Philippe Sollers que publie *Tel Quel* en 1978. Querelle sans fin, hors du temps. « Ton père est mort lui aussi », annonce-t-on au *Premier Homme* dans *L'Homme aux valises* (1975). Il répond : « Hier, je l'ai vu, hier. Nous nous sommes querellés [69] ».

« Il est mort depuis vingt-cinq ans », lui réplique la *Vieille Femme*. Brimé, battu, espionné, ainsi se voit le fils Ionesco. Mais le fils a déçu le père. « Il voulait que je devienne un bourgeois, un magistrat, un militaire, un ingénieur chimiste[70] ». L'adolescent a les procureurs en horreur. Les magistrats lui communiquent des envies de meurtre, les militaires des accès de rage. Les mêmes débats se retrouvent dans la transposition dramatique. « Je rêvais pour toi un autre destin, une autre carrière : grand fonctionnaire politique, ou bien général, ou bien ingénieur chimiste[71] ». Le père aussi a ses rêves. Rêves déçus. « Il n'est bon à rien, il ne fera jamais une belle carrière, il ne sera jamais avocat comme moi[72]. »

S'introduit alors le thème des études. *Jean* admet qu'il n'y est pas porté. À vingt-neuf ans il n'a toujours pas terminé ses études. *Jean* ne fait ici que reprendre un rêve qui visite Ionesco vers 1979. « J'ai mauvaise conscience, écrit-il dans *L'Homme en question*, je n'ai pas fait mon devoir[73] ». Dans le rêve non plus, Ionesco n'a pas terminé sa licence à vingt-neuf ans. Ni la fiction dramatique ni le rêve ne respectent la chronologie. Dès 1934, Ionesco a obtenu la *Capacitate* en français qui lui permet de solliciter un poste d'enseignant. Le rêve, repris par la fiction, exprime un demi-siècle plus tard la persistance dans la conscience de l'auteur du sentiment de défaillance scolaire que le ressassement paternel n'aura cessé d'entretenir. Le rêve, repris aussi par la fiction, introduit un autre élément, étranger lui aussi à la biographie. « Il n'y a que le théâtre qui m'intéresse[74] », déclare *Jean*. Or Ionesco n'a commencé à s'intéresser au théâtre que dans les années quarante, proclamant volontiers que jusque-là il tenait le théâtre pour un art de pur artifice, de grossière illusion. Le rêve et la fiction opèrent un télescopage des temps, transportant vers 1930 une option pour la scène qui ne se manifestera que vers 1950.

Moins inapte aux études dans la réalité que dans ses rêves tardifs, Ionesco n'en confesse pas moins dans *Découvertes* (1969) : « J'ai eu horreur du travail[75] ». Il faut se méfier de ces sortes d'aveux. Paresseux, masochistes, les écrivains s'imposent des milliers de pages d'écriture avec le sentiment de ne rien faire. Pour le travail scolaire, le *Père* de *Voyages chez les morts* finit par concéder que, bien que le fils ait toujours été en retard, et qu'il soit mauvais en tout, aussi bien en grec qu'en science, « il a quand même fini par avoir tous ses diplômes[76] ». Le *Père* précise tout de même que si le fils a passé ses « premiers examens de licence et les derniers[77] », il n'a toujours pas « les examens du milieu ». Dans *La Lacune* (1966), apparaît un académicien, trois fois prix Nobel, mais auquel manque le baccalauréat, qu'il n'a jamais réussi à obtenir. Les examens ont dû tourmenter Ionesco puisque même ses rêves en sont envahis. Ces rêves, le théâtre les emprunte au dramaturge : mêmes hantises, mêmes mots, mêmes manques. Au centre, il y a cette humiliation suprême dont *Jean* se fait l'écho dans *Voyages chez les morts* : « Mon père avait honte de moi[78]... » Mais le théâtre offre au fils le moyen d'une revanche éclatante. Il lui suffit de mobiliser les mots et de libérer les images pour accéder à la gloire. « Si toi tu avais honte de moi », les professeurs, eux, « avaient compris que j'étais un génie ». Tandis que le *Père* s'emportait jusqu'à jeter au feu les Dostoïevski, les Kafka, les Flaubert et les Kierkegaard que le fils lisait avidement, ses maîtres avaient déjà vu que le fils était lui-même « un Flaubert, et un Kierkegaard ». Connivence du corps professoral avec l'élève Ionesco, génie bafoué mais déjà reconnu par les lettrés de son collège ? Plutôt reconstitution théâtrale, car, dans la réalité, si le fils, gratifié de leçons particulières à l'initiative du père, a bien décroché le baccalauréat en 1928, il a dû, pour l'obtenir, aller se présenter à Craiova, pour incompatibilité d'humeur avec l'un des professeurs de Saint-Sava. Les études du fils, qu'il juge quelconques, ne procurent au *Père* de *Voyages chez les morts* (1981) aucune fierté. Tirant des feuilles, des paperasses du tiroir de la table de travail de *Jean*, le *Père* s'exclame : « C'est tout, des cahiers entamés, des papiers gribouillés... rien de lisible[79] ». *Jean* acquiesce : « Je m'étais imaginé un certain temps que j'avais mis quelque chose, il n'y a rien ». *Jean* est ici cette voix d'Eugène Ionesco qui, vers 1980, lui assène que, pas plus que dans ses tiroirs d'adolescent, il n'y a rien à trouver dans son œuvre. Voix d'un moment, voix parmi d'autres. C'est celle qui passe au travers du dramaturge lorsqu'il fait dire au *Père* : « Tu as même essayé de faire des dessins. Je t'avais dit pourtant que tu n'as pas de talent pour le dessin ».

Avec le *Père*, l'âpre dialogue se poursuit hors du temps : « Je ne te devais rien », proteste le *Père*. *Jean* réplique : « Je n'ai pas besoin de ton aide[80] ».

Le 25 février 1977, Eugène Ionesco se remémore, pour la *NRF*, quelques images de son adolescence roumaine. Notamment ces deux-ci, parmi les plus douloureuses. La maison de son père donne sur une cour. À l'extrémité de la cour, un bâtiment plus petit est occupé par un locataire âgé, dont son père veut se débarrasser. Le locataire ayant dépassé les soixante ans, la loi interdit son expulsion. Le père entreprend néanmoins de le persuader de partir. Le locataire, qui est juif, résiste. Bruits de voix, cris, vacarme, insultes. « Sale juif ! » Puis Eugen Ionescu passe aux coups. La victime s'efforce de les esquiver, disant : « Arrêtez monsieur l'avocat, je suis un vieil homme[81] ». Le jeune

Ionesco, honteux, se terre dans sa chambre. Le lendemain, à table, il entend son père commenter l'action de la veille, lui reprochant implicitement son absence au moment décisif. Il entend aussi sa marâtre proclamer à l'adresse de son mari : « Tu as été héroïque ».

Autre action héroïque, accomplie par son père, celle qu'il conduit, avec le concours de ses beaux-frères, le capitaine et le fonctionnaire, contre un inconnu, surpris par Lola dans la chambre de la bonne. Le jeune homme a beau répéter qu'il est le fiancé de la bonne et non pas un voleur, les coups lui pleuvent sur le visage jusqu'à ce que le sang jaillisse. Le fils ayant fui la scène, sa réserve est perçue comme une insulte par le père.

Sa position sociale met l'avocat Eugen Ionescu au-dessus de la loi. Malgré son droit, le vieux locataire sera obligé de libérer les lieux. Le fiancé se fait rosser sans riposter.

Ces scènes de violence heurtent le jeune Ionesco dans une Roumanie où, il est vrai, le châtiment corporel garde, y compris entre adultes, une place à laquelle Paul Morand consacre quelques lignes dans son *Bucarest (1935)*. « Ils semblent garder sur leurs reins l'obscur souvenir des temps où les ronds-de-cuir des Finances ajoutaient à leur emploi de publicains celui de bastonneurs officiels. (Il n'y a pas bien longtemps encore, on rossait en Roumanie, comme dans la comédie classique, sauf qu'on n'opérait pas soi-même : les domestiques fautifs allaient se faire fustiger à la police avec une lettre de recommandation de leur maître [82]). »

Ce père colérique qui le bat, lui, comme il bat ses domestiques, et qui règle ses problèmes à coups de pied et à coups de poing, qui se fait battre par les frères de sa femme, tout ce petit monde bruyant et vulgaire qui se réconcilie à l'occasion d'agapes dont il est exclu, Eugène Ionesco, à dix-sept ans, décide de s'en séparer. Il n'est pas à la rue : pour l'accueillir il y a sa mère, il y a Marilina Mariescu, sœur de son père, enseignante, qui lui fait une place chez elle, une chambre meublée où il a le gîte et le couvert. Il sait aussi que sa grand-mère paternelle, Sofia Ionescu, ne lui fermera pas sa porte. Il n'est pas démuni de toute ressource : la bourse que son père lui a obtenue auprès d'une fondation continue de lui être versée.

DÉCLARATION D'INDÉPENDANCE

Le héros est satisfait de sa déclaration d'indépendance : « À dix-sept ans – donc en 1926 ou 1927 –, c'est moi qui ai fichu le camp, me débrouillant tout seul, terminant mes études, obtenant ma licence de lettres, et étant très heureux de ma liberté, et de ne pas avoir de parents sur le dos[83]. » Le propos ne concerne pas que le père : il implique aussi la mère. Le texte sur le vase qui se brise donne à penser que Ionesco a habité chez sa mère. Du moins à ce moment-là. Mais quel est ce moment-là ? Racontées ailleurs, dans le même *Journal* des années quarante, les mêmes circonstances sont ainsi relatées : « J'avais dix-huit ans ou dix-neuf ans – donc en 1927 ou 1928 ou 1929 –, et j'avais quitté la maison paternelle pour vivre dans des chambres meublées[84] ». Le propos recoupe celui du *Journal du printemps 1939* où il mentionne une mansarde que, étudiant, il occupait à dix-neuf ans. Aucune indication d'un hébergement maternel, aucune allusion non plus à l'accueil chez sa tante, seulement les images classiques d'une vie de bohème étudiante : leçons de français pour payer le loyer et subvenir aux nécessités élémentaires, fréquentation, durant les périodes d'assèchement financier, c'est-à-dire pendant la seconde moitié de chaque mois, des foyers étudiants.

La population étudiante roumaine est nombreuse et famélique. Travaillée par les mouvements extrémistes, notamment la Garde de fer, cette engeance tumultueuse est suspecte aux autorités, avec des degrés dans la suspicion : « Les étudiants qui faisaient des lettres n'étaient pas très bien vus par les ministères », précise le *Journal* des années quarante. Aussi ne disposent-ils que de dortoirs en commun et de « cantines immondes ». Mais grâce à un ami bienveillant, Eugène Ionesco, bien que littéraire, bénéficie du traitement réservé aux étudiants en médecine. Or, « les polytechniciens et les étudiants en médecine avaient des habitations somptueuses : chambres individuelles avec eau courante, cantines avec des petites tables ». Grâce à cet hébergement amical, qui se double d'une prise en charge alimentaire minimale à base de thé et de pain, l'étudiant Ionesco survit durant les périodes de disette. L'environnement familial, pour autant, ne cesse pas d'exister dans une ville où il a mère, sœur, tante, grand-mère... Mais cet environnement semble ne jouer que le rôle de filet de sécurité. Soucieux de ne pas être à la charge de sa mère, Eugène Ionesco entend par ailleurs préserver son autonomie par rapport à la famille de son père.

Le père est toujours présent même si le fils l'a quitté. « J'ai pu voir pendant ce temps-là deux ou trois fois mon père. Il était riche. Nous nous attendrissions temporairement, et il me donnait de l'argent que je dépensais sur-le-champ en faisant venir des copains que je régalais. » Banquets se terminant à l'aube, tournées en fiacre dans Bucarest pour reconduire ses commensaux à leur domicile, l'étudiant prodigue ne fait pas les choses à demi. Rentré chez lui, il ne lui reste plus qu'à constater qu'il a tout dépensé. Il s'enferme alors dans sa chambre, sourd aux sollicitations de la propriétaire qui réclame qu'on lui paie son loyer. Ce n'est pas parce que ces errements semblent se calquer sur quelques-uns des archétypes les mieux établis des parcours étudiants de la littérature romanesque du XIXᵉ siècle qu'ils sont nécessairement inventés. L'argent paternel brûle les doigts du fils. Il lui faut le dépenser, mais dans l'inutile, le frivole, le festif. Que la propriétaire ne compte pas là-dessus pour se faire payer. Elle devra attendre le règlement des leçons de français que donne son locataire impécunieux. L'argent du père n'est pas pour elle. Véridique ou retravaillé par la mémoire, le récit du *Journal* des années quarante raconte le conflit du père et du fils. Les rencontres se renouvellent, l'argent du père fond aussitôt entre les mains du fils. « La dernière fois que je l'ai vu, j'avais terminé mes études[85] ». Jeune professeur, Ionesco est déjà marié au moment de la rencontre. Nous sommes donc vers 1936-1937. « Nous avons déjeuné ensemble sur son invitation, nous nous sommes querellés parce qu'il était intellectuel de droite... » Comme Ionesco note par ailleurs : « J'ai trente-cinq ans maintenant », il faut situer la remémoration à laquelle il se livre vers 1945, soit un peu moins d'une dizaine d'années après les circonstances qu'il rapporte.

« PLUS DUR QUE TOI »

« On ne peut pas plaire à tout le monde et à son père[86] » proclame *Jean* dans *Voyages chez les morts*. Déjà Jean-Baptiste Racine écrivait en 1745 à son frère Louis, occupé à composer une biographie de leur père : « Rien n'est si difficile que de parler de soi et surtout de son père[87] ». Parler de soi et de son père aura été le cœur de l'entreprise littéraire d'Eugène Ionesco. Vers 1980, à l'heure des récapitulations, *Jean*, dans *Voyages chez les morts*, admet : « On n'a jamais pu s'expliquer[88] ». Presque trente ans auparavant, *Choubert*, dans *Victimes du devoir*, disait déjà : « Père, nous ne nous sommes jamais compris[89] », et encore : « Nous aurions pu être de bons copains. » Le père par la voix du *Policier* se défend faiblement : « Je représentais des maisons de commerce. Mon métier m'obligeait d'errer sur toute la terre[90] ». Eugen Ionescu ne voyageait pas par toute la terre. Il vivait à Bucarest, il était avocat, notable parmi les notables.

Le père et le fils ne se recherchent que pour se tourmenter. Les mots qu'ils prononcent sont comme un malheur qui sort d'eux, un malheur commun qui les unit et qui les sépare. Les mots du fils sont ceux de la vengeance et du remords, les mots du père, ceux des circonstances et des enchaînements. Les choses sont comme elles sont. Il est arrivé ce qui est arrivé. Le fils ne l'entend pas de cette oreille. « Qu'il est difficile de pardonner à ses ennemis [91] », soupire le *Journal* des années quarante. *Choubert* se justifie : « Je devais venger ma mère [92] ». *Choubert* sait que ses coups ont porté au-delà de tout ce qu'il pouvait espérer. Ou craindre. « J'ai été plus dur que toi. Mon mépris t'a frappé beaucoup plus fort ».

La voix de la vengeance investit la dépouille de l'aïeule dans *Voyages chez les morts*. Elle est la grand-mère qui dresse le réquisitoire contre ceux qui ont bafoué sa fille. Le mal qu'on a fait à sa fille, elle ne peut le pardonner. Aussi glisse-t-elle insensiblement du rôle de l'aïeule maternelle à celui de l'Érinye vengeresse, la furie archaïque qui poursuit ses proies jusque dans les enfers. Le 2 novembre 1980, le P. Carré notera dans son *Journal* une confidence que lui a faite son *cher Eugène Ionesco* : « Les morts se vengent [93] ». *Pas les miens*, commente le P. Carré. Morte, la *Vieille* de *Voyages chez les morts* se proclame plus vivante que du temps où elle vivait. Elle est plus vivante parce que « dans la vie (elle n'avait) pas ces ongles... aussi longs, aussi acérés [94] », avec lesquels elle déchire à présent les chairs à sa merci. Elle fait disposer un fauteuil qui sera le siège du juge. Elle usurpe la fonction divine. « Je suis le jugement. Je suis le délégué des juges ». Elle ordonne : « Que les coupables entrent. » Elle invoque la justice : « Je suis la Justice. » Puis elle passe aux aveux : « Non, plus que cela, je suis la Vengeance [95]. » Les sentences de la *Vieille* tombent sur les misérables justiciables qu'elle tient en son pouvoir. Sous l'œil du démiurge qui rit, elle rend le jugement afin que le démiurge ait matière à rire davantage. « Bouffons que nous sommes [96] », commente-t-elle.

Tous les représentants du clan Ionescu ont droit à ses attentions. « Toi, ridicule capitaine... pourquoi as-tu tué, fusillé tous les miens [97] ? » Le capitaine se défend : il avait des ordres pour exterminer tous ceux qui n'étaient pas de sa caste. Le personnage identifié comme étant l'*Ami* de *Jean*, écrivain de son état, fait observer que « ceux de sa race furent aussi tués jusqu'au dernier par une autre race (et qu'il) est le seul à leur survivre [98] ». La *Vieille* lui réplique : « Tu es un mauvais avocat ». Le capitaine, lui, lorsqu'il rendait ses jugements, ne s'embarrassait pas des droits de la défense. « Ils n'avaient pas besoin d'avocats. Ils plaidaient coupables, ou bien ils étaient déjà morts quand on les jugeait. » Le capitaine sera exécuté au sabre : « Je te prends ton sabre que tu voulais enfoncer dans le ventre de ma fille... je l'enfonce dans ton ventre à toi, dans les fantômes de tes tripes [99]... »

Puis l'œil droit, l'œil à monocle, lui sera arraché ainsi que les épaulettes.

Le haut fonctionnaire aussi aura son compte. Mais c'est surtout dans le traitement que la *Vieille* applique à la seconde femme du père que s'exprime le génie tortionnaire de Ionesco. « Te voilà, sorcière, qui as chassé ma fille de sa maison, je t'accrocherai par la gorge avec mes croches plus fortes que les croches vivantes [100]... » Déchirée, dépouillée de ses parures, réduite à l'état de vieillarde bossue, déchue de ses apparences, la marâtre se fait dire : « J'ai pris ta fausse jeunesse [101]... » Quant au *Père*, la Tzigane aura ordre de le pendre, la *Vieille* fournissant la corde. Septuagénaire, Ionesco libère-t-il dans l'imaginaire des hargnes inassouvies, engrangées un demi-siècle plus tôt à Bucarest ? « Je ne vois pas l'innocence [102]... », proclame la *Vieille*. « Hurle si tu peux [103]... », ordonne-t-elle au capitaine qu'elle tourmente. Elle aussi se justifie : « Qui donc a jamais pardonné dans le monde d'en bas et dans les mondes supérieurs [104] ? » Laisser les morts tranquilles, c'est la seule forme de pardon qu'elle puisse concevoir. Et de conclure : « Que tout cela disparaisse pour des siècles, des siècles et des siècles [105] ». Et de se métamorphoser en une belle femme qui chante, poussant des cris de joie *inhumains*. Comme il faut en finir, et qu'il s'agit de théâtre, les personnages quittent la scène en riant : « Rires et bruits qui ressemblent à des sanglots ».

De décennie en décennie, un demi-siècle durant, les voix qui investissent le jeune Ionesco dans les années vingt et trente se feront entendre. Toujours cet aveu proféré dès le début des années cinquante dans *Victimes du devoir* : « Pardonner... c'est cela le plus dur ». *Madeleine*, épouse et mère, insiste : « Il faut être bon, tu souffriras si tu n'es pas bon, si tu ne pardonnes pas. Quand tu le verras, obéis-lui, embrasse-le, pardonne-lui [106]. » Milieu des années soixante-dix : le *Premier Homme* de *L'Homme aux valises* reconnaît instantanément le *Père* : « Pauvre papa, pauvre vieux con [107] ». Le père, avant de reparaître dans la fiction, s'impose dans les rêves du fils. Le *Journal en miettes* (1967) relate ce rêve où Ionesco, en compagnie de sa femme, de sa fille, de sa mère, de son père, de sa tante, d'une grand-mère, se fait dire que son père est mort encore qu'il l'ait rencontré la veille. Il ne sait plus si c'est son père qui est mort ou si c'est lui. Dans le groupe serré qu'il compose avec ses proches, les identités sont incertaines comme elles le sont sur la scène où les personnages se métamorphosent, jouant des rôles qui changent au fil des répliques. Une décennie et demie plus tard, le *Jean* de *Voyages chez les morts* s'inquiète du retour du *Père* dans ses rêves : « Tu es toujours dans mes rêves, toi et ta femme [108]. » Le temps rapproche les échéances. « Bientôt je te rejoin-drai. Mais je serai quand même le fils, même quand je serai de l'autre côté, j'aurai quand même du mal à venir te voir [109]... » Il s'interroge : « On n'a pas fini de régler nos comptes [110] ? » Le *Père* s'est enfermé dans les tombeaux, ceux de sa deuxième femme, ceux de ses beaux-frères. « Les forbans, sont-ils vraiment des forbans [111] ? » s'interroge *Jean*. Le doute visite le justicier. Évoquant les beaux-frères à petite moustache et tête ronde, évoquant le *Père*, mais aussi évoquant, et très singulièrement, la *Mère*, le *Journal* des années soixante semble englué dans les ressentiments des années vingt et trente : « Je n'arrive pas à oublier... ils n'ont été ni bons, ni méchants, ils ont été bêtes. Ils m'ont fait tellement de tort qu'ils ont gâché ma vie, malgré ce qu'on appelle les succès [112] ».

Cependant *Choubert*, dans *Victimes du devoir*, dès le début des années cinquante, avait mis en garde son auteur. S'adressant au père en la personne du *Policier*, il passait aux aveux : « C'est mon mépris qui t'a tué [113] ». Puis l'ombre d'un doute s'insinuait chez le fils. « J'ai été bien plus méchant que toi... J'ai eu tort de te mépriser. Je ne vaux pas mieux que toi... » L'appel de détresse au père invoque la ressemblance filiale. Déjà vers 1940-1941, Eugène Ionesco, se regardant dans la glace, chez le coiffeur, confie à son *Journal* : « J'ai surpris sur mes lèvres, le sourire bonhomme de mon père [114] ». *Choubert* réclame un instant d'attention : « Si tu voulais me regarder, tu verrais comme je te ressemble. J'ai tous tes défauts [115]. » Écrivant les mots qu'il donne à dire à *Choubert*, Eugène Ionesco sait que son père est mort depuis plusieurs années déjà, et que l'explication qu'il n'a pas eue avec lui, il ne l'aura plus sur cette terre. *Choubert* peut bien propo-ser : « Faisons la paix ! Faisons la paix ! », le fils Ionesco sait qu'il ne rencontrera plus ici-bas l'interlocuteur paternel. « De quel droit t'avoir puni ? » s'interroge-t-il. *Choubert* exprime la bouffée d'angoisse de l'auteur : « Qui aura pitié de moi, l'impitoyable ! Même si tu me pardonnais, jamais je ne pourrais me pardonner à moi-même ». La *Voix du Policier* transmet la réponse du père au fils : « Tu as eu beau me renier, tu as eu beau rougir de moi, insulter ma mémoire. Je ne t'en veux pas. Je ne peux plus haïr. Je pardonne, malgré moi... Je voudrais que tu ne te sentes plus coupable [116] ». Mais c'est le drama-turge qui fait entendre la *Voix du policier*. Le *Policier*, reprenant son rôle, enjoint à *Choubert* de cesser *d'embêter* le monde avec ses complexes. *Choubert* : « C'étaient tout de même mes parents ». *Ces histoires personnelles* dont le *Policier* n'a que faire, sont celles dont Ionesco se sert pour nourrir son œuvre parce qu'elles ne cessent de l'habiter. Elles irriguent *Voyages chez les morts*. Le *Père* y remâche ses ressentiments à l'égard de la *Mère*. Instruit par sa propre expérience, le fils lui conseille : « Tu lui en veux encore ! Tu lui en voudras pour l'éternité. Tant que tu lui en voudras, tu n'iras pas au paradis[117] ». C'est la réplique exacte de ce que lui dit le *Père* au sujet de sa nouvelle famille. « Efface tes rancœurs[118] ». Chacun sait ce qui apporterait la paix à l'autre. « Personne n'est une canaille pour l'éternité[119] », plaide le *Père*.

« JE L'AIMAIS »

De la fiction aux confidences, même tumulte de passions contraires. Haine du fils pour le père ? « Je n'ai jamais pensé que mon père allait mourir », constate le *Journal en miettes* (1967). Alors que la mort de la mère l'obsède, celle du père ne lui vient jamais à l'esprit : « Est-ce parce que je ne l'aimais pas ? Non, certainement, puisque je l'aimais et puisque sa longue absence créait en moi, en nous tous, un vide, un immense besoin, une blessure[120] ». Aveu central : le père, disparu vers 1916, happé par sa nouvelle famille, toujours aimé dans l'ancienne, est, par son absence même, le cœur douloureux d'une frustration inguérissable pour le fils, pour la mère, pour la sœur. Vécue à sept ans, la séparation d'avec le père remplira l'âme du fils d'une plainte dont l'œuvre sera le mode d'expression. Ni la vie ni l'œuvre ne sont mues par la haine du père, mais par le conflit sans fin avec lui.

« Je l'aimais », confidence majeure du fils au milieu de la cinquantaine. Une dizaine d'années plus tard, le 25 février 1977, Ionesco se remémore les retrouvailles à Bucarest, vers 1923, de la mère, du père et des enfants. « J'ai le sentiment que cela se passait dans une autre vie[121]. » Eugène, sa mère et sa sœur sont descendus dans un petit hôtel, l'hôtel de l'Europe. Y avait-il quelqu'un pour les attendre à leur arrivée à Bucarest ? Bien qu'il eût déjà treize ans, il ne sait plus. Théodore, l'un des frères de sa mère, était peut-être là. Le père, bien qu'averti par une lettre de la mère, ne se présente à eux que deux ou trois jours après leur arrivée. Ce jour-là, vers onze heures du matin, Eugen Ionescu se fait annoncer par un employé de l'hôtel : « Monsieur l'avocat Eugen Ionescu ». Un instant, le fils croit que son père, c'est le domestique qui fait l'annonce. Mais non. Selon son habitude, Eugen Ionescu s'est fait précéder de ses titres et qualités, manifestant ainsi qu'à Bucarest il est quelqu'un. Le voici qui paraît, vêtu d'un costume gris d'été, coiffé « d'un beau chapeau de feutre ». Eugen Ionescu surgit devant ses enfants, jeune et beau. Séparés de lui depuis une demi-douzaine d'années, Eugène et Marilina lui sautent au cou. La mère a des raisons de lui battre froid. Mais pour les enfants, c'est le bonheur des retrouvailles. Et bien sûr que ce père retrouvé, élégant et important, bien sûr qu'ils l'aiment ! Le fils pourra bien ressasser son réquisitoire, se revêtir des oripeaux du justicier, son père, il l'aime, et, quand il aura exercé ses vengeances, c'est lui qui sera hanté par la mauvaise conscience. Pour ce qui le concerne, et à cette heure, Eugen N. Ionescu, que son fils aurait volontiers cru tourmenté par le sentiment de sa culpabilité, reparaît devant la famille qu'il a abandonnée en France, apparemment exempt de tout remords. « Il ne se sentait pas coupable du tout », note Ionesco ce 25 février 1977, enveloppant son père dans un souvenir de compassion complice : « Pauvre homme : se voir affublé tout d'un coup de deux enfants et d'une ex-femme, reproche vivant, alors qu'il était si tranquille et qu'il s'amusait peut-être si bien avec sa nouvelle femme, sans enfants, dans sa nouvelle famille ! » Et cependant quel conflit ! Quel traumatisme chez le fils, marquant d'une trace indélébile son passage terrestre. Traces perceptibles. Guerre de trente ans entre le père et le fils : dans la fiction qu'il crée, le fils se voit dans le rôle du vainqueur. Défaite du père. Au début des années cinquante, le *Policier* de *Victimes du devoir* annonce : « Tu as la vie, une carrière devant toi ! Tu seras riche, heureux et bête, voïvode du Danube [122] ! » Bête, Eugène Ionesco oubliera de l'être, et le rôle de voïvode du Danube sera accaparé par un autre qui finira par ressembler à l'un de ses personnages. « Tu as vu, je t'ai vaincu [123] », proclame *Jean* dans *Voyages chez les morts*. Assujetti durant toute son adolescence, *Jean* répète : « J'ai été le plus fort, le plus fort [124] ». Le *Père* en convient : « Tu as gagné, mon fils [125] ». Il constate que le fils a conquis la gloire, qu'il est « célèbre parmi les vivants [126] ». « Président d'académie », « chef d'École littéraire [127] », il a réussi brillamment dans le monde. Libérant l'ego de l'auteur sur le mode de la dérision ironique, *Jean* admet qu'il est quelque chose comme une légende vivante : « J'ai bâti des monuments de littérature et de poésie. Il n'y a eu personne plus grand que moi de mon temps ». Près d'un demi-siècle après *L'Hugoliade*, *Jean* donne acte à Eugène Ionesco qu'il est devenu aussi célèbre que Victor Hugo. Victoire du fils ? Défaite plutôt.

D'abord, si le *Père* prend acte de la gloire du fils, cette gloire, le père ne la connaît que par ouï-dire. S'il admet que le fils a gagné, il ne sait pas exactement ce qu'il a gagné. Il a vu les titres de ses œuvres dans les librairies et les bibliothèques. Il n'en a lu aucune. Lorsque

Jean, sommé de montrer ce qu'il a écrit, ne sort de ses tiroirs que du papier jauni, des feuilles, et s'exclame : « Voilà, voilà tout ce que j'ai fait... où sont mes monuments ? où est ma gloire [128] ? », le père, sans qu'on sache s'il se désole ou s'il triomphe, ne peut que constater : « C'est là toute ton œuvre ! » *Jean* se demande : « Est-ce mieux que rien ? » Il s'était imaginé qu'il avait conçu quelque chose. « Il n'y a rien [129]. » Mais c'est Eugène Ionesco qui fait parler et le fils et le père. Le *Père* admet qu'il se défend, qu'il dit n'importe quoi. Il confesse son sentiment de constante culpabilité. Le fils aussi. Sachant son père mort, le fils délivre par la voix de *Choubert*, dès le début des années cinquante, l'angoisse du justicier devant son impitoyable justice, vengeance en forme de justice, qu'incarnera la *Vieille* de *Voyages chez les morts*, au début des années quatre-vingt. Effroi du dramaturge devant le rôle qu'il s'est attribué, qui emprunte la voix de *Choubert* dans *Victimes du devoir*, et qui prend, trente ans plus tard, l'apparence révulsive d'une Érinye repoussante qui, à son tour, se métamorphose en une beauté perdue pour l'humanité.

MÈRE ET FILS

Le procès du fils n'est pas qu'avec son père, il est aussi avec sa mère. Sur quelles défaillances se fondent les reproches adressés à la mère ? « Je ne sais même pas si vous êtes ma mère [130] », lance le *Jeune Homme* de *L'Homme aux valises*. Puis il se demande si la femme n'a pas trompé son mari. L'explosion d'indignation qui accueille son propos : « Menteur ! Voyou ! J'ai élevé un serpent dans mon sein », la protestation de la mère : « Je vous ai voué mon existence, à toi et à ton père [131] ! », ses invectives mélodramatiques : « Ton père m'a enfoncé le poignard dans le cœur, toi tu m'achèves », induisent dans la scène une nuance de dérision qui en fait une parodie, comme si le fils avait veillé à réduire à néant les inventions dramatiques de l'auteur de théâtre. « Comment oses-tu dire une chose pareille [132] ? » s'insurge la mère.

L'acte d'accusation de la mère à l'encontre du fils est global dans *L'Homme aux valises*. « Tu as perdu tous ceux de ta famille [133] ». Dans *Voyages chez les morts*, il est moins dramatique, et plus vraisemblable. C'est *Madame Simpson*, Lola, qui le formule : « Tu prétends l'adorer et tu me dis que tu ne lui as plus écrit [134] ». *Jean* reconnaît en effet qu'il n'a pas écrit à sa mère depuis longtemps. Lorsqu'on lui annonce que sa mère est morte, *Jean* se désole. « Elle aurait pu attendre encore un peu, elle a déjà attendu si longtemps [135] ». Attendre.

Jean n'a pas trouvé le chemin qui menait à sa mère. Malgré l'interdiction faite par le *Père*, il a cherché à la voir, mais *au bout d'un an*. « Elle était là et je n'allais pas la voir. » Il invoque ses obligations, ses affaires, ses préoccupations, le défaut de taxis et d'autobus... « Plusieurs fois j'ai essayé de la joindre [136] ». Quelque chose se met toujours en travers du projet. « Je m'égarais en route ». Lorsque, à l'heure du jugement, *Jean* répète : « Je l'ai cherchée partout [137] », la *Vieille* lui réplique qu'il n'a pas voulu vraiment la trouver, qu'il était dans ses châteaux avec ses belles : « Tu habitais la maison de ton père qui était beaucoup plus riche ». Ce qui transparaît chez le fils dramaturge, c'est l'obscur sentiment d'avoir négligé sa mère dans un environnement familial et social violemment divisé. La présence à Bucarest de la mère d'Eugène et de Marilina aura pesé sur la vie d'Eugen N. Ionescu et de Lola d'un poids de contradiction dont les œuvres de fiction opèrent la transposition approximative, décalée, fantasmatique, mais au total vraisemblable. Affrontements, interdictions, violences, autojustifications, interjections : le chaos de la vie se donne à voir sur la scène. C'est le paysage psychique au sein duquel se meut le jeune Ionesco qui se révèle ou, plus précisément, le souvenir qu'en conserve le dramaturge un demi-siècle après y avoir vécu.

Conflit du fils avec la mère autant qu'avec le père ? Au niveau conscient le fils récuse le parallèle, même si les reproches d'abandon de la mère ont encombré sa vie. Le jeune Ionesco a vécu l'affrontement avec le père comme le combat avec le mâle dominant que sa puissance protège, même de la mort, alors que la mère est la victime dupée que le fils doit défendre, et qu'il se flatte de venger. Certes, au milieu des combats, il aime le père, mais c'est la mère vers qui va la tendresse. Dès le printemps 1939, le *Journal* recueille la nostalgie inguérissable que lui laisse la mort de sa mère, la vanité, à présent, de toute velléité de la rendre heureuse. Le *Journal* des années quarante évoque, au milieu du désastre universel, « les pauvres petites mains ridées de ma mère qui ne me caresseront plus jamais [138] ». Vers le milieu des années soixante, la mère se glisse dans les rêves du *Journal en miettes*. « Je me souviens qu'elle est morte depuis bientôt trente ans, depuis bientôt trente ans. Je vois un grand trou et j'ai le vertige et ma douleur est décuplée : depuis si longtemps tout seul, depuis si longtemps sans ma pauvre chère petite maman [139] ». Le *Premier Homme* de *L'Homme aux valises* se remémore : « Je la revois encore, petite, ridée, maigre, ses cheveux noirs qui ne voulaient pas blanchir malgré l'âge [140] ». Vers 1979, Eugène Ionesco continuera d'être visité en rêve par ses morts, par sa mère, par sa grand-mère, par son père. « Je me prépare pour un règlement de comptes au-delà de la vie [141] », suppose-t-il. Le rêve le conduit au seuil de la maison où demeure encore sa mère, à proximité de la Porte Saint-Cloud, et qui lui rappelle l'appartement qu'il a lui-même habité rue Claude-Terrasse au lendemain de la guerre. Il a eu des difficultés à trouver la maison de sa mère : une autre maison lui barrait la route au bout d'une rue, les chemins qu'il avait empruntés se sont avérés être des impasses, mais dans l'une d'entre elles il a découvert une porte cochère donnant sur la rue Claude-Terrasse. Sa grand-mère maternelle lui a ouvert la porte. Il apprend que sa mère ne compte plus sur lui, qu'elle l'a « attendu, attendu [142] », et comme il n'est pas venu, elle a fini par en prendre son parti. Sa sœur et sa grand-mère vivent du travail de sa mère. La voici, très amaigrie. Il se défend en invoquant ses études. Il a vingt-neuf ans, et il n'a pas terminé sa licence. Ce sont toujours ces fameux examens du milieu qui lui manquent. Son père en est furieux. La mère lui dit que s'il ne s'entend pas avec son père, il peut venir chez elle. Il y a une chambre qui l'attend. Cette chambre, il la connaît. Elle n'est pas très confortable, mais il est heureux de savoir qu'il a où aller. Dans le rêve, son père ne lui donne pas d'argent. Il ne peut être d'aucun secours à sa mère. Porte Saint-Cloud, rue Claude-Terrasse, maisons de la mère à Paris, du père à Bucarest, confusion onirique des lieux, confusion des genres littéraires aussi : confidences biographiques, transcriptions de rêves, transpositions dramatiques, les faits et la conscience qu'en garde Ionesco s'imbriquent étroitement et se livrent dans l'écriture, charriant secrets, craintes, mauvaise conscience. L'amour du fils pour la mère ne fait que reproduire celui de la mère pour la grand-mère. La mère est devenue vieille. Sa propre mère surgit devant elle, jeune à nouveau, telle que, enfant, elle lui était apparue. « Maman je suis si heureuse de te revoir [143]... Oh ma maman [144]... » La mère constate : « Nous sommes bien ensemble [145] ». Ce bonheur d'être ensemble, c'est ce qu'elle vit avec sa propre mère. « Je suis venu pour la chercher [146] », déclare *Jean* à *Madame Simpson* dans *Voyages chez les morts*. Il veut l'emmener à Paris « si elle est encore vivante ».

Transposant des rêves qui brassent une histoire familiale projetée hors du temps, les fictions théâtrales mettent en scène des personnages aux identités successives, incertaines, ambiguës. *Jean* dans *Voyages chez les morts* s'interroge : « Je ne sais pas si cette femme est ma grand-mère ou si elle est ma mère [147] ». Il ne sait plus laquelle il a vu à moins qu'il n'ait vu les deux. « Qu'elle est belle ma grand-mère si jeune, dans sa robe claire [148]... » s'exclame le *Premier Homme*. Il ne sait plus si sa mère est morte, s'il a assisté à son agonie, ou s'il a seulement imaginé sa mort [149]. « J'ai rattrapé l'âge de mes parents », s'exclame la mère dans *Voyages chez les morts*. *Jean* vient la chercher dans une maison qu'ils ont habitée ensemble. Elle se cache. Lorsqu'il la trouve, il découvre une *Vieille* débordante de ressentiment, et qui promet : « Je ferai trembler les fondations et j'y mettrai le désordre [150] ». Cette hargne alerte l'*Ami de Jean* : « Ce n'est pas ta mère. Ta mère était douce. C'est ton aïeule ». Surgit alors, non pas la grand-mère, mais une Érinye vengeresse qui prétend exercer le jugement, et qui, en réalité, ne fait qu'assouvir ses haines avec une science tortionnaire des plus éclairées. La mère disparue, c'est comme si, en la personne de la *Vieille*, surgissait des tombeaux la longue cohorte des ancêtres rassemblés au coude à coude, montant à l'assaut pour demander des comptes au peuple des vivants. Image aussi antique qu'universelle qui se dresse à l'horizon du monde imaginaire d'Eugène Ionesco.

Journaux intimes, rêves, théâtre, au long des décennies, se révèlent les attachements et les révulsions qui ont investi le jeune Ionesco à Bucarest dans les années vingt et trente. La cohabitation chaotique de ces émotions engrangées au temps de l'adolescence et de la jeunesse donne à la biographie affective sa singularité dans la durée, sa couleur, ses rumeurs obsessionnelles, ses élans, ses pesanteurs.

L'intervenant extérieur : Un mot quand même.

L'orateur : Vous croyez que c'est vraiment le moment d'intervenir ? À ce stade du récit ?

L'intervenant extérieur : Indispensable. Il faut quand même rappeler, sans attendre, que tous les protagonistes de cette histoire sont morts : mort le père, morts les beaux-frères, les belles-sœurs et leurs maris, morte la mère, morte Lola, morte la maîtresse tzigane, morte la nièce, tous sont morts. Or seuls ces morts auraient été en mesure de rétablir la vérité sur ce qui se passait dans la maison d'Eugen N. Ionescu dans les années vingt et trente... ce qui se passait réellement, car les confidences du fils Ionesco n'ont évidemment aucune valeur historique tant qu'elles ne sont pas recoupées par d'autres sources.

L'orateur : Cela a été constamment rappelé.

L'intervenant extérieur : Reste tout de même que, malgré ces précautions, le monopole d'expression dont dispose Eugène Ionesco déséquilibre le récit. Peut-être les beaux-frères d'Eugen Ionescu auraient-ils eu beau jeu de plaider qu'ils s'étaient seulement efforcés de remplir leur devoir d'état en un temps où la Roumanie était la proie de convulsions politiques chroniques. Peut-être Eleonora Buruiana, s'étant laissé épouser par Eugen Ionescu, s'est-elle seulement efforcée de tenir son rôle de belle-mère. Peut-être Eugen Ionescu lui-même a-t-il eu pour premier souci, au long du tiers de siècle qui va de son retour en Roumanie à sa mort, d'assurer le gîte et le couvert à la famille complexe et tumultueuse dont il avait la charge. Peut-être les uns et les autres ont-ils été aux prises avec un jeune fat prétentieux, arrogant, caractériel, aussi nonchalant à conduire ses études qu'imbu de ses supériorités intellectuelles, un personnage indiscipliné, ingérable, partout indésirable, et qui n'a songé à gagner sa vie que fort tardivement, jusque-là entretenu par son père, et mécontent de l'être, d'où l'âpreté de ses diatribes. Les résultats très moyens de ce personnage au collège, la manière dont il employait les sommes substantielles que son père lui remettait, la bohème prolongée dans laquelle il s'est complu, sa façon tellement banale de se dresser contre le clan paternel – on dirait un cliché romanesque –, tout cela, après tout, peut expliquer les aigreurs qu'a pu parfois manifester Eugen Ionescu, et les mots qui s'échangent avec la belle-famille. Que les petits-enfants et arrière-petits-enfants, s'il y en a, les petits-neveux, petites-nièces et leurs descendants n'aillent pas croire que leurs grands-parents, leurs grands-oncles, leurs grand-tantes furent les pires des hommes et des femmes de leur temps, alors que les uns et les autres ont eu à vivre, au long d'un demi-siècle, sous des tyrannies successives, chacune plus atroce que la précédente. Qu'ils ne laissent pas ternir l'image honorable qu'ils ont d'eux par les racontars malveillants d'un parasite ingrat, indolent et insolent qui, en ce qui le concerne, a eu assez d'esprit pour tirer son épingle du jeu, écrire des livres en une langue assez universelle pour faire connaître son nom dans le monde entier, devenir académicien français. Lui aussi aurait pu laisser les morts tranquilles, selon la prescription qu'il donne à dire à la *Vieille* à qui il confie le jugement à la fin de *Voyages chez les morts*. Mais alors, où aurait-il trouvé la substance de son œuvre ?

Ionesco : J'avais dix-huit ans et la tristesse d'un âge trois fois plus grand [151].

L'orateur : Dans son *Journal* des années soixante, il se contente de dire des gens qu'il a rencontrés chez son père, qu'ils furent *bêtes*.

L'intervenant extérieur : Et lui, le fils de la mère répudiée, est-ce qu'il a mesuré son propre taux d'encombrement du temps que, porte-voix du clan des femmes Ipcar, il laissait son regard d'inquisiteur blessé juger tous ces gens ? Croit-il qu'ils pouvaient supporter de se laisser ainsi anéantir ?

L'issue de toutes ces confrontations, de toutes ces détestations ?
1978 : le rêve conduit Ionesco à la maison de son père. « Il y a une
grande fête, une noce. Je vois mon père, sa femme [152] ». Un des frères
de Lola l'accueille amicalement. « Le comédien Marcel Cuvelier se
trouve parmi les membres de la famille [153]. » Ionesco est un peu étonné
de le trouver là car il ignorait que Marcel Cuvelier fît partie de la
famille. Marcel Cuvelier lui annonce : « Ils ne vous en veulent plus.
Vous non plus d'ailleurs, tout cela est bien fini. C'est du passé ».
L'académicien admet en effet que « tout cela est bien pardonné. » Il
insiste : « J'ai tout pardonné. » Puis vient l'interrogation centrale :
« Ma mère est-elle contente ? » Le rêve se déploie dans la durée : « La
noce a duré longtemps ». Noces de réconciliation de Ionesco, septuagénaire, avec les personnages paternels et maternels qui, six décennies
plus tôt, lui ont infligé ce traumatisme inaugural dont, au long du
siècle, il aura tiré une ample provende pour son œuvre ?

CHAPITRE III

SOLSTICE D'ÉTÉ

Livres et littérature

Que le jeune Ionesco soit en bataille avec son père et sa nouvelle famille ne signifie pas que son esprit ne soit occupé que de ce conflit. Qu'il juge Bucarest laide, et qu'il s'y sente exilé, ne signifie pas que la ville soit dénuée de charme. Très étendue pour sa population, environ 600 000 habitants, la capitale roumaine est sous influence française : architecture en bonne part d'inspiration française, mode et mondanités parisiennes, Bucarest, c'est le *Petit Paris*. Toilettes féminines, élégances masculines, jolis garçons moldo-valaques, autos américaines : la Calea Victoriei est l'artère des jours de gloire et des jours de défaite de la Roumanie. Parcourue en 1916 par les régiments du maréchal allemand Mackensen, puis, en 1918, par ceux de l'armée française, elle semble vouée, en temps de paix, à une circulation anarchique que l'apparition d'une jolie femme suffit, selon Paul Morand, à faire verser dans l'embouteillage. Non sans accréditer au passage quelques clichés, Paul Morand excelle, dans son *Bucarest (1935)*, à nous faire voir la population des bars et des cafés dans son effervescence quotidienne, sans dissimuler que sur les vingt millions de sujets du roi Carol II, il n'y en a guère que cent mille à participer à cette agitation du soir et de la nuit. Centres des turbulences culturelles de Bucarest, le café Capsa et la brasserie Corso sont les lieux de rencontre de ceux qui se sont eux-mêmes identifiés comme étant *la Jeune Génération* : Eliade, Cioran, Ionesco et beaucoup d'autres à présent oubliés par les générations qui leur ont succédé. Et qui, à leur tour, ont cessé d'être jeunes. Paul Morand met en images cette ville aux cent églises, fréquentées par un peuple qu'il se représente à bien des égards païen, mais qui se rachète en suivant les somptueuses liturgies orthodoxes aux *odorantes fumigations*. Pays où rien ne presse, où le parasitisme est un état social, où un prince, ancien préfet de police, peut donner des « soupers monstres avec Tziganes et filles de joie [1] », où demeure encore vivace dans les années trente le souvenir de Rose Pompon, danseuse de French Cancan à Paris sous le second Empire, ramenée à Iassy par un boyard roumain, poursuivie, peut-être jusqu'au mariage inclus, par le prince Jean Ghyka, le quittant à l'instigation de la famille, puis, s'étant reprise, entreprenant de le rechercher à travers la Russie et la Chine, se retrouvant à San Francisco avant de regagner Paris pour y vivre du produit de bijoux accumulés au long d'une vie aventureuse.

C'est dans ce pays archaïque et fébrile, où l'on discute ardemment de Proust, et où l'on règle volontiers ses comptes à coups de poing, où la liberté verse communément dans l'anarchie et l'autorité dans l'oppression, où la bastonnade n'est jamais très loin, mais où les débats intellectuels sont aussi vifs qu'à Paris, que le jeune Ionesco s'éveille aux choses de l'esprit. Passion de lire, vocation d'écrire, cela se révèle très tôt. À La Chapelle-Anthenaise circulait encore, comme aux XVIIIᵉ et XIXᵉ siècles, une littérature de colportage, avec des romans aux intrigues effrayantes mêlant revenants et loups-garous, mais aussi des œuvres de Hugo, Dumas, telles *Les Misérables* et *Les Trois Mousquetaires*, mais aussi des policiers, mais aussi *Cricri*, *L'Épatant*. Ionesco n'ignore ni Paul Féval, ni Ponson du Terrail. Puis un jour il y eut, vers onze ou douze ans, *Un cœur simple* de Flaubert. Ce fut une révélation, la révélation de la « beauté littéraire [2] », de ce qu'est un style, et qu'il y a des livres qui sont bien écrits tandis que beaucoup d'autres sont étrangers à la littérature. « Je crois que j'ai eu le sens de la littérature », confie Ionesco à Claude Bonnefoy dans *Entre la vie et le rêve*. Ayant fait l'expérience de l'œuvre d'art avec *Un cœur simple*, il a aussitôt éprouvé le sentiment qu'il ne pouvait plus lire n'importe quoi. Ce n'est pas l'histoire qui compte, c'est la manière de la raconter, « une sorte de luminosité, de lumière dans les mots [3] » qu'il retrouvera dans Charles du Bos, Valéry Larbaud. À Bucarest, au fil des années vingt et trente, c'est tout le champ de la littérature qui s'ouvre à lui. Quelques noms viennent à la surface des livres de confidence : encore Flaubert, avec *L'Éducation sentimentale* qu'il préfère à *Madame Bovary*, le Gide des *Nourritures terrestres* dont il a exécré la rhétorique pathétique et prétentieuse, Alain-Fournier, le maître de son « adolescence littéraire et rêveuse », Gérard de Nerval, Proust, et puis, bien sûr, les classiques, Racine, Corneille, (« Oh ! Quelle catastrophe, Corneille [4] ! »), Molière (« Moi, je n'aimais pas Molière [5]. ») Il n'aime pas lire les ouvrages de théâtre. Il préfère les romans, la poésie, les essais. « À peine ai-je lu Pascal. Avec peine [6]... » avouera cet écrivain pascalien au milieu des années quatre-vingt. Il assure n'avoir pas été influencé par la littérature des pays slaves environnant la Roumanie. Ce qui l'occupe, c'est la mystique : il lit Denys l'Aréopagite, saint Jean de la Croix, ou, plus exactement, le livre de Jean Baruzi sur saint Jean de la Croix, les pères de l'Église byzantine, *l'Église russe* d'Arseniev, il lit Chestov, Berdiaev, la *Philocalie*. *La Philocalie ou Récits d'un pèlerin russe*, dont la traduction partielle en français s'intitule *Petite Philocalie des prières du cœur*, est un recueil de textes de dévotion et de méditation, largement répandu dans le monde orthodoxe. Les sources en sont les Pères du désert, Évagre le Pontique (IVe siècle), saint Jean Climaque (VIIe siècle), Maxime le confesseur (VIIe siècle), Hésychius (VIIe-VIIIe siècles), des moines hésychastes anonymes, Grégoire Palamas (1296-1359), etc. Le rapport entre le monde sensible et la lumière divine, la préoccupation des fins dernières, c'est ce qui obsède l'esprit du jeune Ionesco, et qui transparaît dans ses lectures. C'est le temps où il a pour confesseur le frère Alexandre, un moine ayant vécu au mont Athos, et qui demeure au monastère de Darvari à Bucarest. C'est avec lui qu'il a ce dialogue : « Qu'est-ce que tu as à me confesser ? Mais je te préviens, si tu es menteur, si tu es criminel, si tu es incestueux, je m'en fous ! Réponds-moi à une chose : est-ce que tu crois ? – C'est justement ça le problème ! – Et pourquoi ne crois-tu pas ? – Je ne crois pas parce qu'il y a le Mal dans le monde. – Tu es perdu[7] ! » Six décennies plus tard, Ionesco, devenu vieux, reprendra la question qui aura hanté sa vie et son œuvre, confiant à Maximilien Kolbe, prêtre et martyr, la charge de proférer une réponse dans le livret qu'il composera pour l'opéra de Dominique Probst.

Si Ionesco s'est donné la peine de nous dire ses admirations et ses détestations littéraires, il n'est pas toujours aisé de fixer avec certitude le temps de ces rencontres. Cependant, lorsqu'il cite « Racine, Molière, Corneille, si pâles par comparaison avec Shakespeare... Sophocle[8] », « les romantiques, si clairs : Hugo, Vigny, Lamartine, Musset... qui (lui) ont appris la facilité », d'autres poètes, ceux-là *difficiles*, comme Mallarmé et Valéry, ou *accessibles* comme Rimbaud, Verlaine, Baudelaire, lorsqu'il évoque les dadaïstes et les surréalistes, lorsqu'il nomme Nietzsche, « le plus con de tous les *génies* de ce monde[9] », Kierkegaard qu'il n'a pas « réussi très bien à comprendre[10] », les philosophes de la culture et de l'histoire comme Chamberlain, Spengler, Unamuno et Keyserling, on comprend que ces découvertes ont eu lieu au long des années vingt et trente, même si d'ultérieures relectures ont pu approfondir la connaissance des œuvres de quelques-uns d'entre eux ainsi qu'il en a été pour Kafka, Proust, Dostoïevski, Céline. Ces derniers, il est même parvenu à les faire comprendre à d'autres, note-t-il, impressionné. Son énumération étant arrivée à Freud et Jung, Ionesco s'exclame : « Arrêtons-nous là, arrêtons-nous là[11]... » Mais il ne s'arrête pas. Voici Marx et Lénine : « En les lisant j'avais l'impression de mâcher du papier bouilli ». Il constate : « Quelle bibliothèque quand même dans mon crâne ! Quelle bibliothèque ! Tout ça pour rien, pour presque rien. Je suis quand même analphabète. »

Il y a chez cet analphabète au moins une continuité d'orientation qui se perpétue de décennie en décennie : « Autrefois, jeune homme, je lisais Platon, Plotin. » Il a aussi fréquenté, outre les Byzantins et maître Eckart, René Guénon et Schopenhauer. Il a lu des livres sur le bouddhisme et sur les mystiques persans. Il a lu également « pas mal de textes sur les gnostiques[12] ». Sur la fin de sa vie, il admet que les dérives gnostiques lui ont fait beaucoup de tort : « Ce que j'ai souffert spirituellement ! »

Sensible à la poésie symboliste – Albert Samain, Francis Jammes, Maurice Maeterlinck –, à la critique littéraire – Croce, Fénéon, Thibaudet –, Eugène Ionesco, étudiant, se trouve immergé dans le milieu littéraire roumain.

Ionesco avait une bonne connaissance de la littérature roumaine. Il en a même écrit l'histoire : si brève qu'elle soit, sa plaquette intitulée *Littérature roumaine* (1955) n'en est pas moins documentée et précise. Ionesco voit dans les *Réponses au catéchisme calviniste* (1645) du métropolite Varlaam de Moldavie et dans la traduction du Nouveau Testament (1648) par Siméon Stefan des étapes majeures dans l'histoire de la langue roumaine. Parallèlement, la *Chronique du pays moldave de 1359 à 1595* de Grégoire Ureche, continuée jusqu'en 1661 par Miron Costin (1633-1691), vient fonder l'identité roumaine en proclamant l'origine latine et l'unité ethnique des Moldaves, des Valaques et des Transylvains, tout en illustrant la langue par une œuvre de réelle valeur littéraire. Parmi les noms que mentionne sa *Littérature roumaine*, celui de Radu Popescu mérite d'être retenu pour la citation qui l'accompagne, et qui résonne comme une anticipation, aux environs de 1700, du portrait de Ionesco par lui-même : « Je n'ai besoin de rien, de rien d'autre seulement qu'un temps à vivre, à vivre sans angoisse, à vivre au jour le jour, car, dans ce pays insensé, je le vois, les périls menacent de toutes parts la vie de l'homme ; en vérité, je serais bien plus heureux de me sentir en paix, loin de tout, au lieu de porter le nom que je porte et d'avoir, jour et nuit, le cœur glacé d'effroi[13] ». Au monde *insensé* où il aura vécu, Ionesco aura réussi à arracher un temps pour vivre (1909-1994), mais non pas pour vivre sans angoisse. Souvent, lui aussi aura eu *le cœur glacé d'effroi*.

Cette histoire de la *Littérature roumaine* met en exergue le double mouvement qui l'anime : d'une part, ouverture à l'Occident, influence française, imitation de modèles d'importation, dans la première moitié du XIXe siècle ; d'autre part, en réaction, promotion d'une littérature d'essence nationale, autonomie de l'inspiration, mise en valeur du patrimoine paysan. Alexandrescu et Negruzzi d'un côté, Kogalniceanu et Hajdeu de l'autre. Puis apparition d'Eminescu (1850-1889) dont Eugène Ionesco écrit qu'il « est certainement un des plus grands poètes du monde... destiné à l'oubli éternel pour avoir écrit dans une langue sans circulation mondiale, la poésie étant intraduisible[14]... » Handicap linguistique fondamental qui obsédera quelques-uns des plus grands esprits du XXe siècle roumain, et qui explique l'acharnement d'un Cioran, d'un Eliade à s'apprivoiser, à s'approprier le français ou l'anglais pour échapper à un provincialisme danubien vécu comme une asphyxie. Handicap que sa double langue maternelle aura épargné à Ionesco.

Fondateur de la critique littéraire roumaine, Titu Maiorescu (1840-1917), animateur du mouvement *Junimea* (*La Jeunesse*), entend donner aux critères esthétiques une place majeure dans l'appréciation des œuvres d'art. Son école aura contribué à faire lever une ample moisson de talents littéraires.

L'opposition entre le courant autochtone et l'orientation universaliste s'illustre par deux noms : Creanga (1837-1889) et Caragiale (1852-1912). Immersion, mais sans complaisance, dans le terroir natal pour le premier, observation critique des mœurs bourgeoises pour le second dont l'une des œuvres, *Grosse Chaleur*, a été adaptée en français par Ionesco. La loufoquerie acerbe des dialogues de Caragiale qui rappelle, nous dit Ionesco, le *Bouvard et Pécuchet* de Flaubert, certaines œuvres de Georges Courteline, Alphonse Allais ou encore Henri Monnier, a pu inspirer les textes de Ionesco lui-même. Les commentaires de Ionesco sur la langue de Caragiale ressemblent fort à ceux que la sienne suscitera dans les années cinquante : « Langue d'une efficacité parfaite... langue désarticulée, détériorée... langage volontairement confus et chaotique, le langage des journaux où toutes les grandes notions s'embrouillent, se confondent effroyablement[15] ». On perçoit comme une projection du Ionesco des années cinquante sur un auteur auquel il se sent lié par une intime connivence intellectuelle.

Contre Maiorescu, Hajdeu (1836-1907) dénonce le cosmopolitisme du mouvement *Junimea* où il voit « un danger national, une atteinte à l'intégrité ethnique ». Également opposé à Maiorescu et à ses théories de l'art pour l'art, Macedonski (1854-1920) évolue entre le parnasse, le symbolisme, le naturalisme, et se veut tourné du côté de la France. Contre Maiorescu encore, Gherea veut que la littérature soit utile, sociale, engagée.

Dans la première moitié du XXᵉ siècle, reprise des mêmes oppositions : « être ou ne pas être roumain », synthétise Ionesco. Dans la foulée d'Hajdeu, l'historien Nicolas Iorga, directeur de la revue *Le Semeur*, dénonce la littérature *décadente*. Ses engagements politiques en faveur d'un nationalisme conservateur ne l'empêcheront pas d'être assassiné par la Garde de fer en 1940. À l'opposé de Iorga, *traditionaliste*, Lovinescu, *moderniste*, plaide pour l'ouverture à l'Occident. Dans les années vingt, l'influence française redevient prépondérante : Proust, Valéry, Cocteau, Jules Romains, André Breton, Jules Supervielle se lisent à Bucarest presque en même temps qu'à Paris. Dans sa *Littérature roumaine*, Ionesco cite comme étant ses contemporains les plus éminents Tudor Arghezi, Ion Barbu, Camil Petrescu. Et puis, vers 1935, à nouveau, réaction d'autonomisme roumain, nationalisme anti-occidental, présence conquérante de l'Allemagne. « Comment être roumain ? » Question lancinante.

Parmi les noms que cite Ionesco, celui de Mihail Dragomirescu mérite un instant d'attention. Dragomirescu, qualifié par ailleurs de *dogmatique*, « pousse à son extrême limite l'enseignement de Maiorescu[16] ». Pour lui, « l'œuvre de l'écrivain n'a une valeur que dans la mesure où elle se détache des contingences historiques... l'art est intemporel, les seuls critères applicables à la poésie ne peuvent être que purement esthétiques. » Ionesco est particulièrement bien placé pour exposer les conceptions de Dragomirescu puisque Mihail Dragomirescu (1868-1942) a été son professeur d'esthétique au temps où il était étudiant à l'université de Bucarest. Ionesco passait alors pour *le fou de Dragomirescu*, non dans le sens où il en aurait été le partisan fanatique, mais, tout au contraire, parce que durant ses cours, il intervenait sans cesse pour lui porter la contradiction, se comportant avec lui comme le fou avec le roi. Cette posture de contestataire systématique lui valait l'affluence de ses camarades, assurés que sa présence suffirait à mettre quelque animation dans l'amphithéâtre. Auteur d'un ouvrage intitulé, significativement, *La Science de la littérature* (1926), traduit en français en quatre volumes (1928-1930), Dragomirescu, d'accord en cela, et en cela seulement, avec son étudiant perturbateur, entendait distinguer radicalement le *Moi social* et le *Moi profond*. À partir de là, sa théorie prétendait, au rebours des convictions que Ionesco allait bientôt illustrer avec désinvolture dans *Non*, dégager des critères objectifs pour juger de l'excellence littéraire. À l'encontre de Taine et de Lanson, Dragomirescu veut que l'on approche les œuvres en oubliant leur contexte historique et social pour ne retenir que leur mode de construction et de fonctionnement. Vers 1970, au temps du structuralisme, Dragomirescu aurait pu passer pour l'initiateur d'une critique novatrice.

LA JEUNE GÉNÉRATION

Séjournant à Bucarest au milieu des années trente, quelle image Paul Morand nous rapporte-t-il de la vie intellectuelle et littéraire en Roumanie ? L'homme pressé a l'œil vif. En deux pages, il note l'essentiel : le goût des Roumains pour la polémique, leur verve, leur mordant, *leur bon sens cynique*, leur passion pour la politique qui fait que les écrivains sont aussi des hommes politiques et réciproquement : Goga, Crainic, Nae Ionescu, Mircea Eliade... Mircea Eliade : il fallait un certain discernement en 1935 pour repérer le jeune Eliade (1907-1986) au milieu de la foule. Il est vrai qu'Eliade était déjà la tête pensante et le chef de file de la *Jeune Génération* bien que non encore trentenaire. Paul Morand a bien noté les courants à l'œuvre en Roumanie. Le groupe *Gandirea* (*La Pensée*) dont Nicephore Crainic (1889-1972), professeur de théologie, est l'animateur, s'est d'abord préoccupé de renaissance spirituelle orthodoxe, puis « a fini par verser dans le nationalisme politique et de là dans le racisme [17] ». La mouvance de *Viata Romaneasca*, dont le responsable est Mihai Ralea (1896-1964), soutient les nationaux paysans. « Bref, note Morand, je ne vois de vrais clercs selon la formule de Benda, que dans le groupe *Criterion* ». Le propos mérite quelques éclaircissements. *Criterion* rassemble des esprits très divers – Mircea Eliade, Emil Cioran, Mircea Vulcanescu, Constantin Noica, Petru Cormarnescu etc. –, dont le trait commun est de mettre l'accent sur l'expérience vécue. Mais ils ont surtout en partage d'avoir eu pour maître Nae Ionescu, (1890-1940), professeur à l'université de Bucarest, personnage singulier dont les cours ont littéralement fasciné des générations d'étudiants. Nae Ionescu, théoricien de l'irréductible singularité juive, de l'appartenance au peuple juif comme identité irrémédiable, de la solitude du peuple juif au milieu des nations comme fait d'histoire, du malheur qu'engendre cette persistante séparation au long des siècles, Nae Ionescu hypnotise jusqu'à Iosif Hechter alias Mihail Sebastian, son assistant, auteur de *Depuis deux mille ans* (1934). Dans ce roman autobiographique, préfacé par Nae Ionescu, M. Sebastian écrit : « Je ne cesserai bien sûr jamais d'être juif. Ce n'est pas une fonction dont on puisse démissionner. On l'est ou on ne l'est pas. Je n'en suis ni fier ni gêné[18] ». Accord du maître et de l'élève sur ce point ? Peut-être, sauf que le maître est aussi le maître à penser du Mouvement légionnaire, de la Garde de fer, cohorte militarisée, fondée et dirigée par Michel Codreanu, et dont la doctrine associe nationalisme militant, antisémitisme virulent et mystique orthodoxe. Cependant la fascination de Mihail Sebastian ne se démentira pas. Fascination révulsée : « Hier, écrit-il le 30 mars 1935 dans son *Journal*, la leçon de Nae a été suffocante. Purement et simplement du *gardisme de fer* : sans nuance, sans complication, sans excuse[19] ». Le 14 mars 1936, il note : « Il y a en Nae quelque chose de démoniaque[20]... » Le vendredi 15 mars 1940, brève mention : « Nae Ionescu est mort[21] ». Samedi 16 mars : « Des sanglots nerveux, irrépressibles, hier matin en entrant chez Nae Ionescu deux heures après sa mort. Avec lui, toute une période de ma vie se referme à jamais, maintenant seulement[22]. »

« ÉCRIRE... JE N'AI JAMAIS RIEN SU FAIRE D'AUTRE »

Le jeune Ionesco s'éveille à la vie intellectuelle et politique dans la Grande Roumanie d'après 1918, vibrante de patriotisme exacerbé et de polémiques passionnées. Si la réaction viscérale contre le père suffit à le détourner du nationalisme culturel, Eugène Ionesco admet cependant l'existence d'une identité roumaine qui ne se réduit pas à la somme des influences étrangères qui s'exercent sur elle. Son histoire personnelle le rend particulièrement perméable à tout ce qui vient de France. Au sein du groupe *Criterion*, il parle de Proust. On l'écoute avec plaisir. Pour autant il ne s'interdit pas de faire le procès des auteurs roumains asservis aux modes littéraires françaises. Si la focalisation exclusive sur le terroir national risque de les confiner dans une inspiration purement folklorique, l'imitation étrangère n'est pas la réponse. La modernité occidentale dont se réclame Eugen Lovinescu (1881-1943), directeur de *Sburatorul (L'Elfe)*, expose aussi aux confusions, estime-t-il.

Le jeune Ionesco fait ses débuts dans la revue interne du lycée Saint-Sava. Vers les quinze ou seize ans, il a découvert la poésie moderne, d'abord Tristan Tzara, décrié par l'un de ses maîtres, aussitôt adopté par lui, puis les surréalistes, Breton, Crevel, Soupault... Il n'en conserve pas moins une nette distance critique par rapport au surréalisme. Il ne se contente pas de lire des poèmes, il en écrit. Naturellement, il tient qu'il est habité par le génie de la poésie, et que ceux qui ne s'en aperçoivent pas ne font que manifester leur cécité. Il est plein d'admiration pour le grand poète qu'il sera un jour comme son meilleur camarade est plein d'exaltation à la pensée qu'un jour il sera un grand chef, et qu'il mènera les foules. Bientôt tous deux concluent un pacte de secours mutuel : « Fatigués de nous admirer chacun de son côté, nous nous mîmes à nous admirer réciproquement[23]. » Son *Journal de Jeunesse* note : « C'était le bon temps[24] ». Il trompe son anxiété en composant de petits poèmes drôles qui réjouissent ses camarades, mais qui fâchent ses maîtres lorsqu'il leur arrive d'en avoir connaissance.

1928 : c'est l'année où le bachelier Ionesco se manifeste dans *Bilete de Papagal (Billets du Perroquet)*, revue de petit format dont Tudor Arghezi assure la direction. La revue paraît de 1928 à 1945, mais avec de longues et nombreuses interruptions. Tudor Arghezi ne fait pas que la diriger, il en est aussi le principal rédacteur, écrivant une bonne partie des textes qui y paraissent. De son vrai nom Ion Theôdorescu, successivement aide chimiste, moine, joaillier, ayant connu la prison au lendemain de la Première Guerre mondiale pour avoir donné des articles à un journal relevant des autorités allemandes d'occupation, connu comme polémiste, Arghezi vient de publier en 1927 *Paroles assorties*. D'autres recueils de poésie suivront au long des années trente. Arghezi est considéré comme l'un des plus grands écrivains roumains de son temps. À ce titre, il aura droit à d'amples développements dans le *Non* que Ionesco publiera en 1934. En attendant, il accueille, dès 1928, des *billets* que lui propose le jeune Ionesco. Octav Sulutiu, collaborateur de *Viata Literara*, nous a laissé une image furtive du Ionesco de l'époque. C'était au temps où il composait ses *Élégies pour êtres minuscules* qui allaient paraître sous forme de plaquette en 1931. « Il y avait Eugen Ionescu, torturé par des crises spirituelles et défiguré par des tics, qui détruisait déjà tout sur son passage : il nous lisait ses *Elegii pentru fiinte mici* et combattait avec véhémence et avec des mots violents... ses adversaires[25] ».

Ionesco se manifeste dès la fin des années vingt et tout au long des années trente dans des revues telles que *Fapta (L'Action)*, *Zodiac*, *Viata Literara (La Vie littéraire)* qui paraît de 1926 à 1938, et où publient les grands écrivains de l'époque. S'il collabore à des périodiques marqués à gauche comme *Azi (Aujourd'hui)*, *Critica (La Critique)*, son nom paraît aussi dans des publications aux orientations très diversifiées telles que *Românìa literara* (*Roumanie littéraire*), *Vremea* (*Le Temps)*, *Idea Romaneasca* (*L'Idée roumaine*), *Facla* (*Le Flambeau*), *Floarea de Foc* (*La Fleur de feu*), *Axa* (*L'Axe*), *Viata literara* (*La Vie littéraire*), *Universul literar* (*L'Univers littéraire*), *Ultima ora* (*Dernière heure*), *Viata Romaneasca* (*La Vie roumaine*), *Zodiac,* etc. Dans une Roumanie où le débat intellectuel est vif, Eugène Ionesco s'entend à faire parler de lui.

Par la critique, il saura bientôt associer son nom aux plus grands écrivains de son temps : Tudor Arghezi (1880-1967), son éditeur de *Bilete de Papagal,* Ion Barbu (1895-1961), poète et mathématicien, Camil Petrescu (1894-1957), animateur de la *Revue des fondations royales*. En même temps que lui, proches de lui par l'âge, s'agitant comme lui sur la grand-place des arts et lettres de Bucarest, promis comme lui à l'exil, mais n'en sachant rien, bon nombre de jeunes gens se présentent comme lui, vers 1930, sur la ligne de départ de la *Jeune Génération* : Victor Brauner, (1902-1966) son ami, mort en France en 1966, Benjamin Fondane (1898-1944), mort à Birkenau, Ilarie Voronca (1903-1946) qui se donnera la mort au lendemain de la guerre, et, bien évidemment, Mircea Eliade (1907-1986) et Emil Cioran (1911-1995), ses intimes, avec qui les relations seront traversées d'orages politiques violents. Angoissé par tempérament, en bataille contre le clan paternel, en révolte contre un système politique qui n'offre de choix qu'entre un roi ayant pour modèle Mussolini et un justicier mystique aux mœurs d'assassin, sensible à la dérision des mots et des situations, jouissant déjà de la redoutable faculté de ne pas penser comme tout le monde, que peut faire le jeune Ionesco sinon écrire pour exprimer tout ce bouillonnement d'émotions que les épreuves et les indignations de la jeunesse entretiennent en lui ? Il écrit en roumain, bien sûr, mais le français reste sa langue de référence, sa langue de révérence, sa langue véritablement maternelle. Il n'a pas oublié comment on pense et comment on parle en français. Cela ne l'empêche pas de dénoncer la « mentalité d'esclaves[26] » des Roumains, leur dépendance à l'égard des « modèles étrangers ».

Écrire. Il n'a pas tout à fait trente ans lorsqu'il confie à son *Journal du printemps 1939* : « Je suis en train d'écrire, d'écrire, d'écrire. J'ai écrit toute ma vie, je n'ai jamais rien su faire d'autre[27] ». Marie, du Moulin de La Chapelle-Anthenaise, note avec impatience que les tropismes de son visiteur demeurent ce qu'ils étaient vingt ans plus tôt : « Ça n'en finit jamais ton travail, tes écritures ? – Non, Marie, je n'ai pas fini ». Trente ans plus tard, en 1969, Eugène Ionesco se rappellera qu'il a été « un assez bon professeur[28] », qu'il a même su, un temps, travailler de ses mains ou plus exactement de ses reins, car il s'agissait de charger et de décharger des caisses de pots de peinture. Mais il redira qu'avec ses « doigts courts, assez bons pour tenir un porte-plume », il est au monde pour la littérature. Vocation ? C'est de possession qu'il parle dans son *Journal du printemps 1939* : « Je suis possédé par le démon de la littérature ». Puis il a un recul, comme s'il s'était égaré parmi les mots, choisissant par mégarde ceux qui ne font qu'attiser son anxiété latente. « Mais non, mais non, il ne faut pas en avoir honte[29] ». Dès 1920 l'exercice scolaire de la rédaction l'avait « intrigué, effrayé, séduit[30] » parce que cet exercice convenu exigeait qu'il tire de lui-même la substance de son propos, qu'il en fasse la matière de ces dialogues dont il avait su, spontanément, s'approprier la forme. S'il avait entrepris, dès l'époque, de rédiger ses mémoires, c'était pour dire combien il était étonné d'être lui-même. « Étonnement d'être[31] », étonnement fondateur devant un univers qui « est bien le récit du créateur. Quelqu'un raconte[32] ». Étonnement de l'artiste qui « de temps en temps... (redevient) spectateur de l'ensemble du spectacle ». La littérature, expression chérie de cet étonnement, peut aussi être objet de détestation lorsqu'elle se fait « profession et que ceux qui font de la littérature ne sont que des gens de lettres[33] ». Mais lorsqu'il compose à la fin des années vingt ses *Elegii pentru fiinte mici*, (*Élégies pour êtres minuscules*), lorsqu'il obtient de Tudor Arghezi que certaines de ces élégies soient publiées dans *Bilete de Papagal*, entre mars 1928 et septembre 1930, lorsqu'il voit en 1931 ses vingt poèmes édités en une plaquette de 32 pages, de format réduit, par les Éditions du cercle des annales roumaines de Craiova, soyons sûr qu'en ce temps-là il tient que la littérature « est synonyme de poésie », que sa littérature à lui *est* poésie. Que par la suite il ait confié à Claude Bonnefoy qu'il jugeait ces poèmes « très mauvais... vraiment lamentables[34] » ne suffit pas à faire douter que cette mince plaquette inaugurale ne lui ait procuré bonheur et contentement lorsqu'il l'a tenue dans ses mains. Bonheur et contentement aussi de voir trois de ces élégies reprises dans une *Anthologie des jeunes poètes*, publiée par Zaharia Stancu à Bucarest en 1934, preuve, s'il en était besoin, et certes il en était besoin, preuve que lui, Eugène Ionesco, était un poète.

ÉLÉGIES POUR ÊTRES MINUSCULES

Et d'ailleurs ces élégies sont-elles si mauvaises, si lamentables que le prétend leur auteur ? Ce titre où il est question *d'êtres minuscules*, n'est-il pas comme l'anticipation sémantique de tout son théâtre à venir, peuplé d'êtres minuscules par leur profil extérieur, monstrueux par leur délire intérieur ? Les titres de ces élégies disent le ton de sa poésie, et les influences qui s'y laissent deviner : *Prière, Chanson, L'Individu fatigué, La Fille voyait des anges, La Flamme s'est arrachée, Ballade, Incertitude, Pays de carton et de coton, La Mort de la poupée, Un bal, Élégie pour la poupée de son, Chanson d'amour, Souvenir*, etc.

Mélancolie, nostalgies, songes :

...la route rêve
La lune veille sur son sommeil[35].

Les meubles racontent les vies qu'ils ont côtoyées. Les murs aussi font confidence des présences qu'ils ont encloses :

Sois sage et écoute
Ce que racontent les murs muets[36].

Les arbres eux-mêmes ont leurs mots à dire :

Les arbres font de longs signes
À qui font-ils de longs signes ?

Le poète s'interroge :

L'onde, qui cherche-t-elle ?

Le vent revient fatigué.
Après qui a-t-il couru[37] *?*

Le ton est celui d'Albert Samain.

C'est aussi la manière de Maurice Maeterlinck dont l'adolescent Ionesco a emporté les œuvres en Roumanie.

Les remords ne sont jamais très loin chez Ionesco, la mort non plus :

Un jour chez nous aussi
Elle viendra frapper[38].

...

Mettez des rideaux épais
Pour qu'elle ne voie pas à travers !

...

... ne crions pas,
Ne bougeons pas.
Si nous restons sages
Peut-être ne nous remarquera-t-elle pas ?[39]

Une décennie et demie déjà qu'Eugène Ionesco s'applique à tromper la mort. Comme Francis Jammes, dont il a aussi emporté les œuvres, il associe la douleur humaine à la bienveillance pour les bêtes et les plantes.

Mon ami, pleurons :
Une larme sera pour la feuille jaune,

Une larme pour la rose effeuillée,
Une larme pour la fille morte,
Une larme pour la douleur de chaque homme[40].

Poésie d'imitation ? Sans doute, mais la marque de l'imitateur n'est pas absente. En certains aveux, on reconnaît Eugène Ionesco soi-même ; en celui-ci par exemple :

Tel que j'étais,
Quand même je m'aimais[41].

Cela se retrouve au 23 août 1932, dans les fragments de *Journal* repris dans *Non*, mais sur le mode révulsé.

En même temps qu'il est poète, il est critique. Il distribue ses jugements en de multiples articles, mais sans y gagner, là non plus, la notoriété qui pourrait apaiser sa piaffante impatience. D'où l'idée de ce coup médiatique que sera *Non* en 1934.

« TORTURÉ... PAR TOUTES LES VANITÉS »

Critique et poète ? Est-ce compatible ? Peut-il juger la poésie des autres alors qu'il est lui-même du métier ? C'est l'objection que lui fait Serban Cioculescu au lendemain de la publication, en janvier et février 1932, dans l'hebdomadaire *Floarea de Foc*, de son étude sur Tudor Arghezi. Le débat confirme bien que, dès le début des années trente, Eugène Ionesco est reconnu comme poète, mais non comme critique. Or il veut aussi être critique. Flatté de savoir que son interlocuteur apprécie ses poèmes, il accepte volontiers d'être sacré poète. Il ne renonce pas pour autant à la couronne du critique. Il cite l'avantageux précédent de Rimbaud accueilli par Verlaine. « Combien de poètes ont été découverts par des critiques et combien plus ont été découverts par d'autres poètes[42] ». Ses vrais sentiments trouvent leur expression brute dans son *Journal*, le 28 août 1932 : « Comment me purifier ? Je suis torturé (tor-tu-ré) par toutes les vanités, toutes les ambitions. Je souffre comme une bête de n'être pas le plus grand poète d'Europe, le plus grand critique du monde[43]... » De quoi souffre-t-il encore ? De n'être pas « l'homme le plus costaud de Roumanie, et au moins prince ». La distanciation de l'autodérision n'est là que pour faire passer l'aveu de son « acharnement pour toutes ces vanités » où il ne trouve « ni sens, ni beauté, ni noblesse, ni valeur spirituelle », mais pure agitation.

Engagé dans une course fébrile à la renommée, honteux de cette fébrilité, incertain de ses convictions esthétiques, l'apprenti critique a-t-il quelques références qui éclaireraient ses jugements ? *Le fou de*

Dragomirescu est surtout animé par l'esprit de contradiction. Dragomirescu n'est pas le seul à en faire les frais. C'est toute la critique roumaine de son temps qui aura droit à sa sarcastique attention. En 1966, dans ses entretiens avec Claude Bonnefoy, il dira avoir été influencé par Benedetto Croce (1866-1952), acteur intermittent de la vie politique italienne, mais surtout philosophe et animateur de la revue *Critica* (1903-1944). De Benedetto Croce, Ionesco dit avoir retenu une chose essentielle : « Que la valeur et l'originalité se confondent, c'est-à-dire que toute l'histoire de l'art est l'histoire de son expression[44] ». Ce postulat revient à plusieurs reprises sous sa plume. Opposé aux conceptions de Dragomirescu, Ionesco n'est pas pour autant un adepte de celles de Gustave Lanson (1857-1934), en honneur dans l'université française. La problématique littéraire et esthétique ne se réduit pas à une simple biographie de l'auteur, à une reconstitution sociologique et psychologique qui manquent ce qui fait l'œuvre d'art proprement dite.

À vrai dire, lorsqu'il s'adonne à la critique dans le début des années trente, est-ce bien la critique qui le mobilise ? Lorsqu'il réunit en un seul volume son pamphlet sur Arghezi, paru en 1932 en six livraisons dans *Floarea de Foc* avec quatre autres textes publiés en 1932 et 1933 dans la même revue, lorsqu'il y joint quatre articles parus courant 1933-1934 dans *Rampa*, *Romania Literara* et *Azi*, les complétant par de nouveaux développements, empruntés à son *Journal*, lorsqu'il prend à partie toute la critique roumaine en démontrant par des exercices pratiques d'une juvénile insolence l'arbitraire du jugement littéraire, on soupçonne bien que l'on se trouve en présence d'une opération médiatique destinée à porter son auteur sur le devant de la scène, à le faire sortir de l'honorable obscurité qui continue d'envelopper le poète des *Élégies pour êtres minuscules*, le laborieux collaborateur de magazines littéraires divers et variés. Succès complet : son pamphlet à scandale obtient le prix des *Éditions des Fondations royales*.

Son article sur le roman de Camil Petrescu, *Le Lit de Procuste*, ayant d'abord été partout refusé, Eugène Ionesco et son ami Arsavir Acterian avaient eu le projet de publier des cahiers littéraires intitulés, précisément, *Non* puis *Oppositions*. Ces dénominations situaient clairement l'entreprise dans le courant dit du *négativisme*, selon la terminologie mise en circulation par un ouvrage de Mihai Illovici : *Le Négativisme de la Jeune Génération*. Faute de financement, l'affaire n'avait pas eu de suite. Le projet prit en fin de compte la forme d'un livre, *Nu (Non)* distribué en librairie, édité en 1934 à Bucarest, aux éditions Vremea

(Le Temps), les Éditions des Fondations royales ayant finalement refusé de le publier.

Le *Nu* de 1934 a été réédité en France en 1986, sous le titre *Non*, dans une traduction de Marie-France Ionesco. C'est à cette version que l'on aura recours, tout en gardant à l'esprit l'observation que formule Mme Ecaterina Cleynen – Serghiev, dans sa préface à la *Jeunesse littéraire d'Eugène Ionesco*, d'où il résulte que, par rapport à l'original roumain, le texte français est « parfois modifié, amélioré, expliqué, élagué », que « le caractère abrupt, rugueux [45] » du livre de 1934 « est adouci, discipliné ». Adouci, discipliné peut-être, l'autoportrait de l'auteur dans l'édition française garde cependant un caractère suffisamment *abrupt* et *rugueux* pour que le Ionesco de 1934 nous apparaisse clairement dans sa quête anxieuse de la gloire. Et aussi dans sa quête insatisfaite des mots. Infidélité des mots : « Comment puis-je être authentique quand, dès l'origine, je suis trahi par l'expression [46] ? » Cette impuissance à s'exprimer lui fait douter de son talent. Comme chez Ionesco, l'angoisse de l'être affleure dès qu'apparaît une défaillance de l'esprit ou du corps, la voix intérieure s'insurge : « Cette absence de talent... n'est pas une preuve de mon inexistence [47]. »

« POUR CE QUI EST PROVOQUER UN SCANDALE, JE M'Y ENTENDS ! »

« Moi, Tudor Arghezi, Ion Barbu et Camil Petrescu [48]... » : véritablement inspiré par le génie de la communication, notre héros, dès la première ligne, apostrophe la Roumanie littéraire sur le mode de la provocation. Mme E. Cleynen-Serghiev fait observer que l'équivalent en France à la même époque eût été : « Moi, Paul Valéry, Paul Claudel et Marcel Proust [49] ». À vingt-quatre ans, Eugène Ionesco fait fort. Il annonce d'emblée la couleur : son *Prélude au pamphlet* prend à partie, dès les premières lignes, deux des critiques les plus en vue de la Roumanie de l'entre-deux-guerres : Eugène Lovinescu, tenant du parti moderniste et occidentaliste, et Félix Aderca, collaborateur de *Viata Literara*, tous deux laudateurs d'Arghezi. Après Lovinescu et Aderca, c'est au tour de Serban Cioculescu de recevoir son paquet : il lui est reproché de cajoler Arghezi « comme une maîtresse », et de sortir toutes ses griffes dès qu'on « ose s'attaquer à son idole [50] ».

Pompiliu Constantinescu puis Oscar Walter Cisek sont traités sur le même ton. Mihai Ralea, essayiste de gauche, homme politique, ami proche, se fait dire ici qu'il n'a rien compris à Arghezi. Et ainsi de suite. Assaisonnées d'anecdotes comiques qui font rire tout le monde sauf ceux qui en sont l'objet, de syllogismes du type : « Le Roumain est poète, Arghezi est roumain, donc Arghezi est poète [51] », d'interrogations personnelles aussi aimables que : « M. Mircea Eliade... est parfois intelligent, mais peut-on se fier à la sensibilité esthétique de ce jeune homme ? », à elles seules, les huit premières pages du livre auraient suffi pour jeter dans l'indignation bon nombre de plumes roumaines parmi les plus considérables de l'époque.

Le traitement réservé à Arghezi lui-même est destructeur. La technique du *grand poète* relève du discours et de la rhétorique, « et en plus et surtout [52] », de la facilité. On peut concevoir un mariage entre technique et émotion concède, bon prince, l'Attila des lettres roumaines. Mais dans le poème d'Arghezi, *Duhovniceasca*, sorte de confession spirituelle, il ne découvre qu'une « technique... indépendante de l'émotion [53]... » Et de recenser impitoyablement les procédés du poète. « Comment s'y prend-il ? » Il saupoudre son texte de points d'exclamation, de points d'interrogation, de mots comme *nuit, quelque chose, quelqu'un, Je ne sais qui, lampe, étoile :* comment le lecteur soumis à cet exercice de suggestion poétique ne se trouverait-il pas *désarmé* ? L'examen critique se fait ensuite plus précis, procédant par analyse de texte, prenant à partie l'un des vers les plus célèbres d'Arghezi :

Quelqu'un a frappé au fond du fond du monde [54].

Le commentateur condescend à admettre « la force de suggestion sonore » du vers, « mais l'image visuelle et la représentation mentale n'en demeurent pas moins médiocres ». Puis la démonstration se fait foudroyante :

Mère, c'est toi ?
J'ai peur !
Holà ! Qui va dans le verger ?
Qui marche là ?
Qui pose ses pas [55] *?*

Etc. Treize vers se succèdent ainsi, illustrant le caractère de fabrication mécanique de la poésie d'Arghezi. Pour que son analyse de texte soit irréfutable, Ionesco, aussi farceur jeune que vieux, a poussé la complaisance jusqu'à les composer lui-même. Les treize vers, censés démasquer les procédés d'Arghezi, ont été usinés par lui, sur le mode parodique. Recensant plus loin les influences qui se repèrent dans la poésie d'Arghezi – pêle-mêle : Baudelaire, Mallarmé, Maeterlinck, Eminescu –, Ionesco finit par conclure : « Les influences sont si grandes qu'il n'y a plus d'Arghezi du tout [56] ». Sa propre contribution aux œuvres d'Arghezi porte ces *influences* à leur point maximum puisqu'il se donne la peine d'écrire lui-même le poème, se trouvant dès lors en bonne position pour en dénoncer les faiblesses.

Ayant conduit triomphalement son argumentation jusqu'à son terme, le commentateur délivre quelques vérités générales : « La poésie... ne poursuit rien, elle est connaissance lyrique, vision, contemplation » alors que la rhétorique ne fait « qu'étouffer l'intuition lyrique[57] », notant au passage « l'inaptitude des journalistes à faire de la critique ».

Rééditant en volume en 1934 les articles parus sur Arghezi en janvier et février 1932, Ionesco écrit dans son *Journal* à la date du 11 août 1932 : « Mon étude sur Arghezi je l'avais écrite avec plus de conviction que celle-ci[58]. » Il s'agit de celle qu'il consacre à Ion Barbu. « Je n'en reviens pas. Est-il possible qu'alors, j'ai pu être convaincu de ce que j'affirmais ? Et pourtant au moment où je me suis lancé d'un ton si véhément, apparemment si sûr de lui, si totalement négatif et intransigeant dans mon travail sur Arghezi, ses poèmes m'ont semblé à nouveau d'une incroyable beauté. Mais il n'y avait plus rien à faire, j'avais déjà écrit la moitié de mon étude ». Voici notre héros s'appliquant à faire le grand écart entre ce qu'il pense et ce qu'il écrit. À quoi rime une démarche pareillement paradoxale ? Cela rime très précisément avec scandale. « Cet essai sur Ion Barbu, je l'écris suivant la même stratégie et dans le même but : provoquer un scandale. Et pour ce qui est de provoquer un scandale, je m'y entends[59] ! » Il a réussi à créer l'événement avec Arghezi, il entend bien ne pas le manquer avec Barbu. Est-il sincère par rapport à ses propres critères ? « Plutôt oui », estime-t-il. Ses idées lui sont venues « comme ça », sans véritable réflexion, sans approfondissement, surtout par esprit de contradiction. « Je suis affligé d'un irrépréhensible besoin de prendre le contre-pied de ce que je lis ». Jusqu'à contester ses propres formules lorsqu'il les trouve reprises par d'autres. Trait de caractère fondamental. Protection immunitaire contre les entraînements collectifs. Prédisposé aux errances dépressives, Eugène Ionesco a des points d'ancrage : s'il tient, dès 1930, que l'histoire de l'art n'est jamais que celle de son expression, il pense aussi, et il le dit à deux reprises, que l'art a un but : révéler ce qui est « encore inconnu et qui attend d'être connu pour la première fois[60] ». Il ne manque pas de signifier à ses compatriotes que leur production culturelle est à 99 % *risible*, à 1 % *lisible*, et que, d'ailleurs, ce qui mérite qu'on s'y arrête c'est ce qui est *illisible*, c'est-à-dire « l'expression comme libération quasi physiologique des émotions[61] ». « Les pieds dans le plat ou dans les étoiles ». Mais en même temps il admet que « nous n'arrivons pas à sortir de notre peau[62] ».

En attendant, sur la place, il est « le-jeune-homme-qui-s'est-attaqué-à-Arghezi[63] ». Cela lui a valu de sévères remontrances de la part de

S. Cioculescu. Il en a profité pour se donner des conseils de prudence, « pour tempérer... (son) impertinence [64] ». Il a bien voulu admettre « que T. Arghezi demeure un prodigieux point d'attraction magnétique ». Venant après des amabilités telles que : « T. Arghezi... poète sonore, hugolien [65]... » dont la poésie n'est que « chair flasque de mots désintégrés », cela n'est pas une mince concession. Assortie d'une autre, et de taille celle-là : « il y a quelque chose de commun entre Arghezi et moi [66] ». Concession temporaire, vite rattrapée. Cette convergence d'idées sur la poésie entre lui et T. Arghezi, que son contradicteur, S. Cioculescu, a cru pouvoir mettre en lumière, n'aurait rien de *probant*. « J'ai mes raisons. Et quand bien même, ce qui n'est pas, les théories d'Arghezi seraient aussi justes que les *miennes*... il n'y aurait là rien de probant dans la mesure où un poète pense dans une direction, théorise dans une autre et compose dans une troisième ». Ses jugements littéraires trouvent leur source dans l'absence de toute conviction métaphysique ou morale. « Mesdames et messieurs, mes articles et mes essais n'ont jamais eu pour point de départ mes convictions personnelles [67] ».

Cela ne l'empêche pas de notifier à ses contemporains roumains quelques avis propres à corriger sévèrement l'image trop flatteuse qu'ils pourraient se faire d'eux-mêmes : par exemple que les Occidentaux tiennent que Sofia est la capitale de la Roumanie, que le Roumain est un personnage d'opérette, que le meilleur critique roumain ne sera jamais que le parent pauvre de l'intelligentsia européenne. Le critique est celui qui guide la littérature sur de nouveaux sentiers. « Peut-être devrait-il en être ainsi. Mais il n'en est rien. D'ailleurs aucun critique roumain, à part moi, n'est assez intelligent pour cela [68]... »

L'état de la critique est à mettre en rapport avec la débilité intellectuelle du public roumain. « Le Roumain... est paresseux dans la vie de tous les jours, lyrique en poésie, imbécile en politique et impressionniste dans la critique littéraire [69] ». Et la *Jeune Génération* ? Elle « ne sera pas plus brillante que celle d'hier... elle sera une génération de ratés [70] ». Pour sa part, Ionesco fait porter à *Mesdames et Messieurs* ses contemporains la responsabilité de ses propres défaillances : « Toutes les insuffisances de (son) intelligence, de (sa) culture, de (sa) vie intellectuelle, de (son) génie [71] » leur sont imputables. Et de suggérer avec une nuance prudemment dubitative : « Français, peut-être eussé-je été un poète génial. » Mais comment être *génial* quand le public est constitué par « trois cents types [72] » occupés à écrire des livres et réduits à se lire les uns les autres ? On ne sera pas étonné que cette flatteuse image de soi conduise notre funambule à plume à refuser la poésie roumaine *en bloc*. Il tient qu'après le mouvement *Junimea* (*La Jeunesse*), à la fin du XIXe siècle, « une nuit... opaque [73] » s'est étendue sur la vie intellectuelle roumaine. Plusieurs écrivains, qu'il cite nommément, sont à considérer comme des formes de *punition divine*. La culture roumaine a chuté dans *une impuissance tragique*. La critique se limite soit à l'exégèse (P. Constantinescu), soit à une suspicion myope (S. Cioculescu), soit encore à un « enthousiasme partisan, orthodoxe et gracieux comme une vache en tutu [74] » (Paul Sterian). Petru Cormarnescu et *toute la bande* de *Ultima Ora* (*La Dernière Heure*) sont réputés s'abandonner « à un enthousiasme sans réserve, généreux, non fondé, poussé jusqu'au paroxysme ».

Sa science critique à lui ne fait pas dans la complaisance lyrique, et, par exemple, il tient que la poésie de Ion Barbu, avec sa fausse lucidité, ses ridicules accumulations de symboles, réussit à *épater le monde* grâce à quelques trucs amusants. Il a repéré dans *Ultima Ora* quelques lignes célébrant le poète, qu'il cite goulûment : « M. Ion Barbu vient de passer son doctorat en mathématiques, cela lui permet d'affronter sereinement Paul Valéry [75]. »

Lyrisme incorrigible, émotion facile, banalité, flagorneries, que pèsent ces quelques peccadilles qu'il relève chez ses confrères auprès des aveux que lui-même laisse échapper concernant ses propres misères telles qu'il nous les confie dans son *Journal* ? Le 31 août 1932, il note avec dépit que Ion Cantacuzino vient de publier dans *Romănia Literara* un éreintement de Ion Barbu. Le 1er septembre, il y revient pour constater que le point de vue de Cantacuzino est *exactement, exactement* le même que le sien. Il en tire la conclusion qu'il lui faut entreprendre un essai « pour la réhabilitation de Ion Barbu [76] » sous une réserve tout de même : « que l'essai de Cantacuzino » ait du succès.

Réflexion faite, il aura apparemment choisi de persévérer dans l'éreintement. Quelques semaines plus tôt, le 11 août 1932, il écrivait dans le même *Journal* : « En commençant mon étude sur Ion Barbu, je constate avec effroi à quel point m'indiffèrent les problèmes de critique littéraire [77] ». Pour faire bonne mesure le *Journal* du même jour nous livre comme une confidence : « Le mot *vrai* ne figure pas au dictionnaire de ma conscience [78] ». Vite dit. On ne se débarrasse pas comme ça de ce mot-là. Sa vie durant, Eugène Ionesco aura été investi par ce mot inexpugnable. Sa quête de la vérité, si intermittente qu'elle ait pu être, sa recherche anxieuse de la réalité substantielle du monde, auront affleuré, incessamment, à la surface d'une œuvre où le personnage du danseur mondain se met en scène avec ses fanfaronnades et ses tentations sans que jamais cet *existant spécial* puisse faire oublier sa faim et sa soif de lumière.

Dans son histoire de la *Littérature roumaine*, Ionesco affirmera que, dans l'entre-deux-guerres, « de grands écrivains s'affirment : T. Arghezi, à la fois baudelairien et poète du terroir, deuxième créateur, après Eminescu, d'une langue poétique nouvelle ; I. Barbu, tantôt mallarméen, tantôt pittoresque et oriental ; C. Petrescu, dont les romans stendhaliens comme écriture et tournure d'esprit, reflètent pourtant admirablement la société roumaine[79] ». De 1942 à 1944, il s'était efforcé d'en assurer la promotion auprès du public français en sa qualité de secrétaire culturel à la Légation roumaine à Vichy. Il les avait exterminés tous les trois au début des années trente.

Il raconte dans *Non*, qu'ayant rencontré dans la rue S. Cioculescu, il lui a fait dresser les cheveux sur la tête en lui assénant tout à trac que *Le Lit de Procuste*, de C. Petrescu, « était le livre le plus mauvais de ces dix dernières années[80] ». L'éreintement de l'ouvrage se double d'un tableau acerbe des mœurs culturelles roumaines. Ionesco ne se contente pas d'analyse critique, il fait aussi le procès du vaudeville littéraire tel qu'il se joue sur la place. Il a eu un entretien avec C. Petrescu, au cours duquel il s'est laissé persuader de renoncer à publier son article, allant jusqu'à en déchirer le manuscrit « feuille après feuille[81] », laissant les morceaux épars sur le bureau. « Quel mélo ! » s'exclame-t-il. Puis, devant la suffisance de son interlocuteur qui affiche sans vergogne sa condescendante certitude qu'il l'eût emporté dans un débat public, il pressent qu'il s'est fait manipuler. Il revient le lendemain matin chez C. Petrescu, récupère ses papiers, en reconstitue le contenu, et entreprend d'en assurer la parution en revue. Il s'avise alors que, dans la lutte d'influence, il n'est pas de taille. Sur plusieurs pages, il nous fait le récit de ses hypothèses de publication, des obstacles prévisibles, de quelques réactions très favorables suivies de réponses finalement négatives, le tout se terminant par une publication de la première partie de son essai dans *Floarea de Foc*. L'enthousiasme qui saisit Ion Barbu à la lecture de l'éreintement du *Lit de Procuste* de Camil Petrescu fait place à un brusque retour d'humeur lorsqu'il découvre la signature : E. Ionesco. Aussitôt il revient sur son premier mouvement qui était de recommander l'achat de *Floarea de Foc* : « N'encouragez pas ce journal de crétins[82] ». On ne saurait dire si l'injonction a été suivie d'effet, mais la revue a effectivement disparu « entraînant avec elle... les deux tiers à jamais inédits de mon célèbre essai... sur Camil Petrescu. » L'enchaînement des scènes de café, de rue, de bureau dans le village littéraire bucarestois est vif, allègre. Le portrait de C. Petrescu est drôle, enlevé, recoupé en partie par celui que nous a laissé la plume cependant amicale de M. Sebastian. Ionesco nous a fait voir un C. Petrescu « répétant infatigablement et sur tous les tons qu'il était un immense génie[83] ». Le vendredi 6 novembre 1936, M. Sebastian note dans son *Journal* que quelques jours plus tôt, ayant dîné avec C. Petrescu, il en a reçu la confidence suivante : « Mon cher Sebastian, un seul écrivain est capable aujourd'hui de donner un grand roman – et c'est encore moi[84] ». Commentaire de M. Sebastian : « Il est si intelligent et, en même temps, si profondément naïf ».

Naïf aussi Eugène Ionesco, mais retors en même temps, naïf et retors, pour reprendre l'oxymore mauriacien, ce défi provocateur consistant à faire, dans le même chapitre, deux critiques du même livre, l'une d'encensement, l'autre d'éreintement. Pervers, ou chaleureusement amical, comme on voudra, le choix pour cet exercice du livre de Mircea Eliade, *Maitreyi*, publié en 1933 à Bucarest, et qui sera traduit en français en 1950 sous le titre *La Nuit bengali*. Cela couvre une quinzaine de pages et les deux articles ont un air de sincérité qui laisse chez le lecteur un sentiment de trouble qui est précisément l'objectif que poursuit l'auteur ainsi que le montre le titre qu'il a choisi : *De l'identité des contraires*. La critique de la critique comme genre littéraire est assortie de formules drastiques sur l'intelligence humaine – « rien ne m'inspire moins confiance que l'intelligence humaine[85] » –, sur les critères d'excellence qui ne sont là que pour être « démentis par l'irruption intempestive des créateurs de génie[86] ». Bref autoportrait qui se laisse furtivement deviner dans l'entrebâillement d'une phrase.

De l'identité des contraires : M. Eliade fait les frais de la démonstration. Ionesco a rencontré Eliade vers 1930. Eliade qui avait deux ans de plus que lui, lui semblait très vieux : érudit à vingt ans, chef d'école, célèbre, un génie lui aussi. Un ami. Ici cet ami apprend d'abord que son roman – ce sont les douceurs du premier article –, est construit sur le modèle de la tragédie grecque, et que le critique Ionesco donnerait les neuf dixièmes des chefs-d'œuvre universels pour une certaine phrase, pour un certain cri, la phrase et le cri par lesquels le héros dit son désarroi devant l'obscurcissement du souvenir de l'instant vécu : « Intuition du doute rongeant le souvenir du miracle[87] », écrit Ionesco, admiratif. Puis les choses se gâtent pour Mircea Eliade. L'article d'encensement se termine par « le plus grand éloge qui soit », c'est-à-dire, selon Ionesco, par l'éloge de « la banalité fondamentale[88] » du roman, l'originalité étant synonyme de superficialité. On se doute bien que Ionesco serait tout à fait capable d'écrire le contraire, à savoir qu'une œuvre vaut par la rupture que le génie opère dans l'histoire littéraire.

Mais Eliade n'a qu'à tourner la page pour apprendre qu'il n'est pas habité par le génie littéraire. Intellectuel médiocre, cas intéressant de confusion mentale, il « s'est risqué à faire de la littérature et il a raté son coup[89] ». Ayant jeté l'anathème successivement sur la littérature et sur la philosophie, Eliade a réussi à passer pour un prophète, « pour un penseur difficile à comprendre et non pas pour quelqu'un qui comprend difficilement ». Guide qui ne brasse que du vent. Triste livre « qui consacre l'abdication ultime, totale, définitive de Mircea Eliade quant à sa vocation[90] ». Singulière université que l'université roumaine, « la seule qui pouvait, malgré tout, décerner le titre de docteur à Mircea Eliade[91] ». Les amicales amabilités d'Eugène Ionesco culminent lorsqu'il annonce que l'auteur de *Maitreyi* « n'a jamais mis le pied en Inde[92] », et qu'il a écrit son roman dans sa mansarde à Bucarest. Là Ionesco dérape dans l'esbroufe pure et simple. M. Eliade dans le premier volume de ses *Mémoires*, situe son départ le 20 novembre 1928, et son retour en décembre 1931. Sur le mode humoristique, *Vremea*, le 29 novembre 1928, relate le départ du prince de la *Jeune Génération* en présence de « tous les chefs, sous-chefs et aspirants sous-chefs[93] » du mouvement. Ils sont là sur le quai, le visage marqué d'un sourire douloureux, la larme au coin de l'œil, chacun se désolant : « Le chef s'en va ». Mme Laignel-Lavastine, qui donne cette référence journalistique, tient cependant que le séjour effectif de M. Eliade aux Indes aura duré deux ans et non pas trois. Le seul Eugène Ionesco a mis en doute la réalité même de ce séjour. Au moment de terminer son second article, il aura jugé que la farceuse silhouette d'un M. Eliade se glissant furtivement dans sa mansarde de Bucarest pour y écrire un roman exotique était accordée avec un exercice de style relevant moins du jugement littéraire que de la critique-fiction.

Les règles de la logique ne font que refléter la pauvreté de l'esprit humain. « Ce qui me chagrine, c'est qu'il ne peut exister que deux points de vue symétriquement parfaitement opposés[94] ». Son aptitude à soutenir les deux thèses tient à l'intuition persistante que ceux qu'il combat peuvent avoir raison. Capacité, propre à l'auteur dramatique, d'exprimer une subjectivité et la subjectivité opposée, à faire parler des personnages antagoniques sans épouser aucun de leurs discours. La singularité de la double critique s'estompe si l'on considère l'unicité de la signature : E. Ionesco. Quand il choisit, il penche à l'ordinaire du côté de l'anarchie et de la négation. À moins que, entrant lui aussi dans « la ronde littéraire », il ne choisisse délibérément le parti de « la mode, (du) succès », s'ébrouant, lui aussi, « dans le clinquant ».

Vu de loin, *Non* ressemble au récit d'une empoignade littéraire sur la place de Bucarest. Lu avec attention, ce brûlot polémique foisonne d'aveux qui sont autant de confidences par lesquelles l'auteur se laisse deviner. Si l'on consulte en même temps cet autre brûlot qui paraîtra l'année suivante dans *Facla*, *La Vie grotesque et tragique de Victor Hugo*, ce qui se dessine en filigrane, c'est une espèce d'autoportrait d'Eugène Ionesco vers le milieu des années trente en Roumanie. Cela se livre par bribes, par éclats, comme si, sous l'empire de quelque irrépressible tension intérieure, sa plume nous jetait, au détour des analyses littéraires, de brèves et fulgurantes lueurs sur son capharnaüm intérieur

Que C. Petrescu, s'étant entouré « d'une bande de petits journalistes [95] », ait fondé avec eux « une société anonyme de publicité [96] », que l'énumération des revues échappant à son influence soit particulièrement brève, que « *la critique* roumaine militante au grand complet [97] » soit à ses ordres, qu'il soit ainsi assuré « d'être bien soutenu [98] », cela pourrait laisser indifférent Eugène Ionesco, n'était que « les romans de M. Camil Petrescu sont quasiment dépourvus de valeur ». Aussi la « profusion de critiques dithyrambiques, mais mercenaires [99] » dont son livre a bénéficié lui est apparue comme attentatoire « à la conscience littéraire en général [100] ». Sa conscience littéraire à lui *en particulier*, s'est trouvé spécialement choquée lorsque C. Petrescu, qui avait d'abord loué sa *prodigieuse intuition critique*, a subitement révisé à la baisse son jugement au vu de son article sur *Le Lit de Procuste*. Il lui a alors appliqué un lapidaire : « Il est devenu idiot [101] ». Naïf à sa manière ou feignant de l'être, en aucune façon *idiot*, Eugène Ionesco dit avoir pris pour argent comptant l'autorisation que le grand auteur lui avait accordée verbalement d'écrire sur son livre ce que bon lui semblerait. N'ayant rien fait d'autre que d'user de cette liberté, il affiche son étonnement devant la rupture de son amitié avec sa victime.

Au vrai, la situation littéraire de la Roumanie l'occupe sans l'angoisser. « Cent ans que nous tournons en rond [102] », juge-t-il : capacité indéfinie des auteurs locaux à reproduire une formule, influence écrasante de Proust, aptitude à l'imitation au point que ce sont les originaux qui finissent par faire figure d'imitations. Et de citer une conférence de Mme Elena Radulescu-Pogoneanu d'où il résulterait que le poète roumain Vasile Alecsandri serait supérieur à Victor Hugo lui-même. Le piquant du propos est que cette dame, professeur de philosophie, directrice d'un important lycée de Bucarest, est une grand-tante d'Eugène Ionesco.

« Le destin des véritables poètes est de ne jamais avoir de succès »

Il faut reconnaître que, dans cette première moitié des années trente, la plume primesautière du juvénile critique ne s'embarrasse ni des liens de famille, ni des liens d'amitié. Comme Mircea Eliade, Petru Cormarnescu en fait l'expérience. Ionesco nous fait assister aux conférences que donne P. Cormarnescu dans le cadre du groupe *Criterion*. À cet effet, il se glisse dans le personnage de *l'aspirant* littérateur. Ledit aspirant se doit bien entendu d'assister à ces conférences. Il veillera même à s'y faire remarquer en étant celui qui applaudit debout, longtemps après les autres, attirant enfin l'attention du conférencier, non sans exaspérer tel autre auditeur que cette ostentatoire flagornerie finit par impatienter. Pour peu que l'aspirant poète salue à nouveau P. Cormarnescu aux cafés Corso ou Capsa, qu'il fasse dans la conversation quelques références à *l'expériencisme*, sorte d'existentialisme avant la lettre, cher à son interlocuteur, qu'il cite parmi « les noms objets d'opprobre » celui de Ionesco, et, surtout, qu'il veuille bien « écouter religieusement, son chapeau à la main[103] », P. Cormarnescu qui « parle, parle, parle », il aura de bonnes raisons d'espérer le soutien du maître lorsqu'il sollicitera son admission dans le groupe *Criterion*. P. Cormarnescu figure comme Eliade au nombre des victimes amicales d'Eugène Ionesco, membre comme eux du groupe *Criterion*.

Il fait le procès de tout le monde. On lui fait le sien. Parmi les procureurs, M. Sebastian, dont il sera un jour l'ami. En attendant, M. Sebastian joint sa voix au chœur des Serban Cioculescu, Ciceron Teodorescu, et Emil Giulian... qui contestent sa *moralité littéraire*. M. Sebastian en rajoute. Il en fait « vraiment trop », proclamant « l'insignifiance de (ses) prises de position en matière de critique[104]. » M. Eliade, lui, se contente d'une « hésitation désapprobatrice ».

Les ludiques pugilats critiques, dont Eugène Ionesco nous fait le récit, relèvent du vaudeville littéraire. Mais le dialoguiste, en même temps scénariste et metteur en scène, a laissé passer pas mal d'aveux qui nous renseignent un peu sur le monologue chaotique dont le fils de Thérèse Ipcar et d'Eugen Ionescu est le point d'éruption. Tandis qu'il arpente les rues de Bucarest à peu près dans les mêmes années que Paul Morand, les pensées qui le traversent profitent des interstices de la polémique pour accéder à l'air libre. Ce jugement qu'il porte sur *Le Lit de Procuste*, au rebours de l'enthousiasme que le livre a fait naître dans la critique, se retourne contre lui : « Il est possible après tout que je sois fait de telle sorte que je n'aie accès qu'au laid, que l'essence du beau me soit étrangère[105] ». Il se pourrait que, sous l'ironie de la fausse concession, perce une véritable inquiétude quant à sa propre capacité d'artiste à suggérer la beauté alors que la beauté artistique lui est nécessaire pour vivre.

Il laisse passer des idées sur ce que doit être l'expression littéraire. Dans son *Hugoliade*, il oppose la poésie à la rhétorique. « La poésie n'est ni vocabulaire, ni grammaire historique, ni philologie, ni linguistique... Elle est cri et non discours[106] ». Il tient que « toute innovation formelle est issue d'une vision[107]... », et qu'« un chef-d'œuvre ne ressemble à rien de ce qui l'a précédé[108] ». La littérature, même si elle n'est pas le salut, ne se réduit pas pour autant à la comédie littéraire telle que les gens de lettres l'interprètent sur la place, dans laquelle le jeu consiste seulement pour chacun à se voir « confirmé dans le sentiment qu'il a de son talent[109] » par d'autres gens de lettres. Alors que « seul l'inexprimé existe vraiment[110] », l'expression, usée autant par des siècles de pratique que par les efforts qui se font pour la renouveler, n'est qu'un produit de substitution. Qui accepte le langage en accepte les limites, erreur et vérité mêlées. Et, par exemple, Eugène Ionesco demande qu'on veuille bien « ne pas relever d'éventuelles contradictions avec ce qu'il a écrit antérieurement[111] ». Il confie sa tristesse pour la déformation de soi qu'impose l'expression. Une décennie et demie plus tard, il fera irruption dans la langue française par un coup d'État, par un coup d'éclat, qui est dans la droite ligne de ses réflexions de l'entre-deux-guerres roumain.

Pour l'heure le théâtre n'est aucunement au cœur de ses intérêts littéraires. Vers ses trois ou quatre ou cinq ans, sa mère l'avait conduit au Luxembourg ou aux Tuileries où le spectacle de Guignol l'avait plongé dans un silence fasciné. Alors que les autres enfants riaient, s'esclaffaient, lui fixait, médusé, la présence des personnages. « Ce n'était pas l'intrigue qui me captivait, c'était le mouvement... c'était l'apparition universelle qui me stupéfiait[112]... » Cette découverte inaugurale aura produit une pièce patriotique franco-roumaine sans orienter durablement le jeune Ionesco vers le théâtre comme genre littéraire. En ses années roumaines, il est poète, critique, mais non dramaturge. Il n'aimait pas Molière. Lire des pièces l'ennuyait. Dans le souvenir qu'il en a conservé, sa détestation du théâtre allait assez loin. Dans une conférence prononcée en 1956 à Arras, il se souvient qu'il n'allait « pour ainsi dire jamais au théâtre[113] », et que lorsqu'il y allait, il n'y prenait aucun plaisir. Il jugeait que le transfert d'identité qu'implique l'interprétation de son rôle par le comédien était en soi *inadmissible, indécent.* Sa *Cantatrice chauve* se voudra aussi une « parodie du théâtre [114] ». De fait, dans *Non*, il cite à comparaître les poètes, les romanciers, les critiques roumains, guère les auteurs dramatiques, du moins pour leurs ouvrages de théâtre.

Poète et critique lui-même, identifié comme tel, il pratique aussi le *Journal*. À la fin des années soixante, il confiera : « Quand je suis moi-même dans mon équilibre heureux, je ne m'intéresse pas aux coulisses [115]. » Sans doute l'équilibre dans lequel il se trouvait au début des années trente n'était-il pas si heureux qu'il pût se désintéresser des *coulisses*. C'est *en coulisses* qu'il veut surprendre le héros de tragédie ou de roman, curieux de savoir ce qu'il peut bien faire « aux heures de la journée où il n'est plus *héros* [116] », hors des temps forts de l'action. D'où cet éloge du *Journal* : « Le *journal* (journal intime ou reportage) est préférable au roman, à la tragédie, au poème ou à tout autre genre littéraire non seulement parce qu'il est plus complet (pour le Journal on ne doit pas *choisir*), plus vrai (pour le Journal, on n'élimine pas les menus faits qui donnent la clé d'un comportement), mais aussi parce que le journal est le premier genre littéraire, le genre littéraire *originel* dont le roman, la tragédie, le poème ne sont que des formes perverties. Le journal est *le* genre littéraire par excellence, le véritable genre littéraire [117]. » Confidence majeure qui met la confidence au cœur de l'œuvre. « Moi j'aime voir la vie sans souffleur [118] ». La confidence ne se livrera pas sous la seule forme du *Journal* encore qu'il en tienne un depuis l'âge de dix-sept ans, dont il nous donne quelques pages dans *Non*. Il publiera son *Journal du Printemps 1939*, celui des années quarante, et celui des années soixante. Il aura de multiples entretiens au long desquels il se montrera volontiers *en coulisses*. Mais surtout une bonne part de son œuvre dramatique elle-même sera dans un rapport immédiat avec son expérience vécue. L'aveu masqué est sa manière d'être en littérature. Parfois la plume échappe à son contrôle. Plutôt que de se corriger à la relecture, il confie au lecteur la dérive dont il vient d'être victime : « Je vous jure que je ne voulais pas dire ce que je viens de dire [119] ». En sorte que l'œuvre universellement connue d'Eugène Ionesco est, pour l'essentiel, une longue confidence cryptée d'Eugène Ionesco sur *La Vie grandiose et tragique d'Eugène Ionesco*. Ce qui mérite une mention particulière c'est que ce caractère de mise en scène d'Eugène Ionesco par Eugène Ionesco, jusque dans un ouvrage de critique littéraire tel que *Non*, n'ait pas échappé à certains de ses lecteurs. L'un de ses amis, I. Valerian, qui l'avait accueilli dans sa revue *Viata Literara*, écrit en 1934 que toute « son écriture est une confession ininterrompue faite aux confins du désespoir [120] ».

Que Ionesco se raconte et se confie ne signifie pas qu'on doive le croire sur parole.

Lorsqu'il affiche son absence de moralité littéraire, lorsqu'il proclame qu'il n'a « pas la moindre conviction [121] », qu'il réitère sa déclaration quelques pages plus loin, et, encore six pages après, lorsqu'il annonce : « Je ne me sens pas plus engagé par ce que je suis en train d'écrire que par ce que j'écrivais hier qui est d'ailleurs tout le contraire de ce que j'écris aujourd'hui [122] », lorsqu'il affirme que rien ne lui paraît plus comique que « la revendication de celui qui prétend *lutter pour le triomphe d'une idée* [123] », il sacrifie à sa passion de la provocation libératrice, livrant passage à tout ce qui se pense en lui, laissant au lecteur la charge du discernement, délivrant, au fil de la plume, des messages propres à charmer leurs destinataires comme : « Ce qui me différencie de mes frères humains, de mes confrères en littérature plus particulièrement, c'est qu'eux agissent exactement comme moi, mais sans éprouver de regrets ». Distanciation autocritique : il admet dès la page 124 qu'il en a « par-dessus la tête, et depuis belle lurette, de tout ce (qu'il) raconte [124] ». Il y revient quarante pages plus loin : « J'en ai par-dessus la tête... de mes sempiternelles audaces [125] ». Montant à l'assaut de la critique, il crée, au début du troisième tiers de son livre, un personnage de fiction, du nom de Berembest, critique de son état, dont l'une des caractéristiques est le « refus permanent de considérer avec gravité les choses graves [126] ». Il ne lui aura pas échappé que ses propres paradoxes pouvaient, sur ce point, le rapprocher de son modèle. La plume l'entraîne. Berembest-Ionesco jette sur le papier des formules qui brillent de toutes leurs paillettes : « Du moment que je ne prends au sérieux ni la logique d'Aristote ni les vaccins de Pasteur, pouvais-je prendre au sérieux mes attaques contre Camil Petrescu [127] ? » En présence de Camil Petrescu, les scrupules de l'amitié s'émeuvent des rigueurs de la critique. Il devient sentimental, se traitant d'imbécile. Il croit devoir cependant délivrer à ses lecteurs présents et à venir un avertissement de caractère très général. « Ne croyez pas trop que je suis un imbécile, moi je ne le crois pas [128]. » Nous non plus. Même les opinions communes et sensées, il finit toujours par les exprimer avec la dose d'exagération qui leur confère un air de folie. Timidité, s'excuse-t-il, désolé. Ces précautions du timide ne l'empêchent cependant pas d'informer l'espèce humaine que, « d'après (ses) calculs faits et refaits à longueur de nuits, personne ne (lui) est supérieur [129] ». Cela est vif, entraînant. Cela brille. La formule oscille entre l'autodérision et l'aveu au premier degré, les deux significations indissolublement liées. « Eugène Ionesco attaque tout le monde. C'est pour lui un moyen facile de faire figure d'homme intelligent, et qui ne se fait jamais avoir [130]. » Dans la préface qu'il a donnée à la réédition de son *Hugoliade* en 1982, le même Ionesco admet : « J'étais bien jeune quand j'ai écrit ce texte sur Victor Hugo ». Un peu moins de vingt-six ans. « J'aimais beaucoup dans ma jeunesse déboulonner... les grands hommes, les institutions [131]... » Hugo est à la fois un grand homme et une institution. Eugène Ionesco se fait la main sur le plus grand poète français hélas. Avec sa plume à mitraille il se fait aussi la main sur Eugène Ionesco. Il préfère se délivrer, par anticipation, les avertissements sans frais que des confrères attentionnés n'eussent pas manqué de lui adresser après l'avoir lu.

Présentant son *Hugoliade* au public français, presque un demi-siècle plus tard, il n'en est pas particulièrement fier. Sa biographie est un réquisitoire où Victor Hugo joue le rôle du coupable par avance condamné. C'est aussi une pratique d'exorcisme où il s'agit de conjurer l'autoportrait qui affleure sous le masque de Victor Hugo. Parfois le peintre se substitue au modèle. Ionesco nous fait voir Victor Hugo jouant aux échecs avec Louis-Philippe, puis, le monarque s'étant assoupi, veillant respectueusement sur le royal sommeil. Le biographe fait irruption sur la scène : « Moi j'aurais fait des grimaces devant un roi endormi [132] ». Victor Hugo : même ceux qui le trouvent sot – Veuillot, Leconte de Lisle, Renan –, ne manquent jamais de lui concéder du génie. Ionesco s'en désole : « Au lieu de désintoxiquer les vaniteux de leur vanité, les hommes se pâment et les encouragent [133] ». Apothéose de Victor Hugo : philosophe, homme d'État, prophète, réformateur etc. Mais poète ? « Qu'on ne confonde pas un poète avec un homme de talent [134] ». Le talent de V. Hugo témoigne de sa déficience spirituelle. 1843 : mort de Léopoldine. Victor Hugo fait des vers... transformant « l'émotion en éloquence [135]. » À Thérèse Biard, sa maîtresse, épouse du peintre Auguste Biard, il récite des vers. Jusqu'à ce jour fatal de juillet 1845, le 5, où il fut surpris avec elle en *conversation criminelle* par le commissaire du quartier Vendôme, guidé pour la circonstance par le mari. La maîtresse se retrouvera en prison. Pas lui : la pairie le protège de l'arrestation. La scène de vaudeville est l'occasion pour le Ionesco de 1935 de s'essayer au théâtre non sans un don particulier pour la férocité hilarante. L'homme de théâtre est à la fête. Le procès intenté en 1935 à Victor Hugo par le jeune Ionesco se lit comme une anticipation de celui que le même Ionesco aurait pu être tenté de diligenter contre le Ionesco planétaire de 1980, s'il l'avait connu. En fait, il le connaissait, il le pressentait, et c'est pourquoi sa plume, dans l'opération hugolienne, a le tranchant du scalpel, laissant passer des formules à effet de boomerang comme : « Le destin des véritables poètes est de ne jamais avoir de succès [136] ».

Gloire, avoir, pouvoir, Hugo a su tout capitaliser. Homme de lettres ambitieux dont Mérimée disait qu'il ne prenait « pas la peine de penser [137] », prédateur de soi-même car les souffrances du génie ne sauraient demeurer stériles, faisant commerce de ses émotions, habile, de surcroît, à tromper plusieurs femmes à la fois, ce Hugo *grotesque et tragique* est si maltraité qu'il finit par faire naître une réaction de sympathie. L'un des lecteurs les plus attentifs de cette *Hugoliade* est un homonyme du biographe hugophobe, Gelu Ionescu. Auteur d'une postface publiée en annexe à l'ouvrage, et donc avec l'assentiment du Ionesco de 1980, il a noté « des répliques, paraît-il réelles... mélangées à des citations tronquées [138] », un parti pris de saisir dans la vie de Victor Hugo « tout ce qu'il y a d'infamant, tout ce qu'il y a de scandaleux [139] », pour en faire une mise en scène, une fiction, au « comique savoureux ». L'entreprise relève plus de la caricature de « bande dessinée humoristique [140] » que de la biographie. Reste, chez le Ionesco de 1935, l'expression d'un refus, celui de l'homme de lettres avide de pouvoir et dont la sincérité fait naufrage dans l'océan de sa propre production littéraire. Le Ionesco des années trente voit le temps passer sans qu'aucune grande œuvre ne sorte de lui, qui viendrait consacrer, justifier, sa passion pour la littérature. « Échec pathétique [141] », souligne Gelu Ionescu qui voit dans la projection sur V. Hugo l'expression d'« une certaine conscience tragique de sa propre situation [142] ». Ionesco se console de la gloire qu'il a manquée, et à laquelle il aspire, en faisant de l'homme de lettres que la gloire a couronné le sujet de la malédiction hugolienne par excellence, qui et de ne jamais « oublier qu'il (est) Victor Hugo [143] ».

« UNE VITALITÉ PRODIGIEUSE »

Le dépit de n'avoir pas émergé hors de la foule littéraire n'explique pas à lui seul ce réquisitoire contre la célébrité.

La scène est racontée dans *Non*. Ému par l'image d'accablement que fait paraître Camil Petrescu à la lecture de son article, Ionesco ayant déchiré son manuscrit, laisse passer cette confidence : « Moi qui, à l'époque, faisais des efforts pour vivre vraiment en chrétien, j'aurais dû être heureux [144] ».

Être heureux. Le fils de Thérèse Ipcar et d'Eugen Ionescu est comme tout le monde : il veut être heureux. L'est-il ? « Jamais je n'ai vécu de joie pure, débarrassée de la peur [145] ». La mort corrompt chaque moment vécu. Joie et tristesse sont dans un rapport de réversibilité. « Boue de mes petites joies [146] ». Déjà, en 1934 : la *boue*. « Mes joies, mes pauvres petites joies auxquelles je ne peux pas renoncer sont si tristes que j'ai honte, mais aussi pitié d'elles. » À vingt-cinq ans, il évoque la joie sur le mode de la déploration. « La joie est un péché [147] », se laisse-t-il aller à penser. « Nous sommes faits pour autre chose que nos joies, ces joies qui sont autant d'égarements ». Eugène Ionesco laisse transparaître son désarroi. « Je suis simple d'esprit. Suis-je heureux [148] ? » Il n'est ni simple d'esprit ni heureux. Sa situation spirituelle lui semble désastreuse. Jamais son esprit ne se détache et ne se détachera des questions métaphysiques, ces questions qui sont comme des « échelles suspendues dans le vide, flottant entre ciel et terre... auxquelles nous essayons de grimper [149] ». La mort : pourquoi en a-t-il si peur ? Est-ce parce que, ayant échoué dans *l'amour absolu*, il a mis son espoir dans son talent ? Mais si le talent aussi fait défaut ? En cette conjonction sans issue, il voit résumé *tout le désespoir du monde*, contraint d'avouer que l'activité littéraire elle-même n'est qu'« un pauvre ersatz d'éternité [150]. » Il confesse sa honte de vivre ainsi immergé dans le provisoire non sans noter l'éclatante lumière dans laquelle il baigne par cette radieuse matinée qu'il occupe à écrire sa conférence : *Mesdames, Messieurs* [151]... Comme Job, il s'adresse à Dieu. « Ne vois-Tu pas comme je me traîne [152] ? » Il ne comprend pas pourquoi il a peur de lui-même. La culture ne pouvait répondre à son angoisse, soulignera-t-il des décennies plus tard. En toile de fond, cette question : « Si Dieu existe, à quoi bon faire de la littérature ? Si Dieu n'existe pas, alors à quoi bon faire de la littérature ? [153] » Que lui reste-t-il alors ? Le désespoir ? Quand Eugène Ionesco est menacé de tomber dans la nasse du désespoir, il y a toujours une protection qui fonctionne. Il ne cultive pas, il n'aime pas le désespoir. « Les désespérés du genre Emil Cioran pour vous faire le plaisir de citer le nom d'un jeune intellectuel (bien de chez nous) se complaisent dans le désespoir [154] ». *Terrible naïveté*, écrit-il plus loin à propos de Cioran. Au milieu des années soixante, il notera dans son *Journal en miettes* : « On n'a pas toujours la chance d'être désespéré, désespéré de la vie... Je m'amuse, je me distrais, j'écris mon *Journal intime*. J'ai une vitalité prodigieuse [155] ». *Une vitalité prodigieuse*, voilà un aveu sincère, complété une douzaine d'années plus tard par cet autre aveu qu'il fait à Philippe Sollers et Pierre-André Boutang : « Rien ne me décourage, même le découragement [156] ». À certaines heures le désespoir peut le menacer. Le désespoir n'est pas sa manière d'être. Mentionne-t-il sa « situation spirituelle désastreuse [157] », c'est sur l'air du *tralala*, comme pour banaliser, pour dévaloriser un lieu commun. Proclame-t-il sur le même ton : « Je ne crois pas en Dieu », le voici trois pages plus loin qui confesse les vertus théologales de foi, d'espérance et de charité : « Oh, Seigneur Dieu ! Mon coin de Paradis [158] ! Mon coin de Paradis ! ai-je perdu à tout jamais mon coin de Paradis ? » Il se défend de faire du mélo. « Mais je T'aime, d'où cela m'est-il venu, quand ? Quels sont ces mondes dont les souvenirs me torturent ? » Il tend les mains dans le vide. Mais l'espérance ne l'a pas déserté : « Mon coin de Paradis, je ne veux le céder à personne : je veux y arriver avec ma bien-aimée ». Si Eugène Ionesco est en état de résister aux assauts du désespoir, c'est aussi, en partie, parce qu'un jour il lui a été donné d'accéder à « un coin de paradis », de se trouver, le temps d'une illumination, « en dehors de l'Histoire [159] », de réintégrer l'état d'innocence au sein d'une lumière indicible, d'être emporté par « une joie énorme [160] », « une joie débordante [161] », une joie qui était « plus que la joie [162] ».

LUMIÈRE

Avantageuse mise en scène du jeune Ionesco en état d'extase par le dramaturge vieillissant des années soixante ? Cette expérience de la lumière nous est contée dans *Entre la vie et le rêve* (1966-1977), dans le *Journal en miettes* (1967), dans *Présent passé, Passé présent* (1968), dans *L'Homme en question* (1979). Elle est reprise dans la pièce de théâtre *Victimes du devoir* (1953) et dans le roman *Le Solitaire* (1973). Des allusions y sont faites dans *Tueurs sans gages* (1959*)*, et *Le roi se meurt* (1962). Pareille redondance incite à faire crédit. C'est dans *Présent passé, Passé présent* que se trouve la relation la plus étendue de l'instant vécu. « Je me souviens, un jour d'été, à l'approche de midi, je me promenais dans une petite ville de province, sous un ciel profond, et dense, sous le soleil [163] ». « Début juin [164] », écrit-il, ailleurs. « Au bord de la mer Noire, près de Constantza [165] », précise Marie-France Ionesco. Il devait, dit-il, avoir dix-sept ou dix-huit ans, donc juin 1927 ou juin 1928. « Journée lumineuse [166] ». « Tout d'un coup je sentis comme un coup que je recevais en plein cœur, au centre de mon être. La stupéfaction surgit, éclata, déborda, faisant dissoudre les frontières des choses, désarticulant les définitions, abolissant les significations des choses, des pensées, comme la lumière semblait faire disparaître les murs et les maisons que je longeais. *Rien n'est vrai, dis-je, en dehors de ceci, en dehors de ceci [167]* ». Journée lumineuse... transformation subite de la ville... maisons plus blanches... *Le Journal en* *miettes* rapporte déjà cette émergence du monde dans la lumière, jaillissement de la réalité par-delà un réel qui n'aurait que les apparences de cette réalité. « Quelque chose de tout à fait neuf dans la lumière, virginal dans la lumière... un monde que la lumière dissolvait et qu'elle reconstituait [168]. » Même lumière dans *Entre la vie et le rêve*. Et même joie. Rappelons-nous l'exclamation qui éclate au cœur du *Mémorial* de Pascal : *Joie, Joie, Joie, pleurs de joie*. « L'euphorie se fit énorme, inhumaine [169] », se rappelle Ionesco. Quand il respire, il lui semble qu'il avale des morceaux de ciel bleu, substance céleste qui le rend de plus en plus léger. « C'était comme si je ne marchais plus, comme si je sautais, dansais. J'aurais pu m'envoler ». Sentiment d'avoir compris quelque chose de fondamental, de ne plus jamais devoir être malheureux, de n'avoir plus peur de mourir. « *Je suis*, une fois pour toutes, et... ceci est une chose irréversible, un miracle éternel... » Sentiment d'une présence : « ... j'ai senti ou j'ai cru sentir à ce moment-là que Quelqu'un me tenait dans sa main, que nous n'étions pas perdus [170]. » Ainsi arraché au monde des « matières humides et putrides », il était désormais impossible qu'il « redevienne la proie de la boue, des ténèbres [171]... » L'éblouissement « dura un très long temps ». Mais enfin « l'évidence miraculeuse s'évanouit ». Les choses réintégrèrent leurs apparences. « Il n'y eut plus que ce monde de glace, ou de ténèbres, ou de clarté vide, de lumière grise, de cendres [172] ». Éclat de lumière dans une vie léthargique où chacun cherche à tâtons dans la nuit l'issue qui lui permettrait de s'évader de la caverne platonicienne où l'humanité se morfond, essayant de « purifier le monde, de le métamorphoser, de le sauver, de le réintégrer métaphysiquement [173] », tant il est vrai que *la réalité telle qu'elle est* ne saurait la satisfaire.

Cette expérience, le jeune Ionesco l'a connue à plusieurs reprises : « Il m'arrivait d'être envahi par une joie intense, lumineuse : c'était une félicité inexplicable et sans raison qui montait de la terre [174]... » Harmonie, beauté du monde, euphorie, proximité de l'être, étonnement aveuglant. « Seul un amour fou, sans objet, peut demeurer intact dans l'embrasement et la lumière aveuglante de l'interrogation [175] ». Il était « comme un récipient vidé et nettoyé : mais vidé pour être rempli par une eau nouvelle ». Conscience d'une liberté, étonnement de cette liberté. Il n'y avait plus qu'un pas à faire et il serait au-delà du point d'où l'on ne revient pas.

Bien entendu, il faut écarter les pseudo-diagnostics d'allure médico-psychiatrique qui n'apprennent rien sur ce qui a été vécu par le narrateur, mais qui en disent long sur les efforts des diagnostiqueurs pour évacuer les questions auxquelles ils n'ont pas les réponses.

Cependant qu'il parcourt les rues de Bucarest, l'âme en proie aux amertumes qui lui viennent des dissensions familiales, l'esprit occupé de critique et de polémique littéraires, le jeune Ionesco est travaillé par ce que le dramaturge des années soixante-dix nommera une *crise religieuse*. Cela se passait durant son adolescence. À Bucarest, il avait pour confesseur le père Alexandre, moine du monastère Darvari, ancien du mont Athos, auquel il faisait confidence de ses dissonances intérieures au sujet de la foi et du mal. Si l'on croit ce qu'il en dit, il n'avait pas trop à redouter les censures de son directeur de conscience pour ses *égarements* ; mais pour la foi, il trouvait en lui un interlocuteur intransigeant, peu disposé à accepter qu'on la mette en balance avec des objections tirées du déploiement du mal sur la terre. Au mont Athos, le frère Alexandre « disait avoir vu le diable et avoir combattu avec lui, avoir lutté corps à corps avec lui [176] ». Rapportant en 1978 cet épisode à Philippe Sollers et Pierre-André Boutang, Eugène Ionesco leur assène tout uniment : « Je crois au diable... L'histoire est incompréhensible sans la démonologie [177] ». La ruse du diable par excellence est de faire croire à son inexistence. Si on croit au Mal on se défend. « Maintenant on ne se défend plus puisqu'il n'existe plus ».

Outre le père Alexandre, Eugène Ionesco aura eu pour guide, selon la confidence qu'il en a faite à E. Jacquart, un jeune écrivain du nom d'Avramescu, intellectuel d'origine juive qui, après s'être intéressé aux recherches de René Guénon sur la gnose puis au courant soufiste dans l'islam, s'était converti au christianisme. Sous l'influence d'Avramescu, Ionesco s'efforçait de respecter chaque mercredi et chaque vendredi les prescriptions alimentaires de l'Église orthodoxe. On peut mettre cette pratique en rapport avec la brève mention qui figure dans *Non* sur les efforts que Ionesco dit avoir faits « pour vivre vraiment en chrétien [178] » à cette époque, c'est-à-dire à l'époque où se situe sa conversation avec Camil Petrescu, vraisemblablement en 1933. Le scrupule que lui cause l'article qu'il vient d'écrire sur *Le Lit de Procuste* et la générosité dont il fait preuve en le détruisant montrent que « ses efforts pour vivre vraiment en chrétien » ne se bornaient pas au respect des prescriptions alimentaires orthodoxes. L'observateur sans indulgence des mœurs du clan Ionescu, le critique incendiaire de *Non* est aussi ce jeune homme que son éducation catholique et orthodoxe et sa fréquentation de saint Jean de la Croix, de Denis l'Aréopagite et du *Pèlerin russe* entretiennent dans une permanente interrogation mystique. « Devenir un saint [179] » : dans son *Journal du printemps 1939*, Ionesco se souvient qu'étant à La Chapelle-Anthenaise, il avait été visité par cette pensée. Deux tiers de siècle plus tard, la même pensée lui viendra sous la plume dans *La Quête intermittente. J'aurais voulu être moine,* confiera-t-il aussi dans un entretien. Cette image de lui-même et de son avenir pourrait bien se trouver en suspens à l'arrière-plan de cette phrase qu'il écrit vers 1933, et qui est reprise dans *Non* : « Si je devais jamais me consacrer à des ambitions plus hautes, ces ambitions-là seraient totalement étrangères à la littérature, à la vie publique, à la culture, etc [180]. » Si spéculatif que soit le propos, il confirme chez le jeune Ionesco, au début des années trente, la persistance de velléités vraisemblablement en rapport avec les allusions à la vie monastique. Peut-être la Providence avait-elle d'autres desseins : « La solitude ne me va pas [181] », constate-t-il au milieu des années quatre-vingt. Peut-être aussi ses valises étaient-elles trop lourdes et lui étaient-elles trop chères.

CHUTE

Le *Journal* des années quarante nous conte cette évolution spirituelle en des termes qui en font le récit de la Chute. « Mais au moment où je n'avais plus qu'un pas à franchir pour passer au-delà de ce point d'où l'on ne peut revenir, j'ai été pris d'une grande hésitation et puis il y eut comme un vertige et puis il y eut un regret déchirant, énorme, l'appel du monde entier qui m'aspirait : des voix, des bras trop tendres, l'univers entier se faisait tendre, des couleurs douces et puis comme une sorte de musique et puis un bien-être et puis une mollesse et puis comme une sorte de promesse de volupté, une force indiciblement enveloppante m'a tiré en bas, c'est comme si j'avais eu peur d'être coupé en deux. Une douleur, une blessure, une déchirure que je ne pus supporter. Je me suis laissé tomber. J'ai capitulé. Les regrets, le plomb avaient été deux fois ou dix fois plus forts que l'aspiration. C'est à partir de cette régression ou plutôt de cette chute que ma vie spirituelle a été interrompue, en attente peut-être [182]. » Peut-être seulement en attente... Sentiment d'être retombé plus bas qu'avant, remords obscur, mauvaise conscience, dissipation des lumières tendres et des couleurs douces, errance au sein d'un monde dépouillé de ses promesses de bonheur, accès de *nostalgie absolue* en lutte contre les *regrets terrestres*, impression qu'il eût fallu se défaire d'un vêtement de plomb avant d'entreprendre l'ascension alors qu'au moment où il écrit, seule lui demeure ouverte la traversée des profondeurs : « Mais aujourd'hui comme alors, le point d'où l'on ne peut plus retourner est toujours entouré de cette lumière très forte, très dure, l'éclat froid des lames des épées. C'est une lumière insupportable, non humaine [183] ».

Désir, amour-propre, peur : « Des méduses m'étreignent ». Mais la division de l'âme n'annule pas l'expérience de la lumière. Jamais Eugène Ionesco ne l'oubliera, même si au fil des années elle prend progressivement l'allure d'un souvenir, voire du souvenir d'un souvenir. Ce moment où il s'est dit « Je n'ai plus peur de la mort [184] », ce moment miraculeux s'est peu à peu transformé en un souvenir... *abstrait*. Mais, écrivant ses mémoires « comme un homme qui a perdu la mémoire [185] », des décennies plus tard, la fulgurance lumineuse sera toujours présente comme un cri dans le silence.

L'illumination de ce matin de juin ne cessera de lui enseigner cette certitude, en lui fragile, et cependant indestructible : « Je prends conscience que je suis. C'est d'être qui me comble de joie... Je suis plus fort que le néant [186] ». Cette certitude réduit tout ce qui n'est pas elle-même à l'*insignifiance*. Béatitude de l'être, hors de laquelle il n'est qu'agitation stupide ; mais la stupidité elle-même fait partie de l'être et à ce titre elle mérite *un étonnement émerveillé*. Éblouissement des épiphanies : c'est dans les termes mêmes où il en parle qu'il fallait transcrire l'expérience fondatrice de la spiritualité d'Eugène Ionesco. « J'ai la clef de la félicité... Hélas, moi-même, je n'utilise presque jamais cette clef. Je l'égare [187]. » Jamais, cependant, il n'oubliera qu'un jour, il lui a été donné de recevoir cette révélation : « Puisque je suis, je suis éternel. »

Si, par analogie aux illuminations auxquelles la pratique du zen se propose de faire accéder ses adeptes, le terme de *Satori* a été appliqué à l'expérience vécue par Eugène Ionesco, lui-même va un peu au-delà. Il n'oublie pas de préciser que l'instant de lumière s'est accompagné de la sensation d'une présence : « Quelqu'un me tenait dans sa main... nous n'étions pas perdus [188] ». Recherche et communication de cette lumière par-delà les ténèbres, c'est le ressort, c'est l'objet même de l'œuvre à venir, sa justification, et c'est pourquoi on trouve tout au long des pièces de théâtre et des livres de confidence d'Eugène Ionesco de miraculeux jardins, des cités radieuses, des ruissellements de lumière, des routes ensoleillées, des maisons noyées de lumière. « J'avais des réserves lumineuses [189] », se félicite Ionesco, insatiable de la *beauté inexplicable* du monde, attentif à ne pas laisser se perdre l'euphorie qui accompagne l'étonnement originel, l'étonnement d'être. Considérant la création et les créatures, le narrateur du *Solitaire* s'interroge : « Spectacle imaginé par... par qui ? » Aussitôt il répond : « Par Dieu, avouons-le. Avouons que j'y crois [190] ». La vie comme un don sans retour, la plénitude comme un mariage du ciel et de la terre, le sens judéo-chrétien de l'incarnation : « Chez Ionesco, déclare Cioran, on sent toujours à l'arrière-plan une foi profonde [191] » ; foi profonde oui, mais toujours en proie aux doutes et aux interrogations, foi subsistante et persistante cependant. En mémoire de la plénitude vécue le temps d'une fulgurance ? Oui, mais pas seulement. Il y a aussi tout le reste. Et cette plénitude elle-même, si plénière soit-elle, laisse au Ionesco qui écrit le *Journal en miettes* vers le milieu des années soixante comme le souvenir d'un manque : « Quelque chose manquait. Je croyais avoir vécu l'essentiel, mais l'essentiel de l'essentiel n'y était pas [192]. » Cela restait cependant comme un aperçu de l'essentiel. « Il me semble tout de même avoir été à la frontière de l'existence [193] ». Il avait saisi le monde dans sa virginité, par-delà le quotidien qui n'en est que la « couverture grise [194] ».

CULPABILITÉ

Contre cette ascension dans la lumière, les puissances de la pesanteur n'ont pas tardé à se réveiller, le monde retombant dans son trou, la chute précipitant Eugène Ionesco dans ce magma boueux qui, sous sa plume, signifie l'enlisement, le contraire de l'élan qui porte *Bérenger* à s'élever au-dessus du sol, porté par un rêve de gloire et de liberté. Sentiment de culpabilité *sans raison*, de déambulation sans fin dans le labyrinthe du temps et de l'espace, intuition que l'homme contre qui il se bat, c'est lui-même : « presque invincible », note-t-il. Sensation que ses valises sont trop lourdes pour qu'il puisse monter dans le train, image du train qui s'en va sans lui. Mais il ne veut pas renoncer à ces valises, sa conscience le lui interdit, à moins que ces valises ne soient qu'une excuse, l'obstacle à sa libération.

Quelles sont ces valises qui plaquent au sol ce bel oiseau à plumage multicolore, qui l'empêchent de s'élever au-dessus des marécages familiaux et littéraires de la Roumanie des années trente ? C'est d'abord que ce vibrionnant électron libre voit fondre sur lui la catastrophe ultime. Le 14 août 1932, il écrit dans son *Journal* : « Pouvoir au moins fermer les yeux, les tenir fermés jusqu'au cataclysme final [195] ». Tremblement de terre, ouverture d'un gouffre sous ses pieds, déchirement de la voûte céleste, *avec ou sans musique*. Sa stupeur, c'est que tout continue de fonctionner *sans prodiges*. Mais, précisément, les prodiges, les voici : en cet été 1933, il a neigé à la campagne alors que l'année précédente la canicule avait sévi. Dans cette « boîte d'allumettes enflammées » où se trouve enfermée l'humanité, il ne sert à rien de hurler. « La fourmi ne voit pas le pied qui va l'écraser[196] ». Prémonition historique ? L'ordre social, la paix civile ou internationale, etc. ne le mobilisent pas. « Comme si ce remue-ménage avait le moindre sens face à ces doigts qui vont nous réduire en bouillie[197] ». Des doigts grands comme des montagnes « qui se rapprochent pour nous étouffer[198]. » C'est la peur qui étreint l'âme du jeune Ionesco. La peur de la mort, persistante, obsédante : la mort, il l'a vue un jour en la personne d'un jeune paysan étendu sur une charrette de foin, le visage éclairé par la lumière d'un cierge tenu à deux mains par un vivant, à la rencontre duquel couraient en pleurant une vieille femme et une petite fille. La mort, il en a un jour expérimenté, pour son propre compte, l'imminence : « Ce fut la débandade, la panique, un cri de toutes les fibres de mon être, un refus horrifié de toute ma personne[199] ». Si la mort à dix-neuf ans d'un de ses amis, le poète Virgil Robescu, lui est apparue comme une grâce divine, c'est parce qu'elle le libérait de la prison dans laquelle son corps supplicié l'enfermait. Mais pour lui, se remémorant qu'il doit mourir, il ne sait que demander le registre des réclamations : « Cette fois-ci j'exige des explications[200] ». Il admet que sa peur a un caractère pathologique. « Notre présent véritable, définitif, notre instant à jamais arrêté c'est notre mort[201] ». Même si le *final* de son livre proclame que la mort est un mensonge, sa propre mort continue de lui obstruer l'horizon. Elle demeure son cataclysme personnel. Et ce *final*, il le qualifie lui-même de *mélodramatique*. L'ultime pirouette de *Non* est pour affirmer : « Il nous faut un nouveau mensonge[202] » qui vienne remplacer le thème ressassé de la mort. Mais dans ses chères valises, la mort comme perspective ne cessera de peser du poids du plomb.

Proclamer « l'ineffable et suprême bouffonnerie du sérieux[203] » ne les allège en rien, non plus que de constater que ses actes n'ont pas la moindre importance cosmique ou de confesser ses doutes sur le bien-fondé de la logique mathématique. La pensée de la mort le « dégoûte de tout, de (son) essai sur Ion Barbu, de l'esthétique, de la littérature, de l'amour, de ce journal[204] » qu'il tient. Sa ligne de fuite ? Le 29 août 1932, à la suite de ces réflexions sur la mort, il note dans ce *Journal* : « Je ne pense qu'à coucher avec Marta, dès que je serai de retour à Bucarest, dans quelques jours ». À vrai dire, aucun divertissement ne le divertira jamais vraiment de se savoir mortel. De se savoir coupable non plus.

Coupable de quoi ? D'être méchant ? Qu'il soit capable de l'être, il le proclame avec agressivité. Il se fait même menaçant : « Je suis parfaitement capable d'accomplir, avec une candeur enfantine, des actes de la plus grande méchanceté, contraires à toute morale intime envers ceux qui me sont les plus proches [205] ». Cela inclut-il les résidents de la maison Ionescu ? Il s'affirme capable de sacrifier « avec une sauvagerie imbécile... (ses) amitiés les plus nécessaires, (ses) intérêts les plus profonds », mais à quoi ? « À une misérable petite satisfaction de vanité ». Il n'a de scrupules que *sentimentaux*. La réserve est-elle destinée à ménager Rodica Burileanu, demoiselle de petite taille mais de fort caractère, étudiante en philosophie et en droit, qu'il a rencontrée à l'université de Bucarest où il est inscrit depuis 1929 ?

La vanité plus forte que les amitiés, plus forte que les intérêts : quelles amitiés, quels intérêts ? Et quelle vanité ? La vanité de pérorer sur la place à longueur d'articles ? De jeter ces articles à la figure des Roumains qui s'attardent aux devantures des librairies ? De faire éclater par ses mitraillages tous azimuts, ces orages littéraires qui environnent sa personne ? Est-ce cette vanité-là qui lui procure le sentiment d'exister aux yeux de ses contemporains ?

Méchant, le Ionesco de 1982 reconnaît l'avoir été en 1935, à l'égard de Victor Hugo. Celui qui écrit les *Anecdotes littéraires* de 1934, confesse ou plutôt, proclame, qu'il est très capable de se venger *cruellement, criminellement*, pour une vétille, pour une plaisanterie, alors qu'il ne relèvera pas une insulte. Il juge ses réactions disproportionnées. S'agit-il seulement pour l'intéressé de faire son intéressant sur la place, d'essayer de paraître plus méchant qu'il n'est, d'accumuler les faits à charge ? Il admet que les succès de ses confrères le rendent jaloux, il se demande « quel démon, quelles forces mauvaises (le) poussent à (se) moquer de tout [206] ».

« MOI »

Conscient des pensées qui le visitent, des pulsions qui le traversent, le sujet se sent coupable, coupable de n'être occupé que de ce moi dont il est pathologiquement l'esclave. Au 23 août 1932, son *Journal* affiche comme un aveu : « Nulle passion, nulle obsession, sinon MOI. Moi, qui suis à moi-même ma gloire, ma joie, ma souffrance, ma vie, ma mort [207] ! ... » Celui-là qui ne voit en Corneille qu'une *catastrophe*, retrouve spontanément les mots que le même Corneille donne à dire à *Médée* en 1635 : « Dans un si grand revers que vous reste-t-il ? – Moi, Moi, dis-je, et c'est assez [208] ». Ce Moi que proclame Médée, sorcière solaire, ce Moi auquel le jeune Ionesco se sait asservi, il n'en connaît pas la véritable identité. L'*existant spécial* de *L'Homme aux valises* ignore qui il est : « Quel pauvre type[209] ! » s'exclame l'infirmière. Le Ionesco de 1934 ne la démentirait pas, qui confesse : « Je n'ai aucune envie de me retrouver nez à nez avec moi-même... » Il a essayé, sans y parvenir, de perdre sa trace. « J'en ai marre. Ras le bol de moi. Jusqu'à quand vais-je encore m'admirer, me câliner, me plaindre, m'observer, me connaître, reconnaître, paraconnaître dans tous les miroirs, tous les cieux, toutes les eaux, toutes les étoiles[210] ? » Dès 1931, ses *Élégies pour êtres minuscules* font revenir comme un refrain ce : « Tel que j'étais quand même je m'aimais[211] », qui est repris dans *Non*. L'auteur de la *Quête intermittente* le murmurera à nouveau un demi-siècle plus tard : « Le plus souvent, je pense que moi, je m'aime. Je ne me hais pas[212] ». Mais le propos aura alors valeur d'ascension spirituelle, l'amour des autres et l'amour de soi allant de pair. Au début des années trente, son moi est pour Eugène Ionesco un encombrement, une tyrannie. La gloire lui manque, et, en ces années-là, la soif de gloire lui assèche l'âme. Dès La Chapelle-Anthenaise, il se souvient, dans son *Journal du printemps 1939*, qu'il ne voulait pas d'un « destin anonyme[213] ». Que cette passion de la gloire fût condamnée par les livres religieux qu'il lisait le contrariait. Pour son compte, ayant lu les vies de Turenne et de Condé, il avait décidé qu'il serait maréchal.

Dans le milieu des années vingt, ses ambitions changeront de domaine d'application, elles ne perdront rien de leur majesté. Il voudra désormais être *le plus grand poète* et il se découvrira du *génie*.

« TU SERAS UN GRAND ÉCRIVAIN »

L'autoportrait se revêt des oripeaux de la bouffonnerie. Le jeune Ionesco met au compte de l'arriviste littéraire dont il fait le portrait critique dans le chapitre intitulé « Tu seras un grand écrivain », les phrases qui lui rôdent dans la tête : « Il figurera dans l'histoire de la littérature, il fera l'admiration de son ancien professeur de lettres, il figurera dans les manuels scolaires[214]. » Sa conférence finale – « *Mesdames, Messieurs* » –, admet : « Si j'avais la certitude que mon souvenir me survécût, sans doute accepterais-je moins difficilement ma mort physique[215] ». Mais c'est pour se livrer aussitôt à des calculs d'où il résulte que, de toute manière, son nom disparaîtra avec la civilisation à laquelle il appartient. Et, d'ailleurs, vivrait-il des trillions de trillions de siècles, cela ne serait rien au regard de l'infini. Accéderait-il à la gloire de Shakespeare, Cervantès, Euripide ou Dante, que cela encore « serait trop peu, messieurs, vraiment trop peu ». L'ambition s'avoue, mais sous le fard de la dérision. Ses *Élégies pour êtres minuscules*, nous annonce-t-il, se sont déjà vendues à 333 999. Une seconde édition est en préparation « par souscription – vous pouvez envoyer 100 lei à l'adresse indiquée[216] ». L'arriviste littéraire qui lui sert de repoussoir n'a pas d'autre objectif que de devenir « le plus célèbre possible en un minimum de temps[217] ».

Le *Journal* nous apporte le contrepoint de ces exercices d'ironie appliquée, nous livrant les anxiétés qui font mouvoir l'étudiant en lettres de Bucarest. Le 11 août 1932, il laisse passer : « Je mourrai sans avoir joué le moindre rôle sur la scène européenne[218]. » Toujours ce sentiment d'un destin manqué, et cette désolation d'un confinement dans un espace linguistique et culturel trop étroit. Le 28 août, il y revient. « Je vois bien qu'il n'y a ni sens ni beauté, ni noblesse, ni valeur spirituelle dans mon agitation, dans mon acharnement pour toutes ces vanités, pour tous ces riens. Mais, je ne peux pas les dépasser, je ne peux pas[219] ! » Que cette course à la notoriété lui apparaisse comme l'expression de sa misère spirituelle n'empêche pas que la notoriété ne lui soit chère. « Quand j'aurais tous les succès du monde, quand je serais l'étoile de la littérature universelle... je serais tout aussi malheureux. Mais cela ne m'empêche nullement de désirer tous les succès du monde, etc.[220] » Pour autant il n'oublie pas de noter dans son *Journal du printemps 1939*, la mise en garde contre les vanités de la gloire, reçue de mère Jeannette au temps de La Chapelle-Anthenaise. Pour s'être indiscrètement donné en spectacle un soir de fête au village, un certain Jules Marie, braconnier et cheminot, chargé cette nuit-là de jouer le rôle de maître de cérémonie, a mérité la réprobation de Marie, perdant la seule félicité qui eût véritablement importé pour lui, et qui eût été de se marier avec elle. L'avertissement de mère Jeannette ne vaincra pas cette panique de l'anonymat qui flotte déjà dans l'esprit de Ionesco enfant. Même l'ambition de *devenir un saint* n'en est pas indemne, car la sainteté, pense-t-il à cette époque, « c'est cela la plus grande gloire[221] ». S'il poursuit de sa vindicte le génie lorsque le génie, comme il lui semble dans le cas de Victor Hugo, se constitue comme état de vie, transformant tout sentiment en posture pour la postérité, annihilant toute spiritualité, s'il tient que le génie « est la manifestation d'un formidable manque de personnalité[222] », s'il est celui qui, le 23 août 1932, écrit dans son *Journal* : « Je sais bien que là seulement est mon salut : mourir à une partie de moi-même pour vivre pleinement l'autre... tout risquer sur une seule carte[223] », il est aussi celui qui, le 11 août précédent, s'interroge dans ce même *Journal* : « Mon but ? Serait-ce uniquement ce succès que je méprise et qui pourtant me fait faire la roue[224] ? » Comment se purifier ? Il est comme submergé par le néant de toutes ces vanités. Il en éprouve comme une révolte : « Non. Non, non et non. Il m'est impossible de lutter toute ma vie, *toute ma vie* pour du rien ». Quoi qu'il fasse, il se perd, il se trahit, pense-t-il. Affleure dans ce *Journal* d'un jeune homme de vingt-deux ans comme un désespoir à se découvrir tel qu'il est : mou, indécis, ne pouvant se dévouer : « Voici ma tragédie, répète-t-il : je ne peux pas me dévouer... Moi... je ne peux pas m'oublier[225] ». Impossible pour lui de s'abandonner, de se jeter à corps perdu dans une entreprise. Culture ? « Ce qui nous concerne *immédiatement*, ce n'est pas la culture, c'est notre salut[226]. » Luttes dérisoires : « J'estime le succès autant que je le méprise[227] ». À quoi cela peut-il lui servir ? À se hisser d'un mètre ou deux au-dessus du commun des mortels ? En quoi cela pourrait-il le rapprocher de Dieu ? « J'ai couru après la gloire[228] », constatera, désabusé, quarante ans plus tard, l'un des personnages de *L'Homme aux valises*, avant de faire la philosophie de cette course aux chimères à la manière du dramaturge français Eugène Ionesco : « Les pompes de l'orgueil sont funèbres. » Le bonheur élémentaire d'être en vie, voilà ce qui aurait dû l'enivrer, note-t-il le 28 août 1932. Il devrait « rendre grâce à Dieu pour chaque seconde de vie[229] ». Son remords : n'avoir pas choisi la lumière dont il avait reçu le don en partage. Au moins en aura-t-il rendu compte à longueur de vie et de mots, disant sa nostalgie, sa soif et sa faim, car il avait aussi reçu le don de trouver les mots et de concevoir les mythes les plus propres à dire la nostalgie, la soif et la faim.

« Marionnette qui se donne en spectacle »

Mai 1934 : le badaud roumain a le privilège de découvrir, exposé aux devantures des librairies, le *Non* de M. Eugène Ionesco, poète et critique, étudiant en lettres à l'université de Bucarest, militaire temporaire, moins de vingt-cinq ans à l'état civil, mais ayant déjà beaucoup vécu dans sa tête. Certes, cet agitateur agité est déjà connu des milieux spécialisés. Ce qu'il publie n'est en bonne part que la reprise de ce qui est déjà paru ailleurs. Cependant, rassemblés en volume, ces brûlots jusque-là dispersés acquièrent une énergie nouvelle, une force de provocation régénérée. « Intuition du scandale[230] », écrit en septembre 1934, S. Cioculescu, à propos de l'auteur. De fait, s'en prendre à T. Arghezi, I. Barbu, C. Petrescu et à quelques autres, en proclamant haut et fort ne pas croire en ce que l'on dit, c'est réunir toutes les conditions pour faire parler de soi. Le poète à peine audible des *Élégies*, ayant franchi la ligne jaune, devient soudain un critique que l'on remarque. Et que l'on prend à partie, et avec virulence.

Farces de saltimbanque, *cabotin de l'intelligence*, *clown*, l'indignation distanciée de S. Cioculescu lui suggère un conseil d'une lucidité remarquable : « S'il décide de s'attaquer au théâtre, à la comédie, l'avenir lui est ouvert[231] ». D'autant plus remarquable qu'à ce moment-là, Ionesco lui-même n'a en vue aucune réorientation professionnelle de cette sorte. Les cyniques vantardises qui ornent son ouvrage valent à Ionesco des répliques cinglantes comme celles de Ionel Jianu dans *Rampa* : « Le livre d'Eugen Ionescu n'a pas de valeur littéraire ni de valeur critique[232] ». L'auteur est une « marionnette qui se donne en spectacle[233] », « longtemps satellite de M. Camil Petrescu », un « vaniteux… fanatique de son moi », le « clown le plus réussi de son intelligence[234] », un mégalomaniaque qui voudrait que l'on s'émerveille au spectacle de cette intelligence, un contempteur, comme Benjamin Fondane, de la littérature roumaine. P. Constantinescu, écrivant l'article qui paraît dans *Vremea* en juin 1934, n'a pas plongé sa plume dans une encre sympathique. Il stigmatise ce « jeune homme que le scandale littéraire a enfanté[235] ». F. Aderca fait du même jeune homme un portrait que l'intéressé aura pu comparer à l'original : « La littérature ne réussira jamais à satisfaire sa soif d'hégémonie, de notoriété[236]… » Il lui conseille de se tourner du côté de la politique s'il veut combler sa volonté de puissance. O. Sulutiu, lui, voit l'auteur sous les traits d'un « timide et (d') un asocial » chez qui le « négativisme est une raison d'exister[237] », et dont le livre « synthétise tout le doute, tout le tourment métaphysique de la nouvelle génération[238] ». Il le place devant l'alternative soit de « renoncer à écrire » soit de « créer, mais cette fois dans un sens positif ». Message amical : « L'auteur est un ami très cher[239] ».

Sur le chapitre de l'authenticité, P. Cormarnescu voit dans *Non* « la confession d'un pauvre diable[240] », à laquelle il accorde le bénéfice d'une certaine sincérité, *supérieure* même à celle de ses *semblables*, quitte par ailleurs à trouver le pénitent « mesquin, geignard, vulgaire, mégalomane… ». P. Constantinescu concède que, lorsqu'il fait le récit de ses démêlés avec C. Petrescu, « M. Ionesco devient lamentablement sincère[241] ». Mais « on peut se tromper avec sincérité[242] », observe sèchement I. Jianu. « Camarade détestable, indiscret, intrigant, médisant[243] » : Herseni admet malgré tout, au milieu d'un article d'éreintement, que les opinions de l'impétrant se vérifient cependant en partie « et parfois assez profondément[244] ». Il le crédite de qualités qui lui laissent bien augurer de son évolution vers la *vérité*.

Par-delà la mise en scène d'Eugène Ionesco par soi-même, P. Cormarnescu discerne le fond de tristesse et le climat de farce tragique qui imprègnent tout le texte.

Ce qui n'a pas échappé non plus à nombre de ses lecteurs, c'est le parti pris de déballage de l'auteur, son goût pour les anecdotes et les commérages, sa connaissance des coulisses du milieu littéraire, et la totale désinvolture avec laquelle il rapporte tous ces ragots, y mêlant, sans vergogne, les noms de ses amis. Dans cet exercice, l'iconoclaste aura manifesté un vrai savoir-faire. En effet, à peine paru, *Non* est distingué par un prix des Fondations royales, destiné à récompenser le premier ouvrage édité d'un jeune auteur. Les membres du jury sont Tudor Vianu, Serban Cioculescu, Petru Cormarnescu, Mircea Eliade, Romulus Dianu, Mircea Vulcanescu, et Ion Cantacuzino. Si les deux premiers se sont fermement opposés à l'attribution de la récompense à Eugène Ionesco, Tudor Vianu allant jusqu'à démissionner de la présidence du comité de sélection, les cinq autres s'y sont montrés favorables, les deux derniers avec enthousiasme. Ayant vigoureusement brassé le micro-milieu littéraire de Bucarest, l'impétrant s'en tire par une distinction doublée d'une gratification. En même temps qu'il lui conseille de s'accorder une période *de silence*, P. Pandrea semble prendre son parti du coup d'éclat du jeune Ionesco, lui souhaitant, après quelques années « de promenade dans le Jardin d'Academos », de faire « une entrée honorable et prometteuse dans l'Olympe littéraire [245] ». Peut-être, ici, l'implicite est-il que, s'agissant de l'honorabilité littéraire, la subite notoriété acquise avec *Non* reste marquée d'un doute.

Pour beaucoup, ce doute n'aurait pas dû profiter à l'accusé. Les âpres discussions auxquelles ont donné lieu les délibérations du jury des Fondations royales se sont prolongées sur la place. Révolté, I. Jianu reproche au Comité d'avoir encouragé « les boutades d'un enfant mal élevé », confondant l'arrogance avec l'audace et le courage. Des esprits moins entiers, plus subtils, ont su voir que le prix décerné au jeune Ionesco pour ses facéties critiques était aussi exactement cela : un prix, le prix à payer par la société littéraire pour « récupérer ses rejetons aux idées apocalyptiques ou seulement aux attitudes ridiculement provocatrices [246] ». C'est en ces termes que S. Cioculescu défend en septembre 1934 l'attribution des prix à Eugène Ionesco et à Emil Cioran.

Ionesco, Cioran, mais aussi Eliade : I. Jianu reconnaît dans ces confessions d'*adolescents* « la méthode agonistique [247] » de Mircea Eliade. Dès 1934 les trois noms d'Eliade, de Cioran et de Ionesco se trouvent associés à l'occasion d'un événement littéraire roumain.

Qu'on le désigne comme un *enfant terrible*, qu'on fasse de lui le *cas Eugène Ionesco*, n'empêche pas ledit Eugène Ionesco d'avoir des amis. Plusieurs des noms qu'il a jetés sur la place dans son livre sont ceux d'amis très chers, et quelques-uns d'entre eux, membres du jury, ont voté pour lui. Tudor Vianu qui, lui, a voté contre l'attribution du prix sera, une dizaine d'années plus tard, le confident épistolaire d'E. Ionesco.

Les critiques ont bien vu ce qui rapprochait E. Ionesco d'E. Cioran, mais aussi ce qui les différenciait. « Comme Emil Cioran, M. Eugène Ionesco est un enfant aux ambitions démesurées[248] » : S. Cioculescu voit bien que ces deux-là, « comme d'autres camarades de génération », sont animés par la volonté de graver leur nom sur un marbre qui en conservera la mémoire alors qu'ils ne seront plus là pour le lire. Son ami Mircea Vulcanescu croit que ce qui apparente E. Ionesco à E. Cioran, « c'est le même scepticisme radical[249] ». Mais, plus finement peut-être, un autre ami, O. Sulutiu, discerne que le mouvement qui porte le *Non* d'Eugène Ionesco ne s'identifie pas à celui qui conduit Emil Cioran, dans les mêmes années, *sur les cimes du désespoir*. Eugène Ionesco, écrit-il, « ne s'est pas limité à mettre en rhétorique son amertume, à la déclamer, il ne l'a pas édifiée en théorie comme Emil Cioran[250] ». D'une certaine manière, M. Vulcanescu retrouve lui aussi cette même différence lorsqu'il écrit : « Je ne peux pas m'empêcher de répéter que, parmi tous les auteurs des essais retenus par le jury en première lecture, le seul dont je sois sûr, malgré les apparences, qu'il ne s'amuse pas en écrivant est Eugène Ionesco[251] ». Malade de lucidité, tel apparaît E. Ionesco à M. Vulcanescu. L'objet profond du livre est la mise en cause de la littérature au regard des critères de l'absolu religieux. L'impudeur de la confession est à mettre au compte du primat de la sincérité dont on a fait une règle littéraire dans l'entre-deux-guerres. En cela E. Ionesco « est un fils spirituel de Mircea Eliade qui, depuis 1927, n'a cessé d'exhorter les jeunes à être authentiques[252] ». M. Vulcanescu est le mari d'Anina Pogoneanu, nièce de la grand-mère paternelle d'Eugène Ionesco.

Bucarest, début des années trente, la cohorte tumultueuse des compagnons de *Criterion*, la talentueuse phalange des cadets de la *Jeune Génération*, descendue de la mansarde où Mircea Eliade exerce sa juvénile magistrature, s'attroupe au Corso en un brouhaha de conversations, d'interruptions, d'altercations. Quel sérieux dans le travail, quelle application aux choses de l'esprit, quelle pénétration dans l'appréhension des textes, quelle profondeur dans leur analyse critique ! Au milieu, jouant des coudes, Eugène Ionesco, en proie au mal-être, rongé de mauvaise conscience, en désarroi, mais non pas désespéré, affamé des bonheurs de la vie, insatiable des éclats de la lumière, divisé au sein d'un monde lui-même divisé, et dont l'ardeur à vivre est à la mesure de la menace qui pèse sur lui. Ion Cantacuzino voit dans *Non* « une ample et pathétique confession [253] », exprimant ce que pressentent les fébriles contestataires de la *Jeune Génération*. Quoi ? « Que demain ils devront de nouveau aller au-devant de la mort [254] ». La mort : la mémoire emplie par les images de la Première Guerre mondiale, les cadets de *Criterion*, *épouvantés*, voient fondre sur eux la seconde. L'article est daté du 1er novembre 1934.

C'est le temps des amitiés. Ionesco déclare dans *Entre la vie et le rêve* : « Je m'étais fait un certain nombre d'amis [255] ». Empruntons-en les noms à Marie-France Ionesco. Amis du lycée Saint-Sava d'abord, les plus anciens après ceux de La Chapelle-Anthenaise : Eugen Vidrascu, Lucian Badesco, le poète Horia Stamatu qui initia son compagnon d'étude à Valéry. Ensuite il y eut Barbu Brezianu, né en 1909, magistrat, poète, historien, critique d'art, juste le profil qu'il fallait au lendemain de la Deuxième Guerre mondiale pour expérimenter longuement les cachots du régime ; il y eut aussi Arsavir Acterian (1907-1997), son « ami au nom d'archange », dont la politique le sépara à la fin des années trente, pensionnaire de longue durée lui aussi des mêmes prisons, ami de Ionesco jusqu'à sa mort. Petre Bubu fut cet étudiant en médecine, d'origine rurale, avec qui E. Ionesco eut le privilège de partager dans les jours de disette une chambre également squattée par des punaises dont le nombre mériterait une étude complémentaire. L'explosion d'une mine sur le front russe mit fin à la brève carrière médicale de Petre Bubu. Autres noms à citer, ceux de ces amis – Moteulescu, Hilarie Dobridor, Petre Manoliu – avec qui l'étudiant Ionesco aimait à festiver, et qu'il régalait tout particulièrement lorsque son père s'avisait de le gratifier de quelque libéralité significative. Morts jeunes comme Petre Bubu, il y eut également l'écrivain Anton Holban, le peintre Bob Bulgaru qui a laissé des portraits de Rodica et de son célébrissime époux.

Autres noms à prononcer, ceux des protagonistes de *Non* : Petru Cormarnescu, Mircea Vulcanescu, Octav Sulutiu, Mircea Eliade, Emil Cioran. Marie-France Ionesco nomme encore Edgar Papu, futur professeur d'université, bénéficiaire, lui aussi, des geôles du régime dans l'après-guerre, puis académicien ; Ghita Ionescu, économiste et politologue ; Cicerone Theodorescu et Eugen Jebeleanu, poètes ; Sandu

Lieblich, médecin ; Paul Costin Deleanu qui se tournera du côté de la Garde de fer. À citer aussi Luca Popovici, Maria Droc, Mimi et Puica Enaceanu, amies de Rodica.

Deux autres noms sont à ajouter : T. Vianu et M. Sebastian. Alors que le premier est l'un des deux membres du jury ayant voté contre lors de la délibération sur l'attribution du prix des Fondations royales, et que le second écrit un théâtre que Ionesco apprécie assez peu, c'est d'eux qu'il se rapprochera au fil des années trente pour les mêmes raisons politiques qui le feront s'éloigner, et vigoureusement, d'Emil Cioran et de Mircea Eliade.

CHAPITRE IV

DOULEURS ROUMAINES

Passé présent : scènes d'histoire

La Roumanie de l'entre-deux-guerres n'est pas seulement cette aimable République des lettres où des jeunes gens cultivés, et fins lecteurs, échangent des coups de griffe dans des revues savantes. Elle est aussi la Roumanie des convulsions meurtrières engendrant des images d'actualité en continuité intime avec celles qui viennent de l'histoire : image de Vlad l'Empaleur attablé (il faut bien que le prince se sustente) au milieu d'une cour nombreuse d'hommes et de femmes empalés, 20 000 condamnés en six ans, dit-on ; image de Constantin Brancovan, hospodar de Valachie au début du XVIIIe siècle, destitué le 4 avril 1714 sur ordre du Grand Turc, emmené à Constantinople, torturé lui et toute sa famille, décapité avec ses deux fils le 15 août de la même année. L'histoire de la Moldavie et de la Valachie offre à volonté des scènes de dévastations sur fond de populations massacrées, déportées, rançonnées. Non plus que celle d'aucun autre peuple, l'histoire du peuple roumain n'est aimable. Et, par exemple, de 1711 à 1916, on compte neuf invasions russes destinées à libérer les principautés de l'emprise ottomane, et, accessoirement, à les piller : « Par où les armées russes passaient, la terre gémissait », écrit un chroniqueur [1] à propos de l'invasion de 1819. Pour son compte, Edgar Quinet estimait que l'amitié de la Russie avait été plus nuisible aux Roumains que l'hostilité de tous leurs ennemis réunis. Nouvelle illustration au début du XXe siècle : le Trésor roumain, s'étant trouvé à Moscou en 1917-1918, il y a été retenu, c'est-à-dire confisqué par les bolcheviks. Quant à la victoire de 1918, elle a été cher payée : deux années d'occupation à Bucarest dont le *Journal* de Mircea Eliade garde la mémoire, faim, froid, pénuries, files d'attente ; deux années de morts, de poux, de typhus. Témoignage de la reine Marie [2] : « Les femmes, je les ai

137

vues, dressées comme des spectres devant leurs chaumières en poussière, regardant avec des yeux de folie la route où ceux qu'elles attendaient ne reparaîtraient jamais plus. Je les ai vues fixer le cadavre de leurs enfants morts de faim. Leurs yeux étaient secs, un chagrin trop fort ayant brûlé leurs larmes ».

Le lycéen de Saint-Sava, l'étudiant de la faculté des lettres de l'université de Bucarest, comme tous les lycéens et tous les étudiants de Roumanie, se transporte dans la vie avec ces images en immédiate correspondance avec les accès de violence qu'il a pu observer dans le clan Ionescu. Et aussi dans la rue.

Plus d'un demi-siècle s'est écoulé lorsque Ionesco se remémore cette scène dont il a été témoin à Bucarest, dès le début de sa période roumaine. Une troupe, drapeau en tête, défile sous les ordres d'un sous-lieutenant. Comme quelques autres, le jeune Ionesco regarde. Soudain il voit le sous-lieutenant quitter le détachement, s'avancer vers le paysan qui est juste à côté de lui, le gifler, puis reprendre sa place dans le défilé. Le paysan, happé par le spectacle militaire, avait oublié d'ôter son bonnet de fourrure et de saluer le drapeau. Mort le sous-lieutenant, écrit Ionesco en 1977, ou très vieux, mort le paysan, « le drapeau est en lambeaux mais il reste vivant dans ma mémoire[3] ». En 1933, Eugène Ionesco est au service militaire. À peine incorporé, c'est la fête du régiment. Il a l'avantage de faire partie de la corvée d'épluchage des pommes de terre nécessaires à la préparation du repas offert aux officiers pour la circonstance. Réveil au sifflet au milieu de la nuit, lever sous les ordres, cris, jurons : l'affaire presse. Le commando désigné se rue à la cave où se trouvent les pommes de terre. Pour accélérer le mouvement, au bas de l'escalier, un capitaine distribue des gifles aux recrues. Y compris à la recrue Ionesco, laquelle, aussitôt reconnue, a droit à une explication en forme d'excuse : « Vous êtes élève-officier ? Excusez-moi, dans l'obscurité, je n'ai pas vu votre insigne[4] ». Diplômé, le soldat Ionesco s'est trouvé, de droit, agrégé au peloton des élèves-officiers. C'est cette qualité qui lui vaut les mondanités nocturnes du capitaine. Il en est *abasourdi*. La gifle ne l'aurait pas tellement surpris tant elle semble faire partie des mœurs militaires, ce que confirme amplement la lecture du *Journal* de M. Sebastian. Non. Ce qui laisse sans voix l'ex-écolier français de La Chapelle-Anthenaise, c'est qu'en Roumanie on puisse gifler les soldats, à condition de veiller à les distinguer des élèves-officiers. Commentaire de Ionesco en 1977 : « Des choses infiniment plus atroces, plus terribles, plus tragiques se sont passées depuis. Ce n'était certainement pas le camp de concentration ni le bagne, ce n'était pas le goulag, mais l'esprit était le même ». Certes les ouvriers et les paysans roumains de 1977 « regrettent ces temps-là où il n'y avait que deux ans de service militaire à faire, deux ans de demi-bagne, où l'on pouvait ne recevoir, si l'on était maire et paysan, qu'un coup de canne de temps à autre de la part d'un sous-préfet ». Le bon temps, quoi ! Reste de la part d'Eugène Ionesco, jeune ou vieux, une sensibilité à vif pour tout ce qui est châtiment physique, humiliation sociale.

Automne hiver 1933-1934. Service militaire. Eugène Ionesco raconte à Mircea Eliade la désastreuse existence qui est la sienne à la caserne de Slatina dans une lettre du 6 décembre 1933. Vers ses dix ans, il rêvait d'être maréchal. À vingt-quatre ans, il est seconde classe. La gloire militaire n'est pas son partage. Plutôt, les corvées sous les cris et les insultes. L'activité physique ne lui déplaît pas au point que les quelques heures par jour consacrées à l'instruction militaire lui sont un répit. Il préfère les ironies du sous-lieutenant instructeur aux insultes du caporal. Pour le reste, la vie de caserne lui réserve dix minutes de bonheur quotidien, celles qui séparent chaque soir le coucher du sommeil, une heure d'agonie, celle qui s'écoule entre le moment où il se réveille le matin et l'instant redouté où le clairon retentit, et où il lui faut se lever dans le froid, enfiler ses chaussettes humides et ses godillots cependant qu'à côté de lui d'autres malheureux, à moitié endormis, font de même. « Je suis complètement abruti ou presque ». Il a oublié sa vie d'avant et il n'est pas habitué à celle qu'on lui impose à la caserne. « Quand cela finira-t-il, je n'en sais rien et je n'espère même plus que ça finisse un jour ; sans doute n'ai-je vécu que pour arriver ici, pour finir ici[5] ». Hormis sa mère et Rodica, personne ne lui écrit. Encore doit-il les solliciter. D'ailleurs, tout le monde lui écrirait-il qu'il n'en serait pas moins anéanti. C'est la caserne qui l'accable où il n'est qu'« un troufion que l'on tutoie, qui est humilié : un animal plus ou moins domestique[6] ». Transi, glacé, la main engourdie par le froid, il lui arrive de pleurer de douleur au petit matin, dans le dortoir où il pleut.

Ce qui, en outre, l'obsède, c'est que son régiment pourrait être appelé à réprimer des grèves comme celle des métallos de 1933. « Ils étaient mal payés, c'est évident, ils souffraient, au lieu que l'on fît des réformes et qu'on leur donnât le pain qu'ils réclamaient, ils reçurent des balles en échange[7] ». Des grèves avaient déjà eu lieu en 1929 dans la vallée de Jiu, avec des affrontements qui avaient fait de nombreux morts et blessés. « Angoissé, je me disais que je ne pourrais jamais tirer si on me l'ordonnait et que le conseil de guerre m'attendait[8]. » En 1934, il n'y eut pas d'émeute.

L'univers militaire que décrit Eugène Ionesco est en harmonie avec celui dont témoigne le *Journal* de M. Sebastian. Au milieu du désastre, il n'est pas vrai, cependant, que la recrue Ionesco oublie son identité civile. Contrairement à la crainte qu'il manifeste, son style n'est ni relâché, ni brouillon, ni plat. Au contraire, vif, concentré, riche en informations. Drôle dans la désolation : « Tu as été nommé professeur à l'université. Je te respecterais infiniment plus si tu étais adjudant-colonel de régiment[9]... » Dieu ? Mircea Eliade ne saurait l'être. À la caserne la place est déjà prise par le lieutenant-colonel Sipiceanu. Tandis qu'il s'apprête à mettre le point final à sa lettre en constatant qu'il est encore là pour des mois et des mois, c'est-à-dire pour une éternité, il observe : « Tiens, mon cerveau s'est un peu désengourdi ? » Le troufion encaserné n'oublie pas qu'il est un écrivain en exil : « Écris-moi encore, Mircea Eliade... et dis-moi où en est mon manuscrit. Un prix ? Une publication[10] ? ». Tout donne à penser qu'il s'agit de *Non* qui sera en effet en librairie en mai 1934. Sachant qu'il va disparaître de la circulation civile à partir de la fin 1933, Ionesco aura mis au point son manuscrit avant de partir, veillant à y inclure un article intitulé « Critique littéraire et scrupules sentimentaux » qui paraîtra en février 1934 dans *Azi*. Périodiquement, la recrue Ionesco redevient le poète et critique Eugène Ionesco : « J'ai une perm tous les huit jours environ[11] », indique-t-il à Mircea Eliade. Il voit venir une *perm* de Noël dont le séparent encore deux semaines et quelques jours. Il n'est donc pas absent du monde. Simplement la caserne où il est plongé pour l'ordinaire lui apparaît comme un gouffre où il chute à chaque fin de permission.

Cette lettre témoigne que Mircea Eliade écrit à Eugène Ionesco, que les relations entre eux deux sont suffisamment amicales pour que l'apprenti soldat confie au jeune professeur d'université ce qu'un écrivain a de plus précieux : un manuscrit. D'où alors une question : comment expliquer que, dans le premier volume des *Mémoires* de Mircea Eliade, *Les Promesses de l'équinoxe*, qui va jusqu'à l'année 1937 incluse, ne figurent ni le nom d'Eugène Ionesco ni le titre de son livre ? Silence imputable aux seuls aléas de l'écriture ? On trouve dans les *Mémoires* de M. Eliade la plupart des noms qui apparaissent dans l'événement littéraire que fomente E. Ionesco en 1934 : P. Cormarnescu, S. Cioculescu, E. Lovinescu, C. Noica, C. Petrescu, T. Vianu, M. Vulcanescu, sans oublier Nae Ionescu, M. Sebastian et E. Cioran, tout le microcosme littéraire de Bucarest avec en son centre le groupe *Criterion* et le café Corso. Un seul absent : Eugène Ionesco.

La Roumanie d'entre les deux guerres est une fournaise. Trois décennies plus tard, Eugène Ionesco se rappellera ce temps comme étant celui d'un *exil*, le temps d'une *déchirure*. La brutalité des relations quotidiennes n'était pas que dans les casernes. Eugène Ionesco se souvient d'étudiants « qui tapaient sur les gens ayant un nez pas très orthodoxe [12] ». Ces exercices pratiques auxquels se livrent ces physionomistes en formation se situent dans la longue histoire du judaïsme roumain. Pour ne s'en tenir qu'au XIXᵉ siècle, la marche des principautés vers l'unité et l'indépendance s'est déroulée sur fond de double jeu vis-à-vis des puissances européennes de l'Ouest. La proclamation en 1856 de l'autonomie de la Valachie et de la Moldavie, puis la reconnaissance en 1878, au Congrès de Berlin, de l'indépendance de la Roumanie se sont accompagnées d'une pression persistante des puissances occidentales en faveur de l'égalité des droits entre tous les sujets du nouveau royaume. La séparation, d'abord voulue par le peuple juif lui-même comme moyen de préserver son existence, imposée également par les prescriptions de la tradition religieuse orthodoxe, confortée par les dispositions du *Règlement organique* promulgué par la Russie en 1834, devait céder la place à l'assimilation, conformément aux principes des Lumières. Mais le *Règlement organique* de 1834 avait institué pour les juifs un statut spécifique, faisant d'eux une nation étrangère établie en territoire moldo-valaque. C'est en s'adossant à cette fiction juridique qu'à partir de 1866, libéraux et conservateurs se succédant au pouvoir à Bucarest purent opposer aux pressions internationales une résistance obstinée. Réputés étrangers, les résidents juifs ne pouvaient accéder à l'égalité des droits avec les sujets roumains que par la voie d'une naturalisation qui resta constamment précautionneuse et parcimonieuse. Ainsi la législation restrictive applicable aux juifs a-t-elle pu s'élaborer sans qu'ils soient nommés, leur sort étant englobé dans celui des *étrangers*. L'antisémitisme populaire s'est trouvé alimenté par le rôle d'intermédiaires joué par certains juifs au profit de l'aristocratie terrienne : fermiers gérant pour le compte des boyards des domaines parfois immenses, collecteurs de taxes, agents fiscaux, vendeurs de spiritueux [13]. Ces rancœurs sociales, qui n'excluent pas les gestes de compassion à l'égard des familles israélites persécutées, ne sont pas l'apanage des milieux dénués d'instruction. Au contraire, les mouvements antisémites recrutent largement parmi les instituteurs et les professeurs d'université, parmi les lycéens et les étudiants. « Invasion juive » « sangsues de villages », « plaie sociale »,

« les juifs sont notre malheur [14] », la population juive se trouve ainsi désignée comme minorité d'aversion. Ainsi se forme un état d'esprit collectif favorable à l'émergence de législations discriminatoires restreignant l'accès aux enseignements secondaire et universitaire, aux professions libérales et aux grades militaires, etc. Favorable aussi à des opérations d'expulsion de masse ainsi qu'au développement de forts courants migratoires, notamment vers la Palestine et vers les États-Unis. Favorable également à l'éruption périodique de violences meurtrières, mêlant, comme lors de la révolte paysanne de 1907, ressentiments sociaux et haines ethniques. Favorables enfin à l'expression de passions dont le caractère pathologique n'épargne pas les sujets les plus diplômés. Enseignant l'économie politique à l'université de Iassy, A.C. Cuza (1858-1944) enjoint par exemple, dans un texte paru le 14 décembre 1923, aux juifs de quitter la Roumanie, ajoutant à l'intention de ceux qui y resteraient : « Avant ma mort, je voudrais voir le sang des juifs mêlé à la boue [15] ». Son vœu se réalisera littéralement. Avec des tonalités diverses, le discours parlementaire et journalistique relaie et façonne l'antisémitisme de la rue dans la Roumanie qui se constitue à partir de 1860, comme si le nouveau Royaume était une citadelle assiégée. Or en 1899, la proportion des juifs dans l'ensemble du pays n'atteint pas 5 %. Même en Moldavie, elle dépasse à peine les 10 %. Toutefois dans certaines villes, elle s'élève à 30 et 40 %, 50 % à Iassy, cette concentration engendrant dans le reste de la population des inquiétudes latentes propices à ces discours fébriles qui à leur tour entraînent des violences physiques dont Ionesco se souvient lorsqu'il s'entretient avec C. Bonnefoy dans les années soixante.

LA GARDE DE FER

Violent dans le verbe, mais réfractaire au sang versé dans l'action, le professeur Cuza se voit comme un combattant pacifique. Vers 1937-1938, les frères Tharaud viennent le voir dans sa maison des environs de Iassy. Parlant de Cornelius Codreanu, dit *Le Capitaine*, chef de la Garde de fer, il leur confie : « Une chose nous sépare à jamais... l'assassinat [16] ». Pour les hommes de la Garde de fer, leur engagement implique le consentement à donner la mort autant qu'à la recevoir. Né de père polonais catholique et de mère allemande protestante, Cornelius Codreanu grandit dans la religion orthodoxe. Il se lie par serment en 1919 à une vingtaine de lycéens, en fin d'études secondaires comme lui, inaugurant un mode d'organisation où l'obéissance, le secret, le complot vont de pair avec de fortes convictions anticommunistes et antisémites, communisme et judaïsme étant perçus comme étroitement associés. L'admission, en 1923, des juifs à la citoyenneté, en conformité avec les engagements pris lors des traités de paix, donne lieu à des manifestations au sein de cette population nombreuse et famélique que constitue la jeunesse étudiante roumaine. Au cours de leurs opérations, les hommes de Codreanu brandissent un drapeau national orné d'une croix gammée que le professeur Cuza, bien avant Hitler, a empruntée aux traditions sacrées de l'aryanisme. Mais, à l'encontre des principes du professeur, Codreanu et ses compagnons se révèlent, dès les années vingt, des pratiquants déterminés de l'assassinat individuel. Surpris, alors qu'ils sont occupés à dresser une liste de banquiers juifs et de politiciens à abattre, une demi-douzaine d'étudiants sont emprisonnés, dont Codreanu. Ils ont été dénoncés par l'un d'entre eux, l'étudiant Vernicesco. Témoin à charge lors du procès, Vernicesco est assassiné par l'un des six inculpés, Motza, à qui un autre étudiant a fait parvenir un revolver. Les accusés sont acquittés sauf Motza et son complice Vlad qui restent en prison. Parallèlement, sur ordre du préfet de police Manciu, Codreanu et une cinquantaine de ses partisans sont arrêtés le 31 mai 1924. Humiliés, maltraités, torturés, ils sont remis en liberté. Codreanu ayant promis de faire la justice lui-même si on ne la lui rendait pas légalement, se fait tancer par le professeur Cuza qui lui promet de faire un rapport au ministre Jean Bratianu. Au lieu de sanctions, le préfet est décoré, les exécutants obtiennent de l'avancement. Mais à Bucarest, Motza et Vlad sont acquittés. À l'occasion d'une autre affaire, un pugilat ayant opposé le préfet Manciu à Codreanu, le *Capitaine* sort son revolver, le tue ainsi que, successivement, deux policiers venus au secours de la victime. Arrestation de Codreanu, de son père et de quatre de ses compagnons. Enfermement dans une cellule glaciale au monastère de Galata servant de prison. Grève de la faim. Mise en liberté du père et des quatre autres détenus. Le 20 mai 1925, ouverture du procès de Codreanu à Turn-Severin, le professeur Cuza figurant au nombre des défenseurs. Foule immense venue de toute la Roumanie. Trains surchargés de voyageurs. Procès tumultueux, au terme duquel les jurés, ruban à croix gammée à la boutonnière, acquittent les prévenus. Ovationné, porté en triomphe, Codreanu est reconduit en héros à Iassy par le train spécial formé pour ramener les étudiants venus le soutenir. Ainsi s'inaugurent en Roumanie les années agitées de l'entre-deux-guerres, telles qu'elles s'imprimeront dans la mémoire du lycéen et de l'étudiant Ionesco.

Fondée en 1927 par Codreanu, la Légion de l'archange Saint-Michel fait place en 1928 à la Garde de fer. À la suite d'une longue pérégrination à cheval au cours de la campagne électorale de la même année, menée en commun avec une autre troupe de cavaliers conduits par Michel Stelesco, s'intitulant *Les Frères de la Croix*, les deux organisations fusionnent. Programme : création d'un *homme nouveau* ; moyens et méthodes : organisation militaire, avec grades, exercices, emblèmes, uniformes, chemises vertes sur le modèle des chemises noires italiennes, serment secret, culte du chef, Codreanu prenant le titre relativement modeste de *capitaine*. C'est cette formation, électoralement minoritaire, qui va, de proche en proche, s'implanter au cœur de la vie politique roumaine, attirant à elle, non les banquiers et les industriels, mais les étudiants, les professeurs, le clergé, le milieu instruit et diplômé. C'est de cette progressive pénétration du milieu qui est le sien par l'esprit de la Garde de fer que Ionesco sera le témoin révulsé, et c'est de cette expérience qu'il tirera *Rhinocéros* (1959).

Face à cet assaut qui se veut moral et mystique, et non pas seulement politique, les institutions tentent de résister. Les libéraux de Bratianu sont supplantés électoralement par les nationaux-paysans de Maniu. Les péripéties parlementaires se déroulent sur fond d'instabilité monarchique. En 1925, le prince héritier Carol, dont la vie sentimentale agitée a connu force rebondissements, et dont la liaison avec Magda Lupescu, riche héritière juive de Bucovine, indispose particulièrement l'opinion, renonce à ses droits à la couronne. Son fils, Michel, n'étant encore qu'un enfant, une régence est mise en place. Mais au printemps 1930, Carol organise son retour et remonte sur le trône, sa maîtresse le rejoignant à l'automne. Ces circonstances mettent le roi en opposition avec Maniu qui démissionne. Les épisodes politiques et électoraux se succèdent jusqu'à un très bref gouvernement Goga-Cuza, fin 1937-début 1938, à la suite duquel le roi impose son pouvoir personnel.

Le mode de règlement des conflits ne relève pas exclusivement de la procédure parlementaire. Le 29 décembre 1933 le président du Conseil libéral Duca est assassiné par des gardes de fer. Aux élections de décembre 1937, le parti du *Capitaine* obtient près de 16 % des suffrages. Les résultats n'ayant dégagé aucune majorité, de nouvelles élections sont annoncées dont le résultat pourrait être selon le ministre de l'Intérieur, Armand Calinescu, une nouvelle et sensible progression du mouvement légionnaire.

L'historien Iorga ayant affirmé que l'on complotait dans les restaurants légionnaires, il s'ensuit un procès en diffamation à l'issue duquel Codreanu est condamné à six mois de prison.

Toute la vie politique roumaine est travaillée en sous-main par une lutte d'influence entre la France et l'Allemagne. Tandis que, à l'exemple de Nicolae Titulescu, fréquemment ministre des Affaires étrangères, toute une partie du personnel politique penche du côté de la France, des courants nouveaux se manifestent, dont la Garde de fer et Codreanu, en faveur de l'Allemagne. Aussi lorsque, en avril 1938, Codreanu est arrêté avec des dizaines d'autres chefs légionnaires, il est accusé de conspirer contre les institutions roumaines en connivence avec les nationaux-socialistes allemands. Le procès, ouvert le 23 mai 1938 devant une cour martiale composée de juges militaires, se conclut par la condamnation à dix ans de prison de Codreanu, accusé d'être l'instigateur des meurtres de Vernicesco, Manciu, Duca, Stelesco et de bien d'autres encore. L'arrestation en avril 1938 de Nae Ionescu est suivie le 14 juillet par celle de son assistant, M. Eliade, rentré à son domicile sur l'assurance d'Armand Calinescu qu'il ne serait pas inquiété. Retenu quarante jours dans un bureau de la Sûreté générale, il y est bien traité. « Je dormais sur le plancher, je n'avais aucune raison de me plaindre. Par contre, j'entendais les cris, les hurlements des détenus interrogés au sous-sol, surtout la nuit, quand s'arrêtait la musique du cinéma voisin [17]. » Ayant refusé de signer une déclaration par laquelle il se serait désolidarisé du mouvement légionnaire, M. Eliade est interné au camp de Miercurea-Ciucului où se trouve déjà Nae Ionescu. De refuge en détention, de camp en sanatorium, Mircea Eliade accumule les pages écrites dans les genres littéraires les plus divers. Sa chance aura été de tomber malade au bon moment. Transféré de Miercurea dans un sanatorium à l'automne 1938, il échappe au sort qui sera celui de ses codétenus en 1939. Les deux tiers d'entre eux seront exécutés. En cela, ils ne feront que subir le sort de Codreanu, abattu avec treize de ses compagnons dans la nuit du 29 au 30 novembre 1938. Selon le communiqué officiel, l'escorte accompagnant les quatorze prisonniers aurait été attaquée, et les chefs légionnaires auraient tous été tués en tentant tous de s'évader. Pour la Garde de fer, le ministre Calinescu a fait assassiner leurs chefs. D'abord étranglés, ils auraient ensuite été gratifiés chacun d'une balle dans la tête. Le jeudi 21 septembre 1939, M. Sebastian note dans son *Journal* : « On a assassiné Armand Calinescu, la radio vient de l'annoncer [18] ». Le ministre a été abattu dans sa voiture par un commando légionnaire. Le 23 septembre, M. Sebastian rapporte :

« Les meurtriers... ont été *exécutés sur le lieu du crime*, puis laissés là, sur le trottoir, un jour et une nuit, avec un écriteau : *Traîtres à la patrie* [19] ». Sebastian raconte que l'endroit est devenu instantanément un lieu de visite où la foule se presse. Pour mieux voir le spectacle, des badauds louent les escabeaux que des habitants du quartier mettent à leur disposition moyennant rémunération. Dans l'ensemble du pays, des dizaines de légionnaires sont exécutés. On cite le chiffre de deux cent cinquante. En cette fin des années trente, les haines stratifiées atteignent une intensité qui trouvera à s'exprimer dans le courant des années quarante.

La Mort : la donner, la recevoir, thématique cathartique de l'entre-deux-guerres. Thématique roumaine, notamment. On cite le poète Cosbuc (1866-1918) : « On ne meurt qu'une fois. Que ce soit à la fleur de l'âge ou en pleine vieillesse, c'est exactement la même chose. Mais ce qui n'est pas pareil, c'est de mourir en lion ou en chien enragé [20] ».

Ce que le jeune Ionesco a découvert avec une stupeur terrifiée, la mort dévorant toute vie, constitue pour *l'homme nouveau* le décor héroïque de son action. On récite les litanies des héros tombés pour la patrie. Pour la campagne électorale de 1932, Codreanu avait constitué pour s'opposer aux gendarmes et aux rosseurs professionnels, aux ordres du ministre Calinescu, une sorte de brigade des martyrs qui parcourait la campagne en chantant des hymnes. Il l'avait dénommée l'*Équipe de la mort*. « La mort, oui ; l'humiliation, non [21] », proclame *Le Capitaine* en 1933. Bastonnades, passages à tabac, tortures, mesures répressives à répétition, dissolutions, rien n'y fait, la Garde de fer traverse les années, se renforçant sans cesse dans le combat violent qu'elle livre au roi Carol et aux institutions. D'abord allié de Codreanu, Michel Stelesco s'en était séparé en 1935, et avait entrepris de rendre publics les crimes dont *Le Capitaine* s'était fait l'instigateur. Hospitalisé pour une appendicite, il fut assassiné dans son lit à coups de revolver. Des dizaines d'impacts furent relevés. On acheva le traitement à la hache. Les coupables, huit ou dix selon les sources, se congratulèrent, puis allèrent se constituer prisonniers. « Dieu nous pardonne [22] ! » s'exclame M. Eliade dans une lettre du 24 juillet 1936 à E. Cioran. Dans son *Testament du 12 octobre 1935*, Stelesco avait écrit : « Si je suis assassiné, vous saurez que c'est Cornelius Codreanu qui en a donné l'ordre [23] ». Dans son dernier article il écrivait au *Capitaine* : « Quand je vous ai vu de près, j'ai été saisi d'épouvante [24] ». Cependant qu'avec ses amis de *Criterion*, il se livre au jeu des provocations littéraires, Eugène Ionesco, lui aussi, aura été *saisi d'épouvante* devant les hommes et l'histoire. Fête de la mort héroïque, celle qui se célèbre le 11 février 1937 lorsque le train spécial qui ramène les corps des légionnaires Motza et Marine entre en gare de Bucarest. Engagés aux côtés des troupes franquistes, Motza et Marine ont trouvé la mort dans la guerre civile espagnole. Grandiose service funèbre, immense cortège avec en tête le Patriarche et plusieurs centaines de prêtres et d'évêques, chevaux noirs, officiers à manteau blanc et croix noire, garde royale, militaires en uniformes, représentants diplomatiques de l'Allemagne et de l'Italie, dizaines de milliers de processionnaires, centaines de milliers de sympathisants massés sur le parcours, salut fasciste bras tendu. Au milieu de la pompe wagnérienne, quelques voix discordantes : celle du recteur de l'université de Iassy qui sera poignardé dans la rue le 3 mars suivant ; celle d'Armand Calinescu qui se fait entendre à la Chambre et qui sera assassiné le 21 septembre 1939 ; celle du professeur Iorga qui tombera en novembre 1940. Le professeur Iorga avait condamné « la propagande de l'antichrétienté, le paganisme allemand et cette croix gammée qui jure avec la croix du Christ [25] ».

Bien qu'elle soit en lutte contre les institutions parlementaires et le Palais royal, la Garde de fer n'en influence pas moins la politique gouvernementale. En connivence avec l'antisémitisme ambiant, Goga, par décret, retire aux juifs leur nationalité roumaine, à charge pour eux de produire dans un délai de quarante jours les pièces prouvant leurs droits à cette nationalité. Les juifs se voient exclus de la fonction publique. La prise du pouvoir par le roi en février 1938 entraînera, non une abrogation de ces mesures, mais des aménagements dans leur application.

LES CADETS DE *CRITERION*

C'est tout le milieu que fréquente Eugène Ionesco qui vit ces événements dans un état de fermentation fébrile. Articles de journaux, controverses de cafés, arrestations, blessures, assassinats, tous les épisodes ne sont pas toujours sanglants. Des étudiants sont roués de coups dans les facultés, des passants dans les rues. Bien qu'à l'époque il fût « maigre comme un clou [26] », Ionesco se souvient, étant encore à l'école, d'avoir pris la défense d'un camarade juif, menacé d'être battu. Les violences sont fréquentes, banalisées, comme intégrées à la vie quotidienne. La Roumanie est traversée de passions convulsives qui n'épargnent pas les intellectuels. Si Paul Morand a brillamment saisi tout un aspect des mœurs roumaines, il n'a pas perçu le désespoir et les folies à l'œuvre dans la jeunesse. Le *Non* du jeune Ionesco en rend mieux compte sans qu'à aucun moment le propos se fasse politique. Et cependant en 1934, lorsque *Non* paraît, *Criterion* est déjà le lieu d'affrontement entre courants opposés. Dans ses souvenirs, recueillis entre 1985 et 1987, le sociologue Henri H. Stahl se souvient que, dans les années trente, il se rendait fréquemment au café Corso, en compagnie d'Eugène Ionesco. C'est là que se retrouvait le groupe *Criterion* après les conférences qui se déroulaient à la Fondation Carol. La Légion obsédait les esprits, agrégeant dans sa mouvance, les uns après les autres, les amis et compagnons d'Eugène Ionesco : Mircea Eliade, Constantin Noica, Mihail Polihroniade, Dan Botta, Arsavir Acterian, Emil Cioran, etc. *Criterion* finit par se dissoudre en 1934, faute du minimum de consensus nécessaire au fonctionnement interne, mais sans que les amitiés se rompent aussitôt. Les oppositions politiques finiront cependant par en avoir raison, au moins temporairement. À Paris dans les années 1938-1939-40, Ionesco ne voudra plus rencontrer Cioran.

À Bucarest, M. Sebastian demeure toujours dans les relations immédiates de M. Eliade au long des années 1935 et suivantes, même si les rencontres s'espacent, si les silences se font plus pesants. Le plus singulier est la fascination révulsée que continuera à exercer Nae Ionescu sur Sebastian. Cependant, en 1934, N. Ionescu avait infligé à Joseph Hechter, alias M. Sebastian, une cinglante et publique clarification de leurs rapports. L'année où paraissait le *Non* d'E. Ionesco, M. Sebastian avait publié son *roman* à forte connotation autobiographique, *Depuis deux mille ans*, pour lequel il avait obtenu une préface de N. Ionescu. N. Ionescu en avait profité pour administrer à ses lecteurs une leçon de philosophie de l'histoire que M. Sebastian n'avait sans doute pas prévue. Pour N. Ionescu, c'est en lui-même que le juif doit rechercher les causes de son malheur. L'appartenance ethnique relève du fait, non du choix. L'orthodoxie est partie constitutive de l'être roumain. Juif assimilé, M. Sebastian peut déclarer, sentir, croire qu'il n'est pas juif. Pour autant, il ne cesse pas de l'être. Lâchant sa flèche finale, Nae Ionescu interpelle M. Sebastian sous son patronyme de naissance, et c'est pour lui demander si, lui, Joseph Hechter, ne sent pas le froid et les ténèbres l'envelopper de toutes parts ? Si. Le *Journal* de M. Sebastian en témoigne : Joseph Hechter se sent effectivement environné par la montée du froid et des ténèbres. Eugène Ionesco aussi.

Le *Journal* d'E. Ionesco est d'un ton moins amène que celui de M. Sebastian. Les fragments n'en sont pas datés. Une mention indique simplement qu'ils sont « d'avant la guerre de 40 ». E. Ionesco vient d'assister à une conférence donnée à l'Institut Augustinien par un certain *Tudor*, (Tudor Vianu ?) « C'est très timidement, très prudemment que le conférencier a osé suggérer que Nietzsche est coupable, en grande partie, du fait que l'homme moderne, perdant son humanité, ne s'est pas élevé, mais qu'il s'est abaissé [27] ». Pour E. Ionesco, il eût fallu insister plus explicitement sur « l'orgueil luciférien de Nietzsche. » La prétention de l'homme à devenir un surhomme a fait de lui une *hyène*. Le *Journal* relève quelques cas de contamination des esprits. Il cite celui d'un certain Constant : « Son air doux, tendre, conciliant, cache des impulsions criminelles, doctrinairement criminelles ». Celui d'un Virgile également, licencié en philosophie : « La décrépitude se peint sur son visage, il a un teint gris et sale [28] ». Ce Virgile tient qu'il faut « tout détruire pour que tout recommence... lamentable cliché propre aux *révolutions* de gauche ou de droite ». La contamination n'épargne pas tout à fait l'auteur du *Journal* lui-même qui se libère sur le papier. « Je regardai ce Virgile, si laid, si antipathique, si sordide, qu'il donnait envie de détruire le monde, en commençant par lui ». E. Ionesco n'a pas succombé au charme de son homonyme N. Ionescu. Charme, au sens le plus fort du mot : une présence souveraine, un « aspect méphistophélique... » selon M. Eliade. Le chef de la *Jeune Génération* raconte dans ses *Mémoires* comment, médusé, il a découvert pour la première fois N. Ionescu, lors d'un cours sur *Faust et le problème du salut*. Lorsque le maître est apparu, « un silence presque surnaturel se fit... comme si chacun eût retenu son souffle... (Ses) yeux immenses d'un bleu sombre et métallique étincelaient positivement. Lorsqu'il parcourait son auditoire du regard, on eût dit que l'air était zébré d'éclairs [29]. »

De son côté, M. Sebastian confesse que lorsqu'il est face au maître tout se renverse, Nae Ionescu est de ceux qui disent la loi pour tous. L'ascendant est tel que M. Sebastian éprouve sa soumission comme un *accomplissement*. Artiste de sa propre mise en scène, et grand artiste, N. Ionescu ouvre à une jeunesse en état de panique intérieure, une voie de secours, la fusion de l'individu dans la communauté, une communauté qui l'englobe, qui le protège, qui le délivre de son angoisse. À partir de là une idéologie commune se met en place. À tous ces mégalomanes obsédés par leur survie historique, hantés par la crainte de ne laisser d'eux-mêmes que l'image de leur propre naufrage, cette idéologie apporte une réponse salvatrice, celle d'un engagement qui les libère d'eux-mêmes en même temps qu'il les mobilise au profit d'une cause dans laquelle leur passion d'agir peut se sublimer. Cessant d'être les ressortissants indiscernables d'un pays que les grands noms de la culture n'arrivent même pas à situer sur la carte de l'Europe, les voilà qui se redressent, qui revêtent l'uniforme de la Légion, et qui entreprennent de construire la Grande Roumanie, en commençant par en exclure les éléments qui lui sont étrangers, les juifs d'abord, mais pas seulement les juifs. Homogénéité ethnique, autonomie culturelle, ralliement au chef, c'est là le discours qui peut le mieux révulser le jeune Ionesco.

Le plus troublant est que l'appel à *l'homme fort* ait pu se glisser sous la plume d'Eugène Ionesco, mais seulement une fois, et seulement au cœur d'une crise de désespoir, au demeurant représentative de la crise et du désespoir que vit la jeunesse roumaine au début des années trente. E. Ionesco a vingt-deux ans lorsque, le 13 août 1932, il écrit dans son *Journal* : « Nous sommes de pauvres gosses, abandonnés dans le monde, dans cette immense bâtisse en démolition... Il est clair, si terriblement clair, que nous chancelons tous. Que vienne un homme fort ! *Un homme* qui ignore le doute, qui ne tremble pas, qui ne pleure pas, qui n'attende pas [30] ! »

LE TORRENT

Véritable cri de détresse d'une génération prête à noyer son angoisse dans l'alcool fort des unanimités autoritaires. « Le sol tremble sous mes pieds quand je pense que les autres sont tout aussi faibles, peureux, irrésolus que moi... tous les murs vacillent... » Lorsque dans l'amphithéâtre de l'université de Bucarest, la voix de Nae Ionescu retentit, et que ses yeux lancent des éclairs, cependant que s'établit ce *silence surnaturel* qui pétrifie Mircea Eliade, la parole du maître, parole paternelle enfin audible, pénètre les consciences jusqu'à la moelle. Dans l'été roumain de 1932, Eugène Ionesco lance comme un appel de détresse, un appel au père. « Mon cri, pauvre cri, résonne comme un soupir... La mort nous surprendra de dos, occupés à faire de la critique littéraire ».

Le nazisme hitlérien, rassemblé à Nuremberg, fascine. Dans les profondeurs de l'inconscient historique, les Walkyries ont entrepris leur mortelle chevauchée. Le désarroi des jeunes gens de Roumanie est à l'unisson de celui qui menace d'emporter toute une partie de la jeunesse européenne, dans un torrent qui finira par rouler sur le monde. Le torrent n'aura pas entraîné Eugène Ionesco. Dès 1935, écrivant son *Hugoliade*, il fait la critique du torrent comme image poétique. « Victor Hugo ne savait pas que la métaphore peut être l'une des conditions de la poésie, mais non pas la poésie elle-même. Il ne savait pas que l'éloquence accompagnée de métaphores est la négation de la poésie. Victor Hugo est éloquent et riche en métaphores comme l'est un torrent[31] ». Au milieu des années trente, la métaphore du torrent est chargée de signification psychique et politique. Son rejet signifie la résistance de l'individu Ionesco au mouvement quand le mouvement se pare des prestiges de l'irrésistible, et que l'irrésistible tire sa force du désespoir intérieur en connivence avec les forces extérieures du nihilisme organisé. Moins par vertu que par inaptitude à faire comme tout le monde, Ionesco ne parviendra jamais à penser dans le sens de l'histoire, ce qui lui épargnera d'avoir à réviser sa pensée chaque fois que l'histoire aura changé de sens. « Je ne sais pas pourquoi les hommes apprécient tellement les torrents dans la poésie et dans la vie intellectuelle et n'apprécient pas tout autant, dans la poésie, par exemple, l'élan vital des buffles[32] ». Les buffles ? Les rhinocéros ne sont pas loin. Ils apparaissent dans les fragments du *Journal*, non datés, mais réputés avoir été écrits *autour de 1940* ou en *1941*. « Je ne suis pas un homme nouveau. Je suis un homme[33] ». Les hommes nouveaux, roumains ou allemands, ne sont pas ses semblables. « Imaginez-vous un beau matin où vous vous apercevez que les rhinocéros ont pris le pouvoir. Ils ont une morale de rhinocéros, une philosophie de rhinocéros, un univers rhinocérique. Le nouveau maître de la ville est un rhinocéros qui emploie les mêmes mots et cependant ce n'est pas la même langue. Les mots ont pour lui un autre sens. Comment s'entendre ? » Le buffle de 1935 a fait place, vers 1940-1941, au rhinocéros dans le bestiaire de Ionesco pour exprimer cet élan vital au nom duquel les gardes de fer se donnent licence d'exprimer, dans l'ordre, la discipline et l'obéissance, toute la fureur intérieure qui les gouverne. Ceci à l'abri d'un vocabulaire d'allure idéologique : « Tout pour l'État, tout pour la Nation, tout pour la Race... », résume Ionesco. « Pour le rhinocéros, l'État est devenu un Dieu... On n'a pas voulu de Dieu parce que Dieu vous aliène et voici qu'ils ont fait de l'État un Dieu afin d'être aliénés[34] ».

Ce qu'Eugène Ionesco a vécu, au fil des années trente, c'est la métamorphose du milieu qu'il fréquentait quotidiennement à Bucarest, l'inféodation progressive au Mouvement légionnaire de quelques-uns des esprits les plus vifs, les plus cultivés, les plus talentueux de la *Jeune Génération*. Ce qu'il a observé, c'est la corruption rampante du langage. « Regardez-les ; écoutez-les : ils ne se vengent pas, ils punissent. Ils ne tuent pas, ils se défendent : la défense est légitime. Ils ne haïssent pas, ils ne persécutent pas, ils rendent justice. Ils ne veulent pas conquérir ni dominer, ils veulent organiser le monde... Ils ne font que de saintes guerres. Ils ont les mains pleines de sang, ils sont hideux, ils sont féroces, ils ont des têtes d'animaux. Ils s'enfoncent dans la boue, ils hurlent[35] ». La boue est l'image mouvante du marécage maléfique chez Ionesco. La boue est cette matière informe dans laquelle s'engluent les individus et les nations en perdition. Et lui, Ionesco ? Lui aussi, mais comme individu, pas comme sujet politique. « Je ne veux pas vivre avec ces fous. Je ne suis pas de leurs fêtes, ils veulent m'entraîner de force avec eux[36] ». Lui, Ionesco, a son programme : « Être libre, être hors de l'Histoire, ne pas être dans l'ordre du monde, ne pas être un instrument de l'orchestre[37] ». Ce qui, dans la solitude de leur cabinet, travaille tant d'intellectuels européens – participer, s'engager, se fondre dans le torrent qui emporte les individus et les nations, s'immerger au plus profond du flot historique –, c'est cela même qui fait horreur à Ionesco dès ce moment-là.

RHINOCÉROS

Ce sentiment d'une puissance d'entraînement, d'une force qui happe les individus, qui les agrège à la horde, est très présent dans *Rhinocéros* (1959). Dès la première apparition de l'animal sauvage, l'indication de scène évoque un bruit, d'abord très éloigné, mais qui se rapproche très vite, « ...un souffle de fauve... (une) course précipitée..., un long barrissement[38] ». Le rhinocéros ne se manifeste jamais qu'au galop. Quand il y en a plusieurs, c'est en groupe qu'ils se ruent à travers la ville. Lorsque *Jean* commence de se métamorphoser, sa mutation s'accompagne d'un bouillonnement que *Bérenger* tente prudemment de qualifier *d'excès de santé*. *Jean* proteste qu'au contraire son équilibre est parfait. Ce qui mobilise *Jean*, c'est toute cette énergie vitale qui l'envahit, et qui lui fait réfuter les pauvres mises en garde de *Bérenger*. La jungle, il saura y vivre, il a ses mots à lui pour justifier son consentement à devenir rhinocéros : « Je n'ai pas vos préjugés[39]... Les rhinocéros sont des créatures comme nous[40]... » À la place de la morale, il mettra *la nature*. Quant à *l'homme*, il ne veut même plus qu'on prononce ce mot en sa présence. Il veut retourner à l'intégrité primordiale. Et l'amitié ? *Jean* n'en a que faire. Il finit par hurler : « Je te piétinerai[41] ». Le fauve apparaît d'abord comme un dangereux prédateur : « Il a écrasé mon chat[42] », se lamente *la ménagère*. Puis, marginalement, il fait naître la compassion : « Pauvre bête[43] », s'exclame *Daisy* lorsque *M. Bœuf*, collègue de travail de *Bérenger* comme *Daisy*, se transforme, lui aussi, en rhinocéros. Le fauve pousse des barrissements angoissés en direction de *Mme Bœuf*, comme si la méta-morphose s'était opérée sans qu'il y consente. Il y a les esprits forts, tel *Botard*, qui refusent d'admettre que de tels phénomènes puissent advenir jusqu'au moment où lui-même connaît la même mutation ; les idéologues, tels le *logicien* qui débite des propositions générales aussi peu opératoires que : « La peur est irrationnelle [44] » ; ou, s'adressant à la *ménagère* éplorée, des consolations aussi peu consolantes que : « Que voulez-vous madame, tous les chats sont mortels [45] » ; jusqu'à ce que, lui aussi, devienne rhinocéros non sans conserver son signe distinctif, à savoir un canotier désormais empalé sur sa corne. Passé la première panique, le surgissement du deuxième rhinocéros se résorbe en une discussion d'allure savante sur la bicornuité ou l'unicornuité du *périssodactyle*. L'irruption de la barbarie au sein de la civilisation, au lieu de ranimer l'instinct de conservation, ne fait que surexciter l'esprit de ratiocination, ce dont la barbarie s'accommode aisément. « Des histoires, des histoires à dormir debout [46] », décide *Botard* avec condescendance, résolu, quoi qu'il advienne, à nier l'évidence. Peu à peu l'appréciation sur les fauves change : on trouve qu'ils ont de l'instinct, on leur concède une innocence naturelle, on juge leurs chants mélodieux. On se flatte de croire que, si on les laisse tranquilles, ils ne sont pas méchants. « Ils sont beaux [47] », s'exclame *Daisy* à la fin, extasiée. Au moment où il donne cette réplique à dire à son personnage, Ionesco n'a, selon toute vraisemblance, aucune connaissance de ce que M. Sebastian a déjà noté dans son *Journal* le mardi 12 février 1935. La veille, la conférence que devait prononcer Nae Ionescu aux Fondations royales a été interdite par le gouvernement. « Les étudiants ont été bloqués sur le trottoir côté palais où ils huaient, vociféraient, chantaient. Après, ils ont été repoussés un peu plus loin, place de l'Athénée, où Nae, juché sur leurs épaules, les a harangués, nu-tête, vêtu de son manteau à col de loup. *Il était beau, Nae*, m'a dit Nina [48]. » Nina, c'est Nina Mares, la première femme de Mircea Eliade, épousée en janvier 1934, qui mourra en 1944. Il ne reste plus à *Daisy* qu'à nommer l'ultime transfiguration : « Ce sont des dieux [49] ». Faire quelque chose ? Mais quoi ? Les parquer ? La Société protectrice des animaux s'y opposerait. D'ailleurs, de quel droit se mêler de la vie des autres ? Bientôt on ne voit plus qu'eux dans les rues. On s'y habitue. Les débats théoriques sur des sujets latéraux tels que l'unicornuité ou la bicornuité, les arguties lénifiantes, les accès de mauvaise conscience, les vertueux efforts de compréhension, la conjonction des cécités délibérées, des impuissances solitaires, des prudences légitimes, ont livré la cité aux barbares. Et *Bérenger* ? *Bérenger* comme le Ionesco des années trente, errant au milieu des troupeaux à chemises vertes qui vont par les rues, chantant et marchant, tente de se garer, de résister à l'épidémie, de mettre en garde. Héroïque combattant de la liberté ? *Bérenger* est tout sauf héroïque. Les arguments qu'il oppose aux déploiements rhinocériques dans la ville vont du plus plat : « Ça en fait de la poussière [50] ! », jusqu'au sursaut d'indignation – « Ils sont ignobles [51] » – qu'il oppose au « Ils sont beaux » de *Daisy*. Incertain, indécis, *Bérenger*, du sein de sa panique, flottant au gré de ses variations velléitaires – « Je voudrais être comme eux [52] » –, très sensible au charme des marches fauves, *Bérenger*, tantôt fanfaron – « Je n'abdiquerai pas, moi [53] » – tantôt nostalgique – « Hélas, jamais je ne deviendrai rhinocéros, jamais, jamais [54] » – *Bérenger*, si tenté qu'il soit, finit par convenir qu'il ne peut consentir à devenir ce puissant animal à la peau dure d'une magnifique couleur vert sombre – « Je ne peux pas », – constate-t-il, *Bérenger*, tout laid et flasque qu'il se découvre, se résignera à assumer son personnage : « Contre tout le monde, je me défendrai... je suis le dernier homme. » Il gronde : « Ma carabine ! Ma carabine ! »

C'est à l'insu de son plein gré que *Bérenger* devient un combattant, c'est parce qu'il y a en lui une parcelle d'irréductible qu'il n'est pas en son pouvoir d'extirper, qu'il ne lui est pas possible de rallier le fleuve qui roule vers les chutes du torrent historique. Et Eugène Ionesco ? Le 3 octobre 1941, M. Sebastian raconte dans son *Journal*, que, se trouvant, l'après-midi, dans un café à Bucarest en compagnie d'Eugène Ionesco et de Rodica, ils se sont attablés dans l'intention d'écouter le discours qu'Hitler doit prononcer. « Mais, au bout de deux secondes, Eugène s'est brusquement levé. Il était plus que pâle – blême. *Je ne peux pas ! Je ne peux pas !* Il le disait avec je ne sais quel désespoir physique. Il s'est sauvé et, naturellement, nous l'avons suivi. J'aurais voulu l'embrasser [55] ». *Bérenger* ne peut pas. Eugène Ionesco non plus. Cela ne relève pas de la raison idéologique. Cela monte des entrailles. Cela fait de lui un réfractaire sans qu'il cesse pour autant d'être cet ambitieux jeune homme qui clame sa passion de la gloire dans *Non*.

LA FRANCE À BUCAREST

À Bucarest, Nae Ionescu subjugue les étudiants roumains, il fascine également les professeurs français, du moins l'un des plus brillants d'entre eux, Alphonse Dupront. Il le fascine, mais sans aucunement le convaincre. Né en 1906, normalien, agrégé d'histoire et de géographie, Alphonse Dupront dirige de 1932 à 1940, l'Institut français de hautes études en Roumanie. En réplique à l'influence allemande qui ne cesse de croître, la mission de l'Institut est de diffuser la culture française, de nouer des contacts avec les élites roumaines, de favoriser les échanges entre les deux pays. Avec Alphonse Dupront à sa tête, l'Institut est au sommet de son prestige. L'Institut est perçu comme un refuge par les Sebastian, les Ionesco, par tous ceux qui essaient d'échapper à l'emprise de la Garde de fer, aux discriminations dont sont victimes les minorités ethniques et religieuses, à l'ambiance de violence qui obscurcit la vie universitaire. Mais Alphonse Dupront veille à ne pas faire de son Institut un instrument de combat idéologique, même si la lutte d'influence avec l'Allemagne entraîne inévitablement des clivages qui recoupent ceux qui divisent la Roumanie. Si, en 1936, Octave Goga reproche à la France « d'accorder un trop grand nombre de bourses à des étudiants juifs [56] », cette honorable suspicion ne doit pas masquer l'ambition de l'Institut qui est d'assurer une présence française dans tous les milieux, y compris dans ceux qui ne cachent pas leur germanophilie. Conférences, réceptions, voyages d'études, bourses sont les moyens d'action habituels d'Alphonse Dupront. Proches de l'Institut sont Tudor Vianu, Ion Pillatt, Ilarie Voronca, mais aussi Camil Petrescu en qui A. Dupront voit un « solide ami de la France [57] », au sein de la droite roumaine. Quoique « peu porté sur les choses de la France... l'étonnant et fascinant Nae Ionescu [58] » se rencontre lui aussi dans les locaux de l'Institut. Fascination : où qu'il paraisse, l'inspirateur de la *Jeune Génération* exerce une attraction magnétique sur ses interlocuteurs si prévenus soient-ils et A. Dupront est de ceux qui savent garder leurs distances. Nae Ionescu prononce une conférence à l'Institut sur Calvin. Son assistant Mircea Eliade, en revanche, n'est pas au nombre des collaborateurs auxquels A. Dupront fait volontiers appel. La causalité politique est à écarter car, si Mircea Eliade n'est pas au nombre des collaborateurs de l'Institut, Emil Cioran figure parmi ses boursiers au même titre qu'Eugène Ionesco. L'éclectisme politique d'Alphonse Dupront n'est pas en cause. En 1947, Dupront offrira à M. Eliade de témoigner en sa faveur à la Sorbonne.

Une dizaine de boursiers en 1930-1931, une quarantaine en 1937-1938, une semaine du Livre français du 1er au 8 décembre 1938, des contacts, des réseaux, sous la direction d'A. Dupront, l'Institut se constitue en zone franche où les francophiles comme M. Sebastian et les francophones comme E. Ionesco viennent respirer un air de liberté de plus en plus raréfié en Roumanie.

De cette raréfaction témoigne le *Journal* de M. Sebastian : propos ouvertement antisémites dans les conversations, désordres et agressions physiques dans les lieux publics, mise en cause des responsabilités juives dans les réactions antisémites. Le lien entre la Révolution russe et l'activisme juif obsède le milieu roumain. *Qu'est-ce que le communisme sinon l'impérialisme des Juifs,* se fait dire M. Sebastian le 25 juin 1936. Soupçonné d'avoir conclu un accord secret avec Moscou, Titulescu est voué aux gémonies. L'image est celle d'un pays où les anxiétés explosent en violences devant un avenir qui ne promet que guerre, oppression, terreur, et qui, en effet, sera bien celui-là. C'est dans ce pays dont le *Journal* de Sebastian nous lègue l'image qu'Eugène Ionesco se débat comme dans une nasse. Autant qu'un autre, mieux qu'un autre, il ressent la menace que les grandes puissances voisines et les confrontations internes font peser sur sa propre vie. Cette asphyxie à laquelle sont promises à brève échéance les activités de l'esprit en Roumanie oppresse autant M. Eliade qu'E. Ionesco, E. Cioran autant que les deux premiers, d'où pour eux trois, et pour quelques autres, une perspective commune, celle de la fuite, que les uns et les autres parviendront à concrétiser, mais dans des conditions inégalement heureuses. En attendant, si tourmentée que soit son évolution, la Roumanie demeure une monarchie parlementaire où l'anarchie des manifestations de rue n'anéantit pas l'état de droit. Le mercredi 22 juillet 1936, M. Sebastian note la stupeur qu'il a éprouvée lorsque, quelques jours plus tôt, il a appris que Joseph Hechter était engagé en qualité de journaliste à la *Revue des Fondations royales.* « Il m'a fallu quelques jours pour y croire [59] ». Il a touché 39 500 lei d'arriérés. « Fabuleux ! » s'exclame-t-il.

LE PROFESSEUR EUGÈNE IONESCO

Parallèlement, E. Ionesco, qui a obtenu sa *capacitate* en français en 1934, et qui a donc fini par passer tous ses examens, y compris *ceux du milieu,* entame une carrière d'enseignant. Il est d'abord nommé au lycée de Cernavoda, localité située au confluent du Carasu et du Danube, à 160 km environ de Bucarest, desservie par la ligne de chemin de fer reliant la capitale au port de Constantza sur la mer Noire. Ses cours le retiennent trois jours par semaine. Il continue d'habiter Bucarest. Il fait la navette. À la rentrée de 1936, il est nommé au séminaire de Curtea de Arges. À peu près à la même distance de Bucarest que Cernavoda, cette ville est surtout connue pour son église épiscopale où se trouvent les tombeaux des deux premiers rois de Roumanie, Carol Ier et Ferdinand Ier et de leurs épouses, les reines Elisabeth et Marie. Le professeur Ionesco n'y reste que quelques mois, une circonstance malheureuse lui valant d'être nommé au séminaire central de Bucarest. La circonstance est la mort en janvier 1937, à trente-quatre ans, de son ami Anton Holban, neveu du critique Eugène Lovinescu, lui-même critique littéraire et aussi romancier. Décédé des suites d'une intervention chirurgicale en janvier 1937, il laisse vacante la chaire de français qu'il occupait au séminaire, et qui est attribuée à E. Ionesco, de retour cette fois à plein temps à Bucarest. Très vite il quitte ce poste pour assurer, à l'administration centrale, la direction du service des relations avec l'étranger. E. Ionesco redeviendra professeur à l'automne 1940, après son retour en Roumanie. Il enseignera alors à Saint-Sava où il avait fait ses études secondaires. Ces affectations successives dans deux séminaires n'expriment pas des choix délibérés de sa part en faveur d'établissements de formation théologique encore que, durant ces années trente, les préoccupations religieuses soient très présentes à son esprit. Ces nominations s'expliquent par le simple fait qu'en Roumanie, à l'époque, les titulaires de la *capacitate* pouvaient être appelés à servir dans l'ensemble des établissements scolaires, y compris les séminaires.

MÉTAMORPHOSES

La révulsion d'Eugène Ionesco pour la Garde de fer et ce qu'elle représente s'exprime avec force dans ce passage d'un article paru dans *Viata Romaneasca*. « Dans ma rue, en ce novembre sévère et sombre, des bandes de légionnaires incarnant toute la bestialité et toute l'infinie bêtise de l'humanité et du cosmos – passaient en chantant je ne sais quel *chant* (une sorte de mugissement) de fer, aux paroles de fiel et de fer, en crachant du fiel et du fer, des figures de bêtes enchaînées et marquées au fer rouge [60] ». Les figures étaient si semblables les unes aux autres qu'« on avait la certitude que tous étaient le même visage multiplié. À mesure qu'ils avançaient, la nuit de l'enfer descendait sur les rues de la ville ». La force de l'expression rend palpable l'exécration d'E. Ionesco pour le Mouvement légionnaire. Le propos est en intime connotation avec le texte de *Rhinocéros* que Ionesco écrira à la fin des années cinquante. Mais quand ces lignes ont-elles été écrites ? Elles sont datées du 19 mars 1945 et ont été publiées en mars 1946 dans *La Vie roumaine*, à un moment où, installé à Paris, E. Ionesco pouvait penser que, dans la Roumanie du moment, sa réprobation de la Garde de fer serait bien accueillie. Alignement *a posteriori* sur l'idéologie victorieuse ? Non. C'est le même sentiment qui s'exprime continûment dans la partie du *Journal* intitulée *Bucarest avant et autour de 1940*.

Évoquant le vaste monde et les aventures qu'il propose aux audacieux, il se rétracte au spectacle que lui offre la Roumanie où le voilà confiné : « Et nous, nous sommes là parmi les gens les plus laids de la terre, parmi les crétins, les rustres, les ogres qui veulent nous dévorer, quel sort ! Qu'avons-nous fait, mon Dieu, pour être dans les mains de ces gens-là ? Je vis dans la frayeur du matin au soir[61]. » « *Autour de 1940. Les policiers sont rhinocéros. Les magistrats sont rhinocéros. Vous êtes le seul homme parmi les rhinocéros[62].* » Le processus de contamination est perçu comme une progressive infiltration des esprits par l'idéologie en suspens dans l'air. « Tous mes amis antifascistes sont devenus fascistes, totalement, fanatiquement, parce qu'ils ont cédé d'abord sur un tout petit détail[63] ». On désapprouve les violences antisémites, mais on admet que les juifs ne sont pas étrangers aux causes qui les expliquent, que sur tel ou tel point leur comportement ne peut que susciter de brutales réactions. De concession en concession, les plus modérés se « trouveront bientôt happés par Moloch ».

L'image de la métamorphose est en germe dans le *Journal*. « Je lui parlais. C'était encore un homme. Tout d'un coup sous mes yeux, je vois sa peau qui durcit et s'épaissit d'une façon effroyable. Ses gants, ses chaussures deviennent des sabots ; ses mains deviennent des pattes, une corne lui pousse sur le front, il devient féroce, il fonce avec fureur. Il ne sait plus, il ne peut plus parler. Il est devenu rhinocéros[64] ». Comme *Bérenger*, à certains moments, E. Ionesco confesse qu'il voudrait bien se transformer comme ses interlocuteurs, céder au courant dominant, s'évader de sa solitude. « Mais moi, je ne peux pas », constate-t-il.

Loin que cette singularité satisfasse celui qui la vit, elle le culpabilise. « C'est comme un péché de n'être pas rhinocéros[65] », avoue-t-il. Il est « seul, seul[66] », il est une « anomalie, un monstre » qui n'a personne à qui parler. « Comment peut-on communiquer avec un tigre, avec un cobra, comment convaincre un loup ou un rhinocéros de vous comprendre, de vous épargner, quelle langue leur parler ? »

Ionesco aura vu ses meilleurs amis arrimer leur radeau au navire amiral de la Légion, Nae Ionescu tenant la barre de l'idéologie pour le compte du *Capitaine*. Son *Journal* de la *fin janvier 1942* mentionne « une société philosophique portant le nom d'un professeur fasciste et qui groupe soixante jeunes philosophes[67] ». En octobre 1941, un an et demi après la mort de N. Ionescu en mars 1940, il s'est constitué à Bucarest une société ayant pour objet la publication des œuvres du maître. Au nombre des fondateurs, Ionesco peut noter des noms qui lui sont familiers : C. Noica, M. Vulcanescu... E. Ionesco redoute l'efficacité de ces sortes de sociétés. Ces « idéologues se réunissent, discutent, se préparent : ils sont *mystiques*, légionnaires ou prélégionnaires... ils deviendront cent, deux cents, mille, ils envahissent les journaux, les revues... leurs voix couvrent tout. » En 1970, dans un entretien publié dans *l'Express*, Ionesco admettra que le thème de la *rhinocérite* aura eu, pour lui, un caractère obsessionnel. S'est-il trouvé seul à résister ? Pas tout à fait. « Nous étions une quinzaine à nous réunir, à discuter, à trouver des arguments pour les opposer aux leurs. Ce n'était pas facile[68] ». Le Ionesco de 1970 fait le parallèle avec les dérives du moment, évoquant les « avalanches de discours, conférences, essais, articles de journaux, etc., toutes sortes de bréviaires, aussi simplistes que ceux d'aujourd'hui, chinois ou autres... » Parmi les propos qu'il rapporte, figurent ceux d'un certain S. « S. me dit, tout en se promenant avec moi dans les rues : regarde-les, regarde-les, ils sont habités par la boue de la propagande, ils croient avoir inventé et pensé ce qu'on leur a enfoncé dans le crâne[69] ». Ce S. devient plus loin M. S. : « Regarde tous ces gens-là dans les rues, ils n'ont plus de cervelles, à la place, il y a de la boue, de la propagande ».

L'intervenant extérieur : Je demande une suspension.

L'orateur : Encore !

L'intervenant extérieur : Il est urgent de faire quelques mises au point. D'abord, ces deux citations à une centaine de pages de distance, dans le même livre, *Présent passé, Passé présent*, ressemblent à un bégaiement. Toutes deux disent la même chose. Toutes deux se terminent de manière identique : « Une autre propagande emplira leur tête d'une autre boue ». Si ces propos ont été notés au jour le jour, ce M.S. a tendance à radoter, ce qui ne l'empêche pas d'être doté d'une véritable prescience. Le voilà qui, *vers 1940* ou *autour de 1940*, devine que la propagande légionnaire laissera bientôt place à une autre *propagande* qui ne peut être que la propagande communiste.

L'orateur : Cela ne suffit pas à justifier qu'on jette le doute sur la crédibilité du *Journal* des années quarante d'Eugène Ionesco.

L'intervenant extérieur : La redite, à quelques mois de distance, de la même opinion par le même interlocuteur alerte tout de même un peu. De surcroît, détail qui lui non plus ne suffit pas à confirmer cette suspicion, mais qui la conforte tout de même un peu, à deux reprises ce M.S. est réputé avoir parlé de la *boue de la propagande*. Or s'il est un mot qui fait spécifiquement partie de la terminologie de Ionesco, c'est bien celui-là : la *boue*. Alors, qui parle ?

L'orateur : Il y a peut-être transcription du propos dans la langue de Ionesco. Les pages du *Journal* datées des années quarante ont été écrites partie en français, partie en roumain. Quand il était en roumain, le texte a été traduit en français par Ionesco lui-même. Le tout a été revu par lui.

L'intervenant extérieur : Ce qui permet bien des ajustements.

L'orateur : Rien n'autorise à parler de falsification.

L'intervenant extérieur : Soit. Admettons. Mais ce qui, surtout, intrigue, c'est le don de prévision de ce M.S. Cette *autre propagande* dont il parle n'a pu être imposée à la Roumanie qu'au terme de circonstances historiques impliquant la guerre aux côtés de l'Allemagne, la défaite de celle-ci, l'invasion du pays par l'Armée rouge, etc. En prévoyant tout cela *autour de 1940*, ce M.S. manifeste un talent singulier pour deviner l'avenir. Au lieu qu'en 1968, lorsque paraît *Présent passé, Passé présent*, Eugène Ionesco savait ce qu'avait été l'histoire de la Roumanie depuis 1940, et il ne lui était pas difficile de placer dans la bouche de ce M.S. des propos particulièrement avisés sur ce qui allait advenir. La confidence de M.S. qui apparaît à la page 78 de *Présent passé, Passé présent* reparaît à la page 180, après toutes sortes de considérations d'allure historique sur les années trente. La typographie qui permet, en principe, de distinguer ce qui a été écrit *autour de 1940* ou en *1941* ou en *1942*, de ce qui l'a été dans le milieu des années soixante, donne à penser que ce récapitulatif appartient bien au *Journal* des années quarante. Or il arrive parfois que le texte, soudain, passe à l'imparfait. Dans un récit supposé rédigé *autour de 1940*, Eugène Ionesco fait un tableau historique de cette métamorphose qu'il a vu s'opérer sous ses yeux, et qui a fait d'intellectuels diplômés, des légionnaires hébétés d'idéologie. « Nous étions jeunes à l'époque, et comment résister intellectuellement contre tant de spécialistes fanatisés : sociologues, philosophes de la culture, biologistes qui fondaient *scientifiquement* un racisme, littérateurs, journalistes[70] ». Et soudain, au milieu de ce texte, censé être écrit *autour de 1940*, cette référence anachronique : « Il y a bien eu une biologie marxiste ». Eugène Ionesco peut-il, *autour de 1940*, parler ainsi au passé de la biologie marxiste, illustrée par Lyssenko bien au-delà du début des années quarante ? Cette rétrospective des années trente se comprend beaucoup mieux si on en situe la rédaction dans les années cinquante ou soixante et non *autour de 1940*. Au « nous étions jeunes à l'époque », correspond, dans l'entretien donné à l'*Express* en 1970, le « vers 1933, j'étais jeune, je résistais à la rhinocérite, mais je ne savais pas très bien pourquoi[71] ». Il y a mieux. À la page 148 de *Présent passé, Passé présent*, je trouve :

« *1967. Je relis des pages de mon journal intime* ». La typographie semble indiquer que la page précédente appartient bien à ce *Journal*. Or on peut y lire ceci : « Lorsqu'on me dit que la justice socialiste n'existe pas et que dans les États socialistes, c'est la force cynique et l'arbitraire qui règnent, je le crois volontiers[72] ». Mais Ionesco, se référant à sa propre histoire familiale, observe que la justice de l'entre-deux-guerres n'était guère plus équitable, « du moins dans ces pays de l'est de l'Europe ». Il est clair que ce passage du *Journal*, avec sa référence à la *justice socialiste* n'a pu être écrit *autour de 1940* non plus qu'en *1941*. D'où je conclus que la date de la rédaction de tout ce qu'Eugène Ionesco rassemble sous la rubrique *Journal* est douteuse, qu'il pourrait bien s'agir d'un exercice de réécriture au milieu des années soixante d'un texte prétendument composé au jour le jour *autour de 1940*, et qu'en conséquence, il faut prendre avec beaucoup de précautions les affirmations de l'intéressé sur sa prétendue résistance à l'idéologie légionnaire au cours des années trente. Ce que je retiens c'est, à la date du 13 août 1932, cet appel, incontestable celui-là, à *l'homme fort*. Et d'ailleurs Eugène Ionesco n'apparaît dans le *Journal* de M. Sebastian que le 14 juin 1940, à son retour de France. Si M. Sebastian avait trouvé en lui un allié dans les années trente-cinq et suivantes, il n'eût pas manqué de le mentionner.

L'orateur : C'est que, en 1935, E. Ionesco et M. Sebastian n'étaient pas encore dans une relation de proche amitié. Ionesco n'a jamais eu qu'une estime modérée pour le théâtre de Sebastian, et, d'ailleurs, à l'époque, il n'avait guère d'estime du tout pour le théâtre en général. Le passage du *Journal* sur le fonctionnement comparé de la justice socialiste et de la justice bourgeoise ne peut en effet dater de 1940 ou 1941. Et il est vrai que la typographie rattache cet extrait au *Journal*. Mais Ionesco, écrivant en 1967, mentionne son « Journal intime ». Tout le début du IV de *Présent passé, Passé présent* est consacré à l'année 1967, au lendemain de la guerre des Six Jours. Les parties du *Journal* antérieur qui s'y trouvent insérées ne sont pas datées, et concernent le passé familial de l'auteur. On ne retrouve une date, *1941*, qu'à la page 155. Je vous concède donc que, sans pour autant avoir été composé dans les années soixante, ce que Ionesco dément – « *1967. Je relis des pages de mon journal intime*[73] » – le passage de ce *Journal* consacré à la justice en Roumanie n'a pu être écrit *autour de 1940*. Mais, précisément, Ionesco ne donne pour ce passage aucune date. En revanche, la mention : « Il y a bien eu une biologie marxiste[74] » dans un passage portant l'indication : *Autour de 1940*, est plus troublante.

Si la prétention des savants soviétiques à élaborer une science d'inspiration marxiste est une constante, en 1940 cette prétention n'appartient pas au passé, à moins, qu'implicitement, Eugène Ionesco n'envisage l'Union soviétique comme déjà vaincue dans la confrontation qu'il voit venir avec l'Allemagne. Faut-il, pour expliquer le *il y a eu*, au lieu du *il y a* qui aurait dû s'imposer à la plume du rédacteur de 1940, aller jusqu'à envisager un rajout à la publication, Ionesco cédant furtivement à la tentation de raccorder le principal de son propos, composé effectivement *autour de 1940*, avec des circonstances postérieures riches en significations comparées ?

L'intervenant extérieur : On peut s'attendre à tout de la part de quelqu'un qui s'est rajeuni de trois ans dans ses notices biographiques, et qui fait mourir sa grand-mère maternelle en 1923 alors qu'elle est morte en 1933.

L'orateur : Je vous accorde volontiers que la vérité historique des écrits autobiographiques en général, des journaux en particulier, demande des confirmations externes. L'auteur d'un *Journal* note des rumeurs, des conversations dont il peut comprendre mal certaines incidences, il les rapporte dans sa langue à lui, néglige de mentionner les informations qui devraient ensuite venir corriger sa première rédaction etc. *Le Journal* de M. Sebastian, bien que daté avec beaucoup plus de précision que celui d'E. Ionesco, n'est pas pour autant à l'abri de ces sortes d'altérations. Mais pour ce qui est des positions politiques d'E. Ionesco dans les années trente, il y a des témoignages. « J'ai rencontré, récemment, A. [75] » écrit E. Ionesco *autour de 1940*. « On ne peut plus s'entendre, c'est un autre, un autre qui porte le même nom [76] ». Qui est, ce A ? « Autrefois, il n'y a pas longtemps, quand je prononçais son nom, quand j'écrivais son nom, quand je le voyais, ou quand je pensais à lui une lumière se répandait dans mon cœur ; je sentais une présence chaleureuse, réconfortante. Je ne me sentais plus seul ». Pour qui cette véritable déclaration d'amitié ? Hasardons qu'il s'agit d'Arsavir Acterian, cet ami très cher dont il lui semblait que le nom était un « nom d'archange ». Or que découvre-t-il à présent ? Arsavir Acterian s'est tourné du côté de la Légion. « Maintenant, ce même nom est barbare... pire, c'est le nom d'une hyène ou d'un chien ». Et E. Ionesco de nous raconter que, quelque temps auparavant, A. habitait une petite maison au milieu d'un immense jardin gardé par « un énorme chien, un bouledogue, presque sauvage, très laid, d'une cruauté stupide... le seul chien vraiment idiot que j'aie jamais connu. » Un jour le chien se détache et se jette sur A. qui, au terme d'un « combat atroce », réussit à s'en délivrer. « A. était blême, le visage d'un autre, changé. C'est à partir de là qu'A. a commencé d'être un autre... La bête l'avait possédé, elle avait laissé en lui sa semence... La figure même de A. n'est plus la même... il ressemble au chien. Il est devenu l'enfant du chien, ou peut-être la femelle de la bête. Il est féroce, implacable, stupide[77] ». Il ne parle plus la même langue. Son ami Eugène Ionesco ne le comprend plus.

L'intervenant extérieur : Lequel n'est pas d'ailleurs à l'abri de la contamination. C'est lui, en effet, qui assène, à propos de ce nouveau A., « qu'on devrait l'exterminer ». Cette image du chien enragé qu'il faut tuer parce qu'il a été mordu par un chien lui-même enragé est très forte, mais toute cette histoire ressemble un peu trop à une fable symbolique inventée *a posteriori*. La vérité c'est qu'A. Actérian, dans le début des années trente, est un apprenti philosophe, familier de la mansarde d'Eliade, pratiquant actif des combats intellectuels qui s'y déroulent la nuit, dans lesquels il voit des défis enivrants, emporté du côté de la Garde de fer, comme bien d'autres, par le puissant courant nationaliste et orthodoxe qui entraîne la *Jeune Génération* vers le mouvement de Cornelius Codreanu. Pas besoin d'inventer des histoires de chiens méchants pour expliquer cette dérive.

L'orateur : Rien ne prouve que cette histoire soit inventée. De toute manière, bouledogue ou pas, Arsavir Acterian, dans un entretien qu'il a accordé à la revue *Apostrof* en 1991, confirme totalement la résistance d'Eugène Ionesco aux égarements de l'époque. Il se souvient que Ionesco l'a traité de tous les noms, qu'il était hors de lui, et qu'effectivement il s'est trouvé, progressivement, séparé de ses amis happés par la mouvance légionnaire. Acterian confessera qu'il s'est totalement trompé et que Ionesco avait entièrement raison. Ce témoignage externe qui confirme bien la fiabilité, sur le fond, du *Journal* de Ionesco, à quelques détails près, est à son tour confirmé par une mention du *Journal du Printemps 1939*. « Je me suis querellé, une fois de plus, avec D, l'hitlérien. Nous avons failli en venir aux mains. Dire que c'est un ami ! Ou plutôt c'était un ami il y a quelques mois encore. Maintenant ça n'est plus possible[78] ». À Bucarest, E. Ionesco fréquente assidûment l'Institut français et se lie avec Alphonse Dupront qui se félicitera de lui avoir facilité l'obtention d'une bourse d'étude en France. De 1926 à 1935 sa signature apparaît dans de nombreuses publications – il en a été recensé plus d'une quinzaine –, et ces publications présentent une grande diversité d'opinions. Mais une chose est sûre, son ancrage politique situe Eugène Ionesco à l'opposé de la Garde de fer sans qu'on puisse pour autant le classer du côté de la social-démocratie. Anarchiste de tempérament, monarchiste de raison, critique sarcastique du provincialisme culturel roumain, il entretient avec Cioran et Eliade des relations amicales, mais que les divergences politiques rendent de plus en plus difficiles, et qui doivent s'accommoder d'une liberté d'expression réciproque pleine de vigueur et de saveur. Destinataire à Berlin, où il poursuit ses recherches, d'un exemplaire de *Non*, E. Cioran, dans une lettre du 1er juin 1934 à P. Cormarnescu, s'exprime sans timidité sur le livre d'E. Ionesco qu'il a lu. Cette lecture lui a donné le sentiment d'avoir plongé dans les toilettes municipales. Pour finir, il proclame qu'il met fin à toute relation avec l'auteur. Cela ne dissuadera pas après la guerre, à Paris, les deux exilés de se téléphoner tous les jours, parfois plusieurs fois par jour. Eugène Ionesco n'est pas en reste. Les lecteurs de *Facla* (*Le Flambeau*) ont le privilège d'apprendre le 4 juin 1936 qu'Eliade « allie de façon paradoxale l'érudition à l'imbécillité »[79]. Tout cela n'empêche pas les sentiments. Et vers la fin des années trente ces sentiments deviendront si vifs que Ionesco, pour des raisons clairement politiques, refusera de rencontrer Cioran alors que tous deux seront à Paris. S'y trouvant elle-même en 1938, Mariana Sora, dans ses mémoires intitulés *Une vie en morceaux* (1992), situe clairement Cioran dans la mouvance nationaliste alors qu'elle classe Ionesco dans la gauche modérée.

L'intervenant extérieur : Vers 1938-1939 à Paris, oui. Mais en Roumanie, dans les années 1934-1937, il a été observé que le contenu des articles d'Eugène Ionesco était assez étranger à la politique, qu'ils se cantonnaient aux plans esthétique et littéraire, comme si le jeune Ionesco veillait prudemment à ne pas prendre parti publiquement.

L'orateur : Possible. Reste que ses convictions ne sont pas douteuses et que nul ne les ignore. Son père en particulier ne les ignore pas. On rapporte que, satisfait de découvrir le nom d'Eugène Ionesco flatteusement cité dans la revue de Tudor Arghezi, *Billet du perroquet*, le premier mouvement d'Eugen Ionescu est de féliciter son fils. Puis, ayant appris que cette publication avait fait l'objet de critiques de la part du pouvoir, il lui reproche avec véhémence d'y avoir précédemment collaboré. Cette fois Eugène Ionescu use du *vous* ainsi qu'il en a l'habitude lorsqu'il fait des remontrances à son fils. Que son père se soit ensuite rapproché de la Garde de fer, cela aussi ne pouvait qu'éloigner Eugène Ionesco de l'idéologie légionnaire. Il résulte de tout ceci que le sens de l'engagement politique d'Eugène Ionesco dans les années trente est clairement dans la résistance à la *Garde de fer*.

Dialogue d'Eugène Ionesco avec son père dans les années trente : « La dernière fois que je l'ai vu, j'avais terminé mes études, j'étais devenu jeune professeur, j'étais marié[80]... » Nous sommes donc dans la seconde moitié de 1936, ou en 1937 ou 1938. En réalité, il ne s'agit pas de la dernière rencontre. Celle-ci aura lieu quelques années plus tard, au cimetière où le fils retrouvera le père lors de l'enterrement de sa grand-mère paternelle. Un jour de 1936 ou de 1937 ou de 1938, Eugène Ionesco déjeune donc avec son père. Le face-à-face tourne à l'affrontement pour des raisons politiques. « Bref, à la fin du repas nous nous querellâmes : autrefois il m'avait traité de bolchevique ; puis il m'avait traité d'enjuivé. C'est d'enjuivé qu'il m'avait traité à la fin de ce repas. Je me souviens de la dernière phrase que je lui ai dite. *Il vaut mieux être enjuivé que con, Monsieur, j'ai bien l'honneur de vous saluer*[81] ». Enjuivé ? Dans l'Europe de la première moitié du XXe siècle, il peut s'agir simplement d'une injure pour disqualifier les orientations intellectuelles ou morales d'un auteur sans que l'épithète implique nécessairement, pour celui qui la reçoit, une identité ethnique ou religieuse déterminée. Mais voici qui est plus précis : « J'ai commis une grande faute dans ma vie : j'ai sali mon sang, je dois racheter le péché du sang[82] ». Cette confidence d'Eugen Ionescu fait à son fils l'effet d'un coup d'assommoir. Que vient-on de lui dire ?

Individualiste, formé à l'idéal de la démocratie libérale par l'école de la IIIe République, indifférent aux surenchères de l'ethnocentrisme culturel roumain, ces raisons expliquent-elles à elles seules l'opposition déterminée d'E. Ionesco au Mouvement légionnaire ? « Existerait-il une biographie cachée de Ionesco[83] ? » La question ayant été posée, on ne peut se dispenser de l'envisager. Reportons-nous au *Journal* de M. Sebastian, à la date du lundi 10 février 1941. « Eugène Ionesco, vite enivré après quelques cocktails (samedi matin), se met soudain à me parler de sa mère. Sans que nous ayons jamais abordé ce sujet, je savais depuis longtemps qu'elle était juive. Étourdi par la boisson, Eugène se met donc à *tout dire*, d'un souffle, comme pour se soulager de je ne sais quelle oppression qui l'étouffait. Oui, elle était juive, elle était de Craiova, son mari l'a abandonnée en France avec deux enfants en bas âge, elle est restée juive jusqu'à sa mort, lorsque lui, Eugène, l'a baptisée de sa main. Puis sans transition, il me parle de tous ceux dont on ignore qu'ils sont *juifs*... Il les évoque tous avec un certain dépit, comme s'il voulait se venger d'eux ou passer lui-même inaperçu dans leur foule[84] ». Nous sommes dans la Roumanie post-légionnaire.

En septembre 1940, le maréchal Antonescu, alors général, a obligé le roi Carol II à abdiquer au profit de son fils, Michel. Le général sera désormais le *Conducator* de la Roumanie. De la mi-septembre 1940 au 23 janvier 1941 il a gouverné avec Horia Sima, successeur de Cornelius Codreanu à la tête de la Garde de fer. Bien que la tentative des 21 et 22 janvier 1941 des légionnaires pour s'emparer par la force de tout le pouvoir ait été un échec, Antonescu n'en poursuit pas moins, pour son compte, la politique antisémite inaugurée par le gouvernement Goga-Cuza, au début de 1938. En vertu du décret-loi du 5 octobre 1940, il suffit que l'un des deux parents soit juif pour que l'enfant le soit aussi. La liste des professions interdites aux juifs ne cesse de s'allonger, professions commerciales, libérales, médicales, judiciaires, etc. avec toutefois une certaine prudence pour les exclusions concernant le secteur économique ainsi que le remarque le représentant de la France à Bucarest, Spitzmuller, dans sa note du mois de mars 1941. S'adressant au ministre des Affaires étrangères à Vichy, Spitzmuller fait le récit des événements qui viennent de secouer la Roumanie, et qui ont eu pour épilogue l'écrasement de la révolte de la Garde de fer. Les mesures de roumanisation ne frappent d'ailleurs pas que les juifs, elles s'appliquent aussi aux ressortissants français. Exclus de la direction des entreprises, quelques-uns d'entre eux ont été expulsés, voire internés en camp de concentration. C'est dans ce climat de xénophobie et d'antisémitisme qu'Eugène Ionesco revient voir M. Sebastian le mardi 25 mars 1941. « Désespéré, suffoqué, obsédé, il ne supporte pas l'éventualité d'être chassé de l'enseignement. Apprenant tout à coup qu'il a la lèpre, un homme en bonne santé peut devenir fou. Eugène Ionesco apprend que ni son nom, ni son père de souche incontestablement roumaine, ni son baptême chrétien à la naissance, que rien, rien, rien ne peut occulter la malédiction d'avoir du sang juif dans les veines [85]. » Juif sans le savoir, juif honteux de se découvrir juif, dans un contexte où cette identité signifie la mort professionnelle dans l'immédiat, la mort tout court à terme, E. Ionesco se livre au début de 1942, dans son propre *Journal*, à des réflexions qui semblent en pleine cohérence avec les confidences que rapporte M. Sebastian. « *Fin janvier 1942...* D'abord, notre vie physique est menacée. Menace imminente... il y a la guerre pour tous. En plus, pour nous, ce serait la fin, dans le cas d'une rébellion de la Garde de fer (nous serions éliminés en tant qu'hommes de gauche) ; exterminés, nous le serions également dans le cas d'une révolution communiste (en tant que bourgeois) ; ou, enfin, nous pouvons être éliminés aussi à la suite des mesures prises par le gouvernement légal contre les gens de notre *catégorie* [86] ». De quelle *catégorie* peut-il s'agir sinon de celle qui découle de l'appartenance juive ? L'interprétation semble s'imposer d'elle-même encore que le lecteur se fasse la réflexion que cette *catégorie-là* n'eût pas manqué d'être encore plus menacée que celle des *hommes de gauche* si une révolte victorieuse avait rendu le pouvoir à la Garde de fer au sein d'un État devenu entièrement légionnaire. Pressé de reconstituer le puzzle, le lecteur passe outre, et croit trouver dans l'origine juive de Thérèse Ipcar l'explication de nombre de faits et de textes dont la cohérence jusque-là a semblé lui échapper.

Et d'abord le divorce paternel, qui ressemble plus à une répudiation qu'à un divorce, se comprend beaucoup mieux si la femme est juive dans la Roumanie de 1916. Ce n'est qu'à la suite des traités de paix ayant fondé la Grande Roumanie que la nationalité roumaine a été reconnue de droit aux juifs. L'échec ultérieur de Thérèse Ipcar dans ses tentatives pour faire réviser le procès en invoquant le faux produit par Eugen Ionescu peut également mieux s'expliquer si l'on prend en considération les préventions antisémites du milieu judiciaire et du barreau dans la Roumanie de l'entre-deux-guerres.

Aux faits de société s'ajoutent les textes. Celui-ci, par exemple, qui est extrait des *Cahiers* d'E. Cioran à la date du 20 octobre 1967. « S. m'a raconté une chose épouvantable. Après une conférence sur E., la sœur de celui-ci vint le remercier de n'avoir pas parlé de leur mère, car, dit-elle, *mon mari est antisémite et il ignore que ma mère était juive*. L'antisémitisme est odieux et d'une cruauté inimaginable [87]. » Qui est ce E. sur lequel un certain S. fait une conférence ? Eugène ? Eugène Ionesco ? Et la sœur, est-ce Marilina ? La conférence se situe-t-elle en Roumanie dans la courte période de libéralisation qui suit la mort de Gheorghiu Dej le 19 mars 1965 ? Suppositions.

Les textes sont d'abord ceux de Ionesco lui-même, où l'on voit le père traiter son fils d'*enjuivé*, et s'accuser d'avoir souillé son propre sang. Cette souillure, c'est évidemment son mariage avec Thérèse Ipcar. S'éclairent aussi bon nombre de textes de fiction à forte connotation autobiographique. Le *Premier Homme* de *L'Homme aux valises* exige de « connaître le nom de jeune fille de (sa) grand-mère [88] ». L'employé de la mairie lui demande si elle appartenait à « une classe sociale compromettante » ou « à une catégorie ethnique persécutée ? À une race condamnée ? » Prudent, il conseille au *Premier Homme* : « Dans ce cas il vaudrait mieux ne pas chercher ». Le *Premier Homme* persiste. L'employé lui confirme qu'il se trouve dans « le seul petit village au monde possédant encore les archives de toute personne, originaire ou non de notre vieille commune ». Ce registre d'état civil universel est une loufoquerie modèle Ionesco, à l'abri de laquelle l'employé assure au *Premier Homme* que c'est bien dans cette mairie qu'il lui faut chercher « le nom de (ses) arrière-grands-parents ». La recherche porte sur « le nom de la mère de la grand-mère ». S'introduit ainsi une première dissonance majeure : est-ce sa mère que Ionesco croit juive comme pense l'avoir compris M. Sebastian ? Ou est-ce la grand-mère de sa mère ainsi que le donne à penser l'autofiction de *L'Homme aux valises* ? Dans cette quête, le *Premier Homme* nous renvoie évidemment au Ionesco du *Journal en miettes*. Dans ce *Journal* Ionesco nous raconte un rêve où il se voit en compagnie de ses grands-parents maternels à la recherche du nom de la mère de sa grand-mère, « son nom de jeune fille que nous ne connaissions pas, peut-être parce qu'elle le cachait : origine sociale compromettante de l'arrière-grand-mère. Appartenait-elle à une catégorie ethnique persécutée ou condamnée[89] ? » Les mots mêmes qui se retrouveront dans *L'Homme aux valises* (1975) sont déjà dans le *Journal en miettes* (1967) y compris l'onirique registre d'état civil où figure « toute personne originaire ou non de cette vieille commune[90] ». L'autofiction théâtrale y ajoute un vieillard portant « une vieille calotte noire sur la tête » qui se présente comme le grand-père du *Premier Homme*. Ce personnage à calotte se retrouve dans *Voyages chez les morts* et se présente aussi comme le grand-père maternel de *Jean*.

Le grand-père maternel d'Eugène Ionesco se nommait Jean Ipcar, patronyme peut-être d'origine séfarade, que l'on trouve dans la région de Craiova, mais également en France où l'annuaire téléphonique le recense une demi-douzaine de fois. Jean Ipcar a pour mère Anna Ipcar née Lindenberg d'ascendance vraisemblablement juive. Ce nom de Lindenberg est celui qui figure à l'acte d'état civil mentionnant le décès de Jean Ipcar, né à Bucarest le 12 février 1850, et mort à Paris, le 10 août 1924, à son domicile, 16 rue de l'Avre dans le XVe arrondissement. Le nom de Lebel est cité par certaines sources, mais l'état civil français ne semble pas le connaître. « Moi je veux connaître mon origine », proclame celui qui rêve dans le rêve que rapporte le *Journal en miettes*. C'est ce que répète le *Premier Homme* dans *L'Homme aux valises*. Cette préoccupation des origines affleure dès *Le Journal du printemps 1939*. Évoquant les tombes fleuries de mère Jeannette et de père Baptiste que lui fait visiter Marie au cimetière de La Chapelle-Anthenaise, Ionesco écrit : « J'ai le sentiment que ce sont les tombes de mes grands-parents. Surtout que je n'ai jamais vu les lieux où ont été enterrés mes grands-parents maternels. Maintenant leurs os sont dans la fosse commune ; mes tantes et mes oncles n'ont jamais eu le culte des morts [91] ».

Rappelons les faits. Si le grand-père maternel d'Eugène Ionesco porte le nom d'Ipcar, c'est qu'il est, légalement, le fils d'Anna Ipcar née Lindenberg (ou Lebel), et de Jean-Sébastien Ipcar, son époux. En fait, celui-ci l'ayant laissée veuve très jeune, Anna a vécu sa vie durant en concubinage avec un dénommé Émile Marin (dit *Miélou*). Il subsisterait donc un doute concernant la paternité de Jean Ipcar : Jean-Sébastien Ipcar ou Émile Marin ? Qu'il s'agisse d'Émile Marin ou de Jean-Sébastien Ipcar, tous deux sont luthériens. Émile Marin paraît avoir la nationalité française. Qui est la mère de Thérèse Ipcar, la grand-mère maternelle d'Eugène Ionesco ? Il s'agit d'Aneta Ipcar, épouse de Jean Ipcar, née Aneta Ionid ou Ioanid ainsi que l'établit l'acte de naissance d'Armand Ipcar. Armand Ipcar, né le 14 mars 1895, est l'un des frères de Thérèse Ipcar. Le nom d'Annette Ioanid apparaît également dans l'acte d'état civil constatant le décès de Jean Ipcar, comme étant celui de son épouse. Aneta Ioanid, de Curtea de Arges, est la fille de Mihai et d'Aretia Ioanid, tous deux de nationalité roumaine, d'origine grecque et de religion orthodoxe. Le nom d'Abramovici qui apparaît dans son acte de décès de 1933 s'explique, sans doute, par le fait que sa mère, Aretia Ioanid, s'est trouvée veuve dès 1866 alors qu'Aneta avait trois ans. Dans la nécessité de subvenir à ses besoins, Aretia Ioanid a trouvé à s'employer dans la famille Abramovici. C'est dans cette famille qu'Aneta Ioanid grandira jusqu'à l'âge de douze ans. À son tour elle sera placée dans une famille, celle d'Anna Ipcar. C'est dans cette situation que le fils de la maîtresse de maison, Jean, fera la connaissance d'Aneta Ioanid et l'épousera lorsqu'elle aura atteint l'âge de seize ans. On peut supposer que son mariage sera l'occasion qui déterminera le passage d'Aneta à la religion réformée. Le registre des décès de l'église évangélique de Grenelle témoigne qu'elle est morte en 1933 à la Maison protestante des vieillards de Nanterre. Conclusion : laissons à Marta Petreu, essayiste roumaine, spécialiste de Ionesco, le soin de la formuler en une terminologie généatico-juridique où se télescopent les notions de religion, de race et de nationalité, que la mise en œuvre des lois raciales des années trente et quarante ne pouvait manquer de produire. « Par conséquent, nous expose-t-elle dans *Ionesco au pays du père*, Eugène Ionesco, fils d'Eugen N. Ionescu et de Thérèse Ipcar, était du point de vue ethnique : moitié roumain, un quart grec, un huitième français et un huitième juif [92] ». Elle ajoute que du point de vue de la citoyenneté, Eugène Ionesco était roumain tant par son père que par sa mère.

L'intérêt de cette recherche n'est pas génétique. On ne croit pas du tout que l'œuvre littéraire d'Eugène Ionesco s'explique, souterrainement, par une hérédité qui ferait de lui un juif, dont les productions intellectuelles seraient inéluctablement déterminées par cette appartenance biologique. Cette conception du marquage racial, qui est spécifiquement national-socialiste, étant résolument écartée, on ne voit pas non plus que le judaïsme ait imprégné si peu que ce soit la formation culturelle de l'enfant et de l'adolescent Ionesco, sauf sous la forme que Ionesco signale lui-même lorsqu'il écrit dans son *Journal de 1967*, au lendemain de la guerre des Six Jours. « Je suis évidemment partisan d'Israël. Peut-être parce que j'ai lu la Bible. Peut-être parce que j'ai une formation chrétienne et parce que, après tout, le christianisme n'est qu'une secte juive [93] ». Formation chrétienne : baptisé dans la religion orthodoxe, Ionesco a reçu en héritage, en même temps que les lumières laïques de l'école de la IIIe République, les mystères chrétiens tels que les formulait le catéchisme catholique de 1920, avant de replonger, au cours des années suivantes, dans la spiritualité orthodoxe. « J'ai connu le judaïsme très tard [94]. » Ce qu'il peut y avoir de judaïque dans cette culture lui est venu par l'intermédiaire du christianisme. De surcroît Ionesco est formel : sa mère était orthodoxe, baptisée à la naissance. « Ionesco nous confia, le 5 septembre 1990, que sa mère était chrétienne [95] ». Aucune raison de douter de cette confidence faite à Emmanuel Jacquart : autant on pourrait le soupçonner de vouloir taire une filiation juive dans la Roumanie des années trente et quarante, autant pareille dénégation dans la France de 1990 resterait sans motivation discernable. De fait, c'est selon le rite orthodoxe qu'a été célébré le mariage de Thérèse Ipcar avec Eugen Ionescu. Les enfants ont été baptisés.

Si l'on écarte la détermination génétique, et si la formation reçue ne laisse aucune place à une influence culturelle significative tenant à une ascendance juive, quel peut être l'intérêt psychologique et littéraire de la question des origines ? S'introduit ici le thème du *Juif non juif*. Ce *Juif non juif* est celui à qui son entière assimilation dans le sein des cultures nationales européennes où il vit, a fait oublier son origine, mais que les théories raciales de l'entre-deux-guerres renvoient impérativement à cette origine. Ainsi en serait-il de Ionesco. Reléguant ses origines au second plan, contractant par là un fort sentiment de culpabilité à l'égard de sa mère qu'il exprime amplement tant dans ses livres de confidence que dans ses autofictions théâtrales, Ionesco aurait compensé cette mauvaise conscience par une fidélité sans faille à Israël dans son combat contre le monde arabe. En profondeur, c'est cette origine juive occultée qui tourmenterait Eugène Ionesco lorsqu'il compose son théâtre. La filiation juive de la mère expliquerait secrètement l'œuvre du fils. Telle quelle, la question mérite de rester présente à l'esprit. D'emblée notons que Ionesco n'a rien occulté du tout : le nom de la grand-mère de sa mère n'a cessé de lui occuper l'esprit et la plume. Les répliques des autofictions théâtrales ne cessent de relayer les rêves que les œuvres de confidence nous livrent. « Je suis toujours à la recherche du nom... », nous dit-il dans le *Journal en miettes*. Dans *La Quête intermittente,* sa mère lui apparaît en rêve dans une scène où elle est sommée « par de méchantes personnes » de « dire son vrai nom de jeune fille [96] ». Le nom de jeune fille que Ionesco ignore, ce n'est pas celui de sa mère, mais celui de son arrière-grand-mère maternelle. Ni dans les rêves qu'il transcrit ni dans son théâtre, ce nom ne figure comme la tare inavouable qu'il aurait tenté d'enfouir au plus profond de sa mémoire, quitte à payer quelque tribut compensateur aux mânes de sa mère. De sa part : ni honte ni dissimulation.

En revanche, il est assez vraisemblable que la révélation, au cours d'un déjeuner en 1936, 1937 ou 1938, de son ascendance juive alors qu'il en ignorait tout, a pu avoir pour effet de le bouleverser. Si lointaine qu'elle fût, cette ascendance créait pour lui un trouble d'identité d'autant plus déconcertant que les vociférations antisémites sur la place ne faisaient qu'enfler au fil des années, et que son propre père assimilait son union avec Thérèse Ipcar, sa mère, à une souillure raciale. Le propos paternel, si malsonnant qu'il fût, n'impliquait pas que la mère de ses enfants fût personnellement juive. Dans le contexte idéologique de l'époque, il suffisait que, quelque part dans la chaîne des générations, il y eût un ascendant juif pour que les esprits les plus asservis aux clameurs du moment en éprouvent un malaise. Plus ou moins proche des Gardes de fer, Eugen Ionescu aura jeté sur son premier mariage le regard réprobateur que l'idéologie du moment l'invitait à poser, se laissant aller, dans l'éclat d'une conversation conflictuelle, à confier son ressentiment à son fils, lui reprochant de ressembler à sa mère.

Hypothèse. Mais cette hypothèse a le mérite de concilier à la fois les propos du père, tels que le fils les rapporte, et la citoyenneté incontestablement roumaine d'Eugène Ionesco. Si les mots du père expriment sa rancœur à l'égard de la mère et l'amertume que lui cause son fils, en des termes accordés à la sémantique qui se diffuse au fil des discours politiques et des articles de presse, ils ne définissent pas une situation juridique. Lorsque, pour être nommé à la Légation roumaine à Vichy en qualité de secrétaire culturel, E. Ionesco demandera le certificat de *nationalité roumaine*, indispensable à cette nomination, il lui sera délivré. Si sa mère avait été juive, il n'eût certainement pas obtenu cette pièce qui certifiait qu'il était *d'origine ethnique roumaine*.

Ajoutons un argument qui, pour être chargé d'amertume, n'en est pas moins probant. Si Thérèse Ipcar avait été juive, ses onze frères et sœurs l'eussent été également. Il est peu probable que dans l'Europe des années 1941 à 1944, ils fussent tous parvenus à échapper aux déportations et exterminations raciales. Si rien de tel n'apparaît les concernant, c'est que les législations antisémites du temps ne leur étaient pas applicables.

Reste à accorder entre eux quelques textes en contradiction apparente avec cette hypothèse.

Le samedi 8 février 1941, M. Sebastian croit trouver dans les propos d'E. Ionesco la confirmation de ce qu'il a déjà ouï dire, à savoir que Thérèse Ipcar était juive. Mais E. Ionesco est sous l'emprise d'une consommation d'alcool quelque peu excessive. La clarté de son propos aura pu s'en ressentir, la filiation maternelle se confondant dans ses explications avec une ascendance juive effective mais plus lointaine. De même, le sacrement reçu par Thérèse Ipcar aura été, ainsi que l'assure Marie-France Ionesco, l'extrême-onction, administrée par un pope, et non le baptême, donné par E. Ionesco lui-même. Pareillement, lorsque le 26 mars 1941, M. Sebastian évoque la malédiction d'avoir du sang juif dans les veines, mettant ce propos en rapport avec la crainte d'E. Ionesco d'être chassé de l'enseignement, il aura traduit exactement l'angoisse de son visiteur qui peut craindre que les mesures antisémites qui ne cessent de se succéder, ne finissent par l'englober dans leur champ d'application. Pour autant, il n'en découle pas que Thérèse Ipcar soit effectivement et personnellement juive. Ce qu'un *Journal* comme celui de M. Sebastian transcrit excellemment, c'est une ambiance, la respiration d'un temps, cette angoisse qui exsude de toute une population stigmatisée par les rumeurs, assujettie à des lois d'exception dont on peut se demander jusqu'où elles iront. Pour l'exactitude des faits, pour la rigueur des terminologies juridiques, il faut opérer des recoupements et, le cas échéant, procéder à des interprétations. Et, par exemple, lorsque E. Ionesco évoque les risques que les mesures que viendrait à prendre le gouvernement légal pourraient faire courir aux gens de sa *catégorie*, peut-être faut-il entendre *catégorie* en un sens beaucoup plus extensif que celui que les textes en vigueur donnent comme définition de ladite *catégorie*, parce que, précisément, une telle extension serait à redouter de la part des gouvernants en place. De même, pour la compréhension du *Journal* d'E. Cioran, à supposer que le passage cité concerne Eugène et Marilina Ionesco, faut-il en faire une lecture qui fasse sa part aux approximations de l'expression courante. Au fil de l'écriture, la plume peut aisément glisser d'une ascendance juive plus ou moins lointaine à une immédiate filiation maternelle.

Le 20 août 1941, dans le cadre des lois en vigueur à cette date, le maréchal Antonescu étant *conducator* de la nation roumaine, la Roumanie étant en guerre contre la Russie, aux côtés de l'Allemagne, la victoire paraissant acquise aux puissances de l'Axe, Eugène Ionesco se voit délivrer un certificat de notoriété par une mairie de Bucarest, attestant son origine ethnique roumaine. Ce certificat constitue la réponse administrative à la question posée. À vrai dire, ce qui est à peine concevable, c'est la question elle-même. Que cette question ait pu être posée, en de tels termes, à la même époque, et dans tant de pays européens, et que, pour y répondre, les services d'état civil se soient livrés à des investigations et à des calculs dont les résultats suffisaient à discriminer entre la vie et la mort, en cela se dévoile l'œuvre des ténèbres. Inconcevables, ces procédures n'en ont pas moins été conçues et appliquées.

« LE MALHEUR UNIVERSEL EST MON AFFAIRE PERSONNELLE... »

Ce démocrate individualiste qui voit un à un ses meilleurs amis rejoindre un mouvement qui dissout la personne dans le groupe, qui ne connaît que la camaraderie fusionnelle du combat, et qui semble promis à gouverner la Roumanie dans une Europe que le totalitarisme menace de submerger ; ce littérateur qui n'a su s'illustrer que par un brûlot qui lui a valu une notoriété de scandale, non la gloire des véritables écrivains, alors que la gloire lui est une soif, qu'il méprise certes, mais à laquelle il croit avoir sacrifié ses plus hautes aspirations ; ce fils dont l'enfance et l'adolescence ont été bouleversées par la séparation de ses parents, et qui a vécu cette déchirure dans le ressentiment affectif et la dépendance financière ; ce jeune professeur enfin à qui il vient d'être révélé que son ascendance est marquée d'un imprévisible secret ; comment, au milieu des tribulations, ce personnage, tandis qu'il fait la navette entre la capitale et la province, ou qu'il va par les rues et les cafés dans Bucarest, comment cet errant pourrait-il échapper à l'amertume sociale et au marasme intérieur ? La charge qu'il porte est d'autant plus lourde qu'elle n'est pas seulement la sienne. Cet *existant spécial* a un don très spécial pour s'encombrer l'âme avec le malheur d'autrui. Il faut croire cet autobiographe, pas toujours très fiable, lorsque, en 1974, répondant à la question *Pourquoi j'écris ?* qui clôt son volume d'articles intitulé *Antidotes*, il murmure : « Je veux dire simplement que, en tant qu'écrivain, le malheur universel est mon affaire personnelle, intime[97] ». Ce professeur que M. Sebastian voit débarquer chez lui un jour de mars 1941 est en proie à une angoisse dont il ne voit pas qu'elle ne concerne pas seulement son propre sort. Certes, ce Roumain à qui son père reproche une ascendance qui pourrait n'être pas exempte de tout apport juif, cet écrivain qui s'interroge dans son journal au début de 1942 sur le sort que les errements politiques pourraient réserver aux *gens de sa catégorie*, cet intellectuel tourmenté, toujours porté à envisager le pire, peut craindre que les *gens de sa catégorie* ne soient victimes d'une extension convulsive du champ d'application des lois antisémites qui viendrait les assujettir eux aussi à ces lois. Reste que, pour l'heure, il y échappe. Mais il est assez informé pour savoir ce qui est arrivé à bon nombre de ressortissants des *catégories* d'ores et déjà juridiquement exposées. Sa nature n'est pas telle qu'il puisse en prendre son parti. Et ce que M. Sebastian interprète comme une exclusive anxiété sur son avenir personnel pourrait relever aussi de cette incapacité qui est la sienne à s'extraire du malheur des autres. En 1938, il manifestera un tel accablement lorsque la Tchécoslovaquie se verra contrainte par les accords de Munich de céder les Sudètes à l'Allemagne, que la gérante de l'hôtel de la rue du Sommerard où il réside en compagnie de Rodica s'étonnera qu'il soit tchécoslovaque alors qu'elle le croyait roumain. Chaque grand malheur historique le plongera dans les mêmes transes : l'écrasement de l'insurrection hongroise par l'Union soviétique en 1956, de la révolte tibétaine par la Chine en 1959, l'invasion de la Tchécoslovaquie en 1968, la chute de Saigon en 1975, etc. La même angoisse devant le déferlement du nazisme en Europe a pu persuader certains de ses interlocuteurs qu'il s'agissait d'une extrême inquiétude sur son sort personnel alors que cette inquiétude, extrême en effet, tenait aussi à la menace planant sur les populations européennes, sur certaines *catégories* d'entre elles en particulier. En proie à des ruptures familiales qui le dressent contre son père, habité par une interrogation sur les ascendances de sa mère à laquelle les lois et les idéologies du temps confèrent la signification d'un soupçon, *être minuscule* s'agitant fébrilement la plume à la main pour conquérir la gloire littéraire cependant que le courant de l'histoire l'emporte irrésistiblement vers des chutes dont le grondement proche emplit l'air du temps, Eugène Ionesco ne saurait échapper au chaos intérieur.

Il y échappe cependant, au moins par intermittence. C'est que cet *être minuscule* a de la ressource. La première est cette lumière du monde dont il a fait l'expérience, et qui lui demeure présente au milieu des tribulations.

La seconde est un visage, celui de la *jolie demoiselle Burileanu*, qui devient sa femme en ce jour mémorable du 12 juillet 1936. Cela s'accomplit en l'église Boteanu, située dans un quartier assez chic de Bucarest. Comme dans un rêve tournant au cauchemar, le fiancé est retardé au dernier moment par la recherche du certificat qui lui a été délivré à la mairie quelques jours plus tôt, le 8 juillet, lors de la cérémonie civile. Sans cette pièce, le pope ne peut célébrer le mariage. Conduite par son oncle, Octave Burileanu, sommité du monde médical de Bucarest, médecin du prince héritier, Rodica, faute que le marié soit là, n'a d'autre choix que de rester dans le carrosse où elle a pris place pour se rendre à l'église. Pour éviter le mauvais effet d'un stationnement par trop voyant, le carrosse fait le tour du quartier puis reparaît devant l'église. Le fiancé n'est toujours pas là. Nouveau tour du quartier. Le manège recommence ainsi jusqu'à ce qu'enfin le professeur Ionesco fasse son apparition, muni du document requis. La fiancée peut alors descendre du carrosse et faire son entrée dans l'église. Le temps d'une célébration, Eugène Ionesco en sortira uni par les liens du mariage à Rodica Burileanu.

Des liens auxquels, pendant près de six décennies, il pourra se raccrocher sans qu'ils se rompent. Qui est Rodica Burileanu ?

Aussi forte de caractère que petite de taille, telle est l'image que laissera Rodica Ionesco dans les annales littéraires. L'histoire familiale a retenu l'anecdote suivante : ayant mené en parallèle des études de philosophie et des études de droit, Rodica est titulaire de la *capacitate* et elle est inscrite au barreau. Elle exerce la profession d'avocat en même temps que celle de professeur. Ce cumul, autorisé dans la Roumanie de l'époque, la conduit à participer à la vie judiciaire. Revêtue de sa robe d'avocat, elle assiste notamment aux audiences de la Cour. Lorsque celle-ci fait son entrée, l'huissier, ainsi qu'il est d'usage, hurle : *La Cour*, afin que tous les assistants se mettent debout. Un jour, avisant Rodica, il tonne une seconde fois, l'œil sévère : *La Cour*, croyant que l'impertinente s'était dispensée de se lever. Rouge de confusion, Rodica ne peut que lui faire observer qu'elle est debout. Sourires et plaisanteries. Eugène Ionesco, lui, ne dépassait guère le mètre soixante-dix. Tel quel, il était tout de même beaucoup plus grand qu'elle.

Familier du couple, François Fejtö, chaque fois qu'il voyait Rodica, croyait la voir plus petite qu'à la précédente rencontre.

En épousant Rodica Burileanu, Eugène Ionesco fait *un beau mariage*. C'est d'ailleurs ce que dit *Madame Simpson-Lola* dans *Voyages chez les morts* : « *Jean* a fait un beau mariage, un bon choix[98] ». La famille de Rodica est d'origine boyard.

Mort à quarante-quatre ans, le père de Rodica dirigeait un journal, *Ordinea*, proche des libéraux de Bratianu. Très attaché à la liberté d'expression, pamphlétaire de tempérament, mais ne s'autorisant pas la calomnie, Mihai Burileanu était marié à Anne Pol, que Ionesco nomme Anca. Il a eu deux enfants, Nicolas-Niki et Rodica. L'un de ses frères, Octav, est médecin, un autre, général et professeur à l'École polytechnique de Timisoara, un troisième, professeur de grec à l'université de Bucarest. Un cousin à lui est gouverneur de la banque nationale. Le milieu dans lequel Eugène Ionesco est reçu est celui de la haute société roumaine. Il n'y est pas mal accueilli. Un demi-siècle après son mariage, Ionesco écrit dans *La Quête intermittente* : « Anca, la mère de ma femme... fut ma deuxième mère. Elle m'avait adopté : j'étais devenu son fils[99]... »

Juillet 1936 : dans ses *Souvenirs et dernières Rencontres* (1986), Ionesco met en scène les familles réunies pour son mariage. Il y a là, dans un coin, sa mère, « la pauvre, toute petite, modestement habillée », qui se tait. Il y a son père, la sœur de son père, Marilina Mariescu, sa tante institutrice, qui est en froid avec Eugen N. Ionescu, et que Anca a fait inviter ; et qui, à son tour, a invité des cousins, des professeurs à l'université, de jeunes diplomates, tous convives que le nouveau marié fréquente assez peu. Hélène, grand-tante d'Eugène Ionesco, est également là. Son père a convié toute sa belle-famille, « ses beaux-frères, ses belles-sœurs qui n'avaient aucune raison d'être là[100] ». S'il y avait quelqu'une, en particulier, qui n'avait aucune raison d'être là, c'était bien sûr, on s'en doute, Lola, laquelle « paradait impunément[101] ». Sa mère dans un coin, Lola et ses frères et sœurs sur le devant de la scène, « les choses et les gens n'étaient pas à leur place ». Du coup, spontanément, des regroupements s'opèrent. « La mère de ma femme, les cousins de Marilina (Mariescu), la sœur de mon père entourèrent maman qui se sentit réconfortée. Mais point d'amis : deux familles ennemies face à face ».

Ce 12 juillet 1936, Eugène et Rodica quittent Bucarest pour Constantza, sur la mer Noire, d'où ils embarqueront pour la Grèce.

Avant de partir, ils se rendent chez les parents d'Arsavir Acterian. Arméniens, Aram et sa femme leur offrent des olives dénoyautées et hachées, le *caviar du pauvre,* leur ont-ils expliqué. C'était la dernière fois qu'ils les rencontraient. Le voyage de noces commence sur le mode météorologique agité à très agité. La foule monte à bord du paquebot. Le couple prend possession de la cabine qui lui a été réservée. Pendant que Rodica s'installe, Eugène décide de jeter un coup d'œil sur le pont. Pour sa sécurité, Rodica lui demande de fermer la porte à clé en partant, ce qu'il fait. Ayant parcouru le pont, le nouveau marié éprouve la nécessité de se rendre aux toilettes. Comme souvent dans le quotidien, c'est l'imprévu qui surgit : les mouvements qui font tanguer le navire au moment où il quitte le quai provoquent la ferme- ture brutale de la porte, bloquant notre héros à l'intérieur du lieu. Le bruit des machines couvrant ses appels, personne ne vient le délivrer. La même cause fait que les appels de Rodica, inquiète de ne pas voir reparaître son mari, restent eux aussi sans écho. Supposant qu'Eugène est retourné sur le quai, Rodica est persuadée qu'il a manqué le bateau. Tout ce qu'elle peut faire dans sa cabine, c'est de renouveler ses appels, de même qu'Eugène dans les toilettes. Le bruit des machines ayant diminué, le nouveau marié est bientôt délivré. Nanti de sa clé, il peut alors se rendre à la cabine, et libérer Rodica. La chronique familiale veut que l'incident ait été l'occasion de la première scène de ménage du couple. Tous deux se rendent ensuite sur le pont qui, d'abord noir de monde, se vide rapidement sous l'effet du mal de mer, commun à la plupart des passagers.

Eugène et Rodica visitent Santorin à dos d'âne. Avisant le volcan éteint, E. Ionesco émet la crainte qu'il ne se ranime, ce qui adviendra en effet, mais de nombreuses années plus tard.

Leurs comportements et leur allure, lorsqu'ils sont en vacances à la mer, diffèrent de manière drastique. Alors que Rodica prend volontiers des bains lorsqu'elle séjourne à Balcik, station balnéaire qui lui est familière, Eugène Ionesco est totalement réfractaire aux expositions prolongées sur les plages. Lorsqu'il vient chercher Rodica, il ne paraît jamais qu'en costume avec chapeau et chemise à col dur.

Étudiante en philosophie, Rodica a connu Emil Cioran sur les bancs de la faculté, et c'est par elle qu'Eugène Ionesco fera sa connais- sance. Juriste, inscrite au barreau, il lui est arrivé à plusieurs reprises de plaider. Sa double formation lui a valu de se voir confier le conten- tieux de la maison des enseignants.

Les lecteurs de *Non,* dont Rodica, avaient pu lire : « Quand je serais l'étoile de la littérature universelle, quand ma bien-aimée m'aimerait d'un amour égal au mien et jusqu'à la mort, je serais tout aussi malheureux [102] ». Eugène Ionesco aura été une étoile de la littérature universelle au XXᵉ siècle, et, souvent, il aura connu l'angoisse, mais tout dément qu'il eût été *aussi* malheureux si sa bien-aimée ne l'avait aimé, et jusqu'à la mort. Cet amour-là aura été la différence capitale entre ce qu'a été sa vie, et ce qu'elle eût été s'il n'y avait pas eu Rodica. Au fil des lectures, il n'y a que l'embarras des citations : « Et puis il y a eu ma femme, que j'ai connue là-bas », là-bas, c'est-à-dire en Roumanie, confie-t-il à Claude Bonnefoy au milieu des années soixante. « Je crois que la vie avec ma femme est une chose riche, capitale. C'est une histoire qui se continue [103]. » Rodica se glisse dans les rêves dont l'écrivain fait le récit dans son *Journal en miettes* (1967). « ELLE ET MOI nous sommes dans la rue... Elle disparaît... Je la cherche avec la peur de ne pas la retrouver... » Le rêve tourne au cauchemar. Tout se lie. Voici que, deux décennies après la guerre, surgissent les Allemands, fixés, jusque dans le sommeil d'Eugène Ionesco, dans leur rôle archétypique d'oppresseurs historiques. Ils ont tendu un piège. « Je ne peux pas la laisser seule dans ce guet-apens... Les Allemands sont déjà là... Je réussis à sortir par une porte dissimulée, en tenant toujours son bras [104]. » Un train salvateur se découvre à l'horizon du cauchemar, mais va-t-il se mettre en marche avant l'arrivée des poursuivants ? « Que je vive ou que je meure, ça m'est égal, je t'aime, tu m'aimes », dit la femme au héros qui l'entraîne. Cette fois, pour le héros, c'est le cauchemar qui tourne au rêve : « J'aurai connu l'amour, l'amour est plus fort que tout... Une fois que l'on a fait cette expérience, que l'on vive ou que l'on meure, c'est la même chose. Je suis joyeux car enfin je connais la vérité... Doucement le train se met en marche. » Rodica dans le rêve : une victime à protéger. Voici Rodica dans la réalité : « Je la vois, tel un écureuil, courant, toute menue, d'une pièce à l'autre de l'appartement, d'une case à l'autre de ma bibliothèque, rangeant, classant, cherchant l'objet, le crayon ou les lunettes que je viens de perdre pour la centième fois... La maison est comme un très vaste domaine pour elle [105]... » Mais c'est dans la mise en ordre de son bureau – correspondances, manuscrits etc. –, que Ionesco la devine heureuse : « C'est son univers, ou plutôt le centre de son univers, son air respirable se trouve là. Moi-même je suis son domaine... » Et ainsi de suite au fil des livres de confidence.

« Je te le confie »

Le lien qui se noue le 12 juillet 1936 n'est pas de ceux que les accidents de la vie peuvent dénouer. C'est que Rodica tient sa mission de Thérèse Ipcar. Le passage du flambeau de la mère à la femme s'est fait en présence du fils. Eugène lui ayant dit qu'il va se marier avec Rodica, sa mère l'accompagne chez sa fiancée. Thérèse connaît Rodica. « Ma mère la regarda un instant. » Mais cette fois « elle la regardait avec d'autres yeux. » Rodica devenait une autre elle-même. Elle était celle « qu'elle attendait depuis toujours... C'était une communication muette, une sorte de rituel bref... Une sorte de passation des pouvoirs. À ce moment, ma mère cédait sa place et me cédait aussi à ma femme[106] ». Rodica était la princesse à qui la reine venait de confier l'héritier, son fils. « Il n'est plus à moi, il est à toi ». Si chargé de recommandations qu'il fût, le cérémonial n'avait duré qu'un instant. Au milieu des années quatre-vingt, Ionesco y revient dans *La Quête intermittente*, évoquant ce jour « où ma mère m'a remis à elle... engagement mystérieux, spirituel et religieux[107]. »

Et bien sûr, cela court dans les autofictions théâtrales. « J'étais là. À sa place[108] », dit la *Femme* au *Premier Homme* dans *L'Homme aux valises*. *La Vieille Femme* a dit à la *Femme* : « Je te le confie. Maintenant c'est toi qui vas le prendre en charge. Tu l'aimeras. Cela ne sera pas toujours facile[109]. » *Le Premier Homme* se souvient : « Elle était si heureuse à notre mariage[110]. »

Quelque chose vient de s'accomplir dans la vie d'Eugène Ionesco qui est, par avance, comme la récusation de cette *dérision* à laquelle le succès de son théâtre conférera le dérisoire statut de pont-aux-ânes culturel, la négation aussi de cet *absurde* dont on fera absurdement de son théâtre la fusée porteuse.

Dans la vie de Rodica et d'Eugène Ionesco, comme dans toutes les vies, il arrive que certains malheurs ne surviennent pas. Un jour, dans un jardin public, un arbre tombe juste après le passage du jeune Ionesco, encore lycéen. Quelques années plus tard, se promenant avec sa fiancée dans le même jardin public, c'est un autre arbre, très proche du précédent, qui tombe, cette fois juste devant eux. Marié, il accompagne sa femme dans la petite ville de province où elle a été nommée professeur de droit et de philosophie au lycée de jeunes filles. Se trouvant dans la chambre de l'hôtel, d'ailleurs unique, où ils sont descendus, Eugène Ionesco entreprend d'inventorier le lieu où Rodica est affectée. Il s'avance sur le balcon de bois qui prolonge la fenêtre. Sa première impression est désastreuse. Puis il retourne dans la chambre. À peine est-il rentré que le balcon s'effondre. Personne sur le trottoir. Aucune victime.

Bien entendu, rien d'idyllique dans cette union. Trente ans plus tard, se rendant à la Comédie-Française où *La Soif et la Faim* a été créée le 28 février 1966, Ionesco s'émerveille : dans la journée il se dispute avec sa femme et le soir, il vient à la Comédie-Française pour assister à la représentation de la dispute.

Le pacte muet avec Thérèse Ipcar surplombe l'idylle, transcende le quotidien. Un jour, cinquante ans après la célébration de leur mariage, Eugène Ionesco dira de Rodica : « Ma femme, si petite, si jolie, si énergique, si incroyablement vaillante, la si gracieuse demoiselle d'autrefois, m'a voué son existence, a vieilli à mes côtés, a décidé de vivre par moi, pour moi ; sans défaillance elle m'a aidé, m'a soutenu, a lutté contre mes dépressions cycliques, mes désespoirs, mes détresses, a calmé mes colères, elle a été ma maîtresse, ma petite mère, ma secrétaire, mon docteur, mon infirmière, sans relâche, sans relâche, malgré mon ivrognerie, mes tromperies, mon égoïsme, mes vanités littéraires, elle, toujours, près de moi, prête à me soutenir dans mes innombrables défaillances, à soulager ma désespérance, elle, sans laquelle je n'existerais plus. Sans laquelle je ne pourrais exister[111]. » Reconnaissance de dette de Roméo à Juliette, cinquante ans après.

Avec cette Juliette, Roméo ne partage pas seulement le poids des jours, il a aussi en commun la vie de l'âme, cette quête de la lumière mystique qui ne déserte jamais tout à fait Eugène Ionesco, et qui l'aura tout spécialement préoccupé au tournant des années trente. Avec elle, il est aussi en complicité d'esprit. La scène des époux dans *La Cantatrice chauve* a fait le tour du monde. M. et Mme Martin, au terme d'un grand nombre de répliques à l'occasion desquelles ils retrouvent tout ce qui fait leur vie en commun – déplacement en train, lit, petite fille, etc. – se découvrent mari et femme. « Comme c'est curieux, comme c'est bizarre... ». « Mais alors, mais alors, mais alors, mais alors... » « Comme c'est curieux, comme c'est curieux, comme c'est curieux, comme c'est curieux et quelle coïncidence ! », etc. Jusqu'au constat final : « Vous êtes ma propre épouse... Élisabeth, je t'ai retrouvée » « Donald, c'est toi, darling[112] ». Cette loufoquerie ayant été interprétée comme l'expression de la solitude au sein du couple, Ionesco s'est chargé de ramener l'échange théâtral à la circonstance qui lui a donné naissance. Se trouvant dans le métro avec Rodica, et celle-ci étant montée par une porte et lui par une autre, la foule les a séparés. Lorsque l'affluence dans le wagon a diminué, « ma femme qui a beaucoup d'humour », rapporte Ionesco, « est venue vers moi et m'a dit : *Monsieur, il me semble que je vous ai rencontré quelque part !* J'ai accepté le jeu et nous avons ainsi presque inventé la scène[113]. » Moyennant quoi, les voyageurs intrigués les ont considérés avec une méfiance croissante. Percevant cette méfiance, les deux complices ont préféré descendre non sans échanger force éclats de rire. « Ma femme...

a beaucoup d'humour... » : le trait méritait d'être noté dès la période roumaine de Ionesco car c'est en compagnie de cette jeune personne qu'à partir de juillet 1936, il poursuit sa traversée.

MORT DE THÉRÈSE IPCAR

Ce bonheur à peine arraché à l'existence, c'est le malheur qui fond sur lui.

Ionesco raconte les choses ainsi dans le numéro de janvier 1975 des *Cahiers de l'Est* sous le titre « Événements inexplicables qui me sont arrivés ». « En 1936, début octobre. À Bucarest. » Il est marié depuis trois mois. Il fait un rêve. Sa mère lui apparaît au milieu des flammes. « Elle me regardait, la pauvre, avec des yeux effrayés. Elle me demandait de la sauver[114]. » Il essaie de l'arracher aux flammes à plusieurs reprises. Mais, bien entendu, dans le cauchemar, il n'y arrive pas. Il ne parvient pas « à la prendre dans (ses) bras, à la toucher, à cause du feu. » Il s'en veut. « Je me sentais infiniment coupable[115]. » Mais il n'y a rien à faire. « Et ses yeux angoissés, ses cheveux dépeignés qui se mêlaient aux flammes ! » La vision le poursuit. Le lendemain, un samedi, rencontre fortuite de sa mère dans une galerie de peinture, en compagnie de Marilina, sa sœur. Sa mère a le visage tout rouge, brûlant. Elle se plaint d'avoir trop chaud. « Je lui ai répondu, un peu énervé, que ce n'était rien, qu'elle ne devait pas se mettre dans ces états. » Le fils quitte sa mère, et rentre chez lui en compagnie de Rodica. La mère fait de même avec Marilina. L'après-midi, brusque apparition de Marilina qui vient leur dire que leur mère se sent mal. Immédiatement, ils se rendent chez elle. Elle ne peut plus bouger le bras. « C'est parce que je suis tellement fatiguée », dit-elle à son fils. Soudain son visage se tord de douleur. On l'allonge sur le lit. Le côté droit et la jambe droite sont paralysés. « L'ami de ma sœur, le docteur S., appelé, nous dit que ma mère avait une hémiplégie. Il partit vite, sans rien tenter ». Le lendemain, le fils se préoccupe de consulter d'autres médecins. Mission difficile : c'est un dimanche. Il finit par en trouver un. La mère s'est inquiétée de savoir où était son fils. On lui a dit qu'il allait revenir. On lui fait une prise de sang. Les efforts de la médecine s'annoncent vains. C'est sans doute à ce moment-là que Thérèse Ipcar reçoit, non le baptême des mains de son fils comme le croit M. Sebastian, mais les derniers sacrements administrés par un pope. Elle tombe dans le coma. Transportée à l'hôpital, elle meurt dans la nuit. « Je me reproche toujours de ne pas avoir pensé à appeler le docteur Lieblich, un ami dévoué. » Le docteur Lieblich, que Ionesco qualifie d'*homme bon*, ne fait qu'alimenter la mauvaise conscience du fils en lui assurant qu'on aurait pu sauver sa mère. « Je me rappelai le rêve seulement quand elle fut morte ».

Sa mère engloutie dans les flammes du cauchemar, emportée par une crise de paralysie que son propre médecin, selon ses dires, aurait pu conjurer s'il avait été consulté, c'était pour Eugène Ionesco, grandi dans la tendresse maternelle et l'affection filiale, plus qu'il n'en fallait pour lui remplir la mémoire, et lui labourer la conscience, la mauvaise conscience.

Prévenu par Marilina, le père, habit noir, chapeau noir, paraît aussitôt à l'hôpital. Il demande qu'on le laisse seul dans la chambre où repose Thérèse Ipcar. Il s'y enferme, le temps de revivre le tourment que lui cause son mariage défait avec la jeune femme allègre dont il se souvient, le temps de solliciter le pardon de la femme, morte à présent, à laquelle dans le silence et la solitude, il fait son adieu cependant que reviennent à la mémoire les rires et les images de la jeunesse, temps partagé que rien ne peut effacer. Il prendra à sa charge la totalité des frais de l'enterrement.

LA FRANCE

1936-1937 : sa mère morte, ses amitiés en jachère, la Roumanie dans les troubles, il reste à Eugène Ionesco, Rodica. Et la France. L'ancien élève de l'école primaire de La Chapelle-Anthenaise garde, inguérissable, la nostalgie de la patrie maternelle. En 1937, on lui a confié la responsabilité du service du ministère qui a la charge des relations avec l'étranger. Il tente d'obtenir un poste de lecteur à l'étranger. Il se présente au concours. On lui demande quel est le nombre de juifs en Roumanie. Il répond 700 000. Le chiffre politiquement correct qu'il fallait citer était 1 500 000 « pour prouver que nous étions *étouffés* par la masse juive... Je fus donc honteusement recalé[116]. »

Un autre projet s'élabore dans son esprit qui lui ferait retrouver la France. Une thèse, à condition de trouver un sujet capable de susciter l'intérêt de la Sorbonne, pourrait justifier un séjour à Paris. Une bourse du gouvernement français lui serait indispensable car il prévoit que, s'il quitte son emploi en Roumanie, il ne percevra plus qu'une partie de son traitement. En fait, Mihai Ralea, directeur de *Viata Romaneasca*, publication à laquelle, de Paris, il apportera sa collaboration, veillera, en sa qualité de ministre du Travail du roi Carol, à lui faire parvenir une aide mensuelle, prélevée, plus ou moins régulièrement, sur *le fonds des écrivains en chômage*. Il lui faudra, bien sûr, se réapproprier le français littéraire dont une décennie et demie de présence en Roumanie lui a un peu fait perdre la maîtrise. Cela reviendra vite. Car la langue parlée lui demeure familière. Il la parle et la parlera au long de sa vie sans accent, mais avec une nuance de lenteur solennelle qui vient de l'insistance qu'il met à prononcer chaque syllabe. Rodica aussi parle le français, mais elle gardera toujours un accent qui fera partie de son profil de femme d'académicien français. Le parler d'Emil Cioran aura lui aussi cette spécificité roumaine. Dans le milieu social d'où vient Rodica, il est courant que l'enfant parle le français ou l'allemand avant le roumain. Rodica a été éduquée par une nurse allemande qui lui a appris le *pater noster* dans sa langue. Cette maîtrise linguistique n'est pas limitée aux enfants de l'aristocratie et de la bourgeoisie. Dans la Roumanie d'entre les deux guerres, les notabilités locales, boyards, instituteurs, popes, s'efforcent de repérer les fils de paysans capables de suivre des études secondaires. Bénéficiaires de bourses, ces élèves apprennent eux aussi le français ou l'allemand. Ils y mettent une telle application qu'ils en viennent à parler ces langues mieux que les jeunes gens qui les pratiquent dans leur propre famille. À Saint-Sava où Eugène Ionesco enseignera entre 1940 et 1942, nombreux étaient les fils de paysans.

Malgré l'influence croissante de l'Allemagne, les gloires et les mœurs françaises demeurent la référence, non sans que l'imitation ne verse parfois dans le pastiche. Invité à déjeuner par l'une des notoriétés intellectuelles de Bucarest, Eugène Ionesco se voit offrir, dans le restaurant le plus distingué de la capitale, un jambon que son convive tient à accompagner d'une bouteille de champagne, estimant cette composition gastronomique du dernier chic.

D'une certaine manière, il pourrait sembler qu'Eugène Ionesco a bien su s'intégrer dans la société roumaine. En une décennie et demie, il a acquis les grades et diplômes universitaires qui lui assurent son autonomie financière. Son mariage l'a fait entrer dans une famille ayant pignon sur rue. Littérairement, il n'est plus un inconnu.

Cet homme de plume qui se flatte indûment d'être paresseux, ne cesse, dans les années 1936 à 1938 de donner des articles à *Universul Literar* (*L'Univers littéraire*), *Rampa* (*La Rampe*), *Parerile libere*, (*Opinions libres*) *Facla* (*Le Flambeau*), *Vremea* (*Le Temps*). Comment juger de la valeur d'une œuvre ? La question qui l'occupait au début des années trente continue de l'obséder à la fin de la décennie. En janvier 1938, *Vremea* publie un article de lui sur *Le vocabulaire de la critique*. Un tiers de siècle plus tard, son discours de réception à l'Académie française reviendra sur le sujet, plus précisément, sur les incertitudes et les variations de la critique.

Cet article de recherche sémantique s'enchaîne sur un article de réflexion esthétique et biographique, *Un certain Van Gogh, peintre*, publié au mois de décembre 1937. Van Gogh, pour Eugène Ionesco, c'est l'archétype de l'artiste brûlé par l'œuvre qu'il porte, et dont l'œuvre n'est que le reflet de cette réalité intérieure. Pour lui, la quête de Van Gogh s'oppose point par point à la posture qu'il suppose à Victor Hugo, celle du metteur en scène de soi-même, exclusive de toute émotion désintéressée.

Diplômes, emploi, famille, notoriété, cependant le projet qui occupe, qui obsède Eugène Ionesco en ces années-là, c'est celui de quitter Bucarest et de retrouver la France. La première pensée qu'il a eue en découvrant la Roumanie vers treize ou quatorze ans lui emplit l'esprit plus que jamais : quitter cette ville que sa mère lui avait annoncé plus belle que Paris, et qu'il a trouvé laide, désespérante. Il s'est promis de ne pas y vivre.

Partir. S'échapper de ce pays où le roi Carol, seul rempart contre la Garde de fer, a instauré son pouvoir personnel, où les régiments français ont défilé en 1918 sous les vivats, mais où, à présent, l'influence de l'Allemagne ne cesse de grandir. Quitter le pays du père, maintenant que la mère est morte, pour retrouver la patrie maternelle.

Eugène Ionesco se trouve un sujet de thèse – quelque chose comme : *Le péché et la mort chez Baudelaire* –, un directeur de thèse, Maurice Levaillant, professeur à la Sorbonne, futur éditeur des *Mémoires d'outre-tombe*. Grâce aux bons offices d'Alphonse Dupront, il décroche une bourse du gouvernement français. La thèse, avoue Ionesco, « n'était qu'un prétexte pour retrouver la France [117] ». Le sujet en fut autoritairement étendu par Maurice Levaillant à toute la poésie française depuis Baudelaire, le professeur de Sorbonne jugeant que, sur le seul Baudelaire, tout avait déjà été dit. Jamais terminée, c'est vrai, elle n'en aurait pas moins donné lieu à quelques travaux préparatoires sous forme de fiches de la part de l'impétrant.

En 1937, les Ionesco avaient déjà fait un voyage à Paris. Ils en avaient profité pour passer par Venise. Venise : un demi-siècle plus tard, à l'occasion d'un nouveau séjour, Ionesco fera de Venise l'expression la plus sublime de la beauté que l'homme est capable d'engendrer. En 1937, Eugène et Rodica étaient descendus dans un hôtel de la rue Dupuytren, dans le VIe arrondissement. En 1938-1939, ils résident successivement dans deux hôtels du Ve arrondissement, le premier, rue

Monge, le second, rue du Sommerard, Le Marignan, au n° 13 où il se trouve toujours. Dans leurs recherches, ils ont été aidés par la sœur de Thérèse Ipcar, Sabine Peytavi de Faugère, dentiste, demeurant toujours rue Clodion.

TANTE SABINE ET ONCLE TAVI

Tante Sabine : le personnage vaut un arrêt sur image. D'abord parce que, propriétaire de cabinets dentaires, elle est du côté maternel la personne la plus riche de la famille. Cette circonstance lui vaut l'avantage d'entretenir toute une partie de la parenté Ipcar. Dans le début des années vingt, nous raconte Ionesco dans ses *Souvenirs et dernières Rencontres*, sa tante Sabine assurait l'entretien de ses grands-parents, Jean et Anne Ipcar, de sa jeune tante Cécile, de sa mère Thérèse, de sa sœur Marilina et de lui-même. Le deux pièces sombre à grand placard noir et cuisine obscure où ils habitaient, rue de l'Avre, avec les grands-parents, ne fait certes pas, dans la mémoire autobiographique d'Eugène Ionesco, balance égale avec le Moulin de La Chapelle-Anthenaise. Mais, assurant par ailleurs l'hébergement de sa sœur Cécile, tante Sabine pouvait estimer qu'elle en faisait assez. Que son jeune neveu ne trouve pas son compte dans le Paris de 1922, qu'il en juge les rues étroites et la couleur des murs pareille à celle des prisons, que les foires se déroulant sous le métro aérien boulevard de Grenelle ne suffisent pas à lui faire oublier le bonheur des fêtes campagnardes qu'il a connues à La Chapelle-Anthenaise, c'étaient là des nostalgies adolescentes qu'il n'était pas de la responsabilité de tante Sabine de guérir. Ce qui, peut-être, fatiguait tante Sabine, c'était que son activité dentaire dût subvenir aux besoins de toute cette parenté sans ressources. La grand-mère Ipcar, impotente, se déplaçait dans un fauteuil roulant. Le grand-père subissait en silence les éclats de sa fille. Thérèse, entre de longues périodes de chômage, travaillait dans l'industrie aéronautique ou tricotait des lainages pour les soldats victimes de la guerre. Sabine l'incitait à partir en Roumanie où elle pourrait faire valoir ses droits à l'encontre d'un mari dont les moyens d'existence étaient assez larges pour subvenir aux nécessités de ses enfants et de leur mère.

Les éclats de voix de tante Sabine pouvaient aussi être des éclats de rire. Elle recevait beaucoup, appréciait les fréquentations prestigieuses au nombre desquelles Édouard Herriot, arborait un ruban vert qu'elle présentait, selon ce qu'en dit son neveu, comme la Légion d'honneur des dentistes.

Le même neveu lui suppose des dons amoureux et lui attribue trois maris. Le premier, Gustin, lui laissa le cabinet dentaire. Le deuxième, Gaston Leroy, médecin, fils d'un professeur de médecine, servait dans les hôpitaux militaires mais avec le grade d'adjudant, et non de lieutenant, n'étant pas encore docteur à ce moment-là. Le troisième, Gustave Peytavi de Faugère, avait fait son apparition dans le courant des années vingt. La tante Sabine avait profité de la circonstance pour se faire appeler madame de Faugère bien qu'à l'examen la particule du sieur de Faugère apparût d'une légitimité incertaine. En fait, le personnage était natif de Faugère et la préposition *de* n'indiquait rien d'autre que ce lieu d'origine.

Tel quel, Gustave Peytavi de Faugère était une figure. Bel homme, grand, brun, la quarantaine vers 1922, il présentait la singularité d'être un moine en rupture de couvent, sans qu'on sache, à vrai dire, quand il avait prononcé ses vœux, et si même il les avait prononcés. La cause de cette embardée profane était une vocation littéraire tardive dont témoignait un gros manuscrit qui ne fut jamais publié. Il tirait ses ressources du journalisme, collaborant en particulier au *Gaulois*. Oncle Tavi, ainsi que l'on finit par l'appeler, était licencié en lettres, auteur d'une thèse en latin, langue qu'il parlait couramment. Il pratiquait l'italien, l'espagnol, l'hébreu. Il était versé en théologie. Le jeune Ionesco composait de petits poèmes et imaginait des histoires, qu'il avait la satisfaction de débiter devant les invités que tante Sabine réunissait dans son salon. En Roumanie, il persista à écrire des poèmes en français qui eurent le privilège d'être soumis à la très rigoureuse critique d'oncle Tavi, avec qui, par ailleurs, il arrivait qu'il eût des controverses. Le très *catholique oncle Tavi*, ainsi qu'il l'appelle, finit par retourner dans les ordres, à la désolation de tante Sabine. On l'envoya à Jérusalem. En 1937, il était de retour à Paris, en route pour sa nouvelle destination, le Chili, où il devait rejoindre un monastère, et enseigner le français à l'université et à l'Institut français.

Nouvel intermède extra-monastique. « Je me trouvais de nouveau à Paris. J'eus la surprise de le trouver un beau matin dans le lit de ma tante qui lui servait son petit déjeuner [118] ». Précédemment, oncle Tavi avait fait une incursion en Roumanie. « Il était venu à Bucarest accompagné de ma tante ». Il s'y était pris de telle sorte que les Roumains – ministres, directeurs de journaux, peintres, cinéastes etc., – crurent qu'ils avaient affaire à une célébrité parisienne. Il fut reçu comme tel. Il parut même dans un film : *Le Miracle des loups*. « Comme il est beau », s'extasiait tante Sabine *pâmée*. Il écrivait des articles sur la Roumanie pour *L'Excelsior*. Il fit même un livre qui, selon le neveu, *ne valait rien.* Style fleuri, latinismes, citations érudites, le neveu dit avoir été furieux du caractère conventionnel de cet ouvrage dont il a oublié le titre. Lui ayant rendu visite au *Grand Hôtel* de Bucarest, il lui fit observer qu'il avait mis ses guêtres à l'envers, ce qui lui valut cette réplique : *Tu vois, les grands hommes sont distraits.* Le Grand Homme fit une conférence à l'Athénée, la plus grande salle de Bucarest, sur un sujet que le neveu a oublié. Cette amnésie partielle ne l'empêche pas, un demi-siècle plus tard, de qualifier cette conférence de « vide et creuse », non sans avouer une turpitude qui, si elle avait été connue de tante Sabine, n'eût pas manqué de l'indigner. Les journaux, la plupart sous influence gouvernementale, ne manquèrent pas de relater la conférence d'oncle Tavi sur le mode le plus louangeur. Sauf un : « Il y eut dans un journal de gauche quelques lignes sévères contre lui ». La turpitude tient en ce que l'auteur de ces lignes était, bien sûr, le neveu lui-même. Il admet que la raison de sa *rancœur* avait quelque chose à voir avec cette réflexion de Peytavi : « Mais il a peur du téléphone, ce garçon ». C'est que, sans doute pour des raisons de langue, le *garçon* avait été sollicité de téléphoner pour le compte du conférencier, et que, peu familier de cet instrument encore assez rare, il ne manifestait pas dans son maniement toute la dextérité souhaitable. Peut-être son ire avait-elle une origine encore plus inavouable. Peytavi disait volontiers du neveu de tante Sabine : « Ah ! il n'est pas beau comme ton frère Alexandre ».

Aux dires du neveu, Peytavi quitta Bucarest « chargé d'une gloire éphémère et de quelque argent donné par les princes en échange de sa propagande ». Simple supputation, semble-t-il. Sur le sujet de la Roumanie, Peytavi n'avait pas ménagé sa peine, écrivant non pas un livre mais deux, aussi roumanophiles l'un que l'autre : le premier, *Roumanie, terre latine*, le second, *Images et Silhouettes roumaines*. Dans un rapport du 22 novembre 1942, qu'il adresse en sa qualité de secrétaire culturel à la Légation roumaine à Vichy, au ministère de la Propagande à Bucarest, Ionesco met en outre au compte de Peytavi un « livre et film *Roumanie terre d'amour* », qu'il qualifie, au détour, de « lamentable [119] ».

Quand se passe l'escapade roumaine du moine en disponibilité temporaire de couvent ? « Quelque temps auparavant [120] », écrit Ionesco, évoquant un séjour à Paris qu'il situe en 1937. Mais l'aveu de sa facétie journalistique par le Ionesco de 1986 s'accompagne de la précision qu'il était alors « étudiant de première année ». Le jeune Ionesco n'est plus, en 1936, un *étudiant de première année*. Il est un professeur en exercice, titulaire de *la capacitate* depuis 1934. Le « quelque temps auparavant » signifie en réalité *plusieurs années auparavant*. En fait, le voyage de Peytavi à Bucarest est antérieur à 1930. Le premier livre de Peytavi est daté de 1928 ou 1929, le second de 1930.

Surabondamment autobiographiques, les œuvres d'Eugène Ionesco s'accommodent, pour les dates, d'un flou dont il n'y a pas lieu de lui tenir rigueur. S'agissant d'évocations rétrospectives, parfois très tardives, elles s'accompagnent inévitablement d'imprécisions voire de confusion.

Ce qui est beaucoup plus précis, c'est la date du départ de Peytavi de Paris pour le Chili. « Je me souviens maintenant que ce départ eut lieu en 1937, et que la veille nous avions été tous ensemble avec Rodica sur la place de la Concorde tout illuminée (c'était la veille du 14 Juillet) ». Ionesco se rappelle la foule nombreuse, et l'atmosphère « bouillante et brûlante avec un air de révolution ou d'insoumission. » C'est donc à la mi-juillet 1937 que tante Sabine, « toute déconfite », accompagne Peytavi à la gare Saint-Lazare où il va prendre le train pour Le Havre. Du Havre, un paquebot le conduira au Chili où il sera le père San Salvador. Eugène Ionesco est là, bien qu'il ait eu, sur la littérature, quelques petits différends sans gravité avec oncle Tavi. « Quelle émotion quand je le vis descendre du train en soutane, je fus secouée de larmes. Je suis désespérée [121] », avait soupiré tante Sabine dans le bref aparté qu'elle avait eu avec son neveu lors du dîner qu'elle avait offert au couple de passage chez elle. À présent, le train allait emporter sans retour, loin par-delà les mers, son épisodique compagnon.

À l'automne de l'année suivante, les Ionesco seront de retour à Paris, y trouvant la vaste parentèle d'oncles, de tantes, de cousins et de cousines que constituent les frères et les sœurs Ipcar et leurs enfants. Cécile avait épousé un sieur Borely. Son frère, Armand, blessé à Verdun, était devenu socialiste. « Je ne sais comment [122] », note son neveu. Il jouait volontiers à l'esprit fort en matière religieuse. Il en fut ainsi jusqu'à ce que ses enfants lui fassent découvrir le christianisme. Lorsque Ionesco le rencontre à la fin des années trente, Armand se déclare chrétien. Ajusteur et électricien, il tient de son père, Jean Ipcar, lui aussi électricien, le goût de l'invention dont ses frères Ulysse et Émile ont également hérité. Il mettra au point une ampoule qui fera sa fortune.

LES *EUGÈNES* À PARIS

De l'automne 1938 au printemps 1940, Eugène Ionesco et Rodica habitent au plein cœur du Paris universitaire. S'étant fait mettre en congé, Rodica, pour satisfaire à ses obligations administratives, doit périodiquement se rendre en Roumanie. À Paris, Eugène Ionesco n'est pas tout à fait en milieu inconnu. Il y a là une petite émigration roumaine dont fait partie Emil Cioran, bénéficiaire, lui aussi, d'une bourse de l'Institut français de Bucarest, censé, lui aussi, préparer une thèse. Il y a là, également domicilié dans le Vᵉ arrondissement, le couple Sora, Mariana Sora qui a laissé des mémoires, *Une vie en morceaux* (1992), et son mari Mihai Sora, philosophe, signataire, un demi-siècle plus tard, sous Ceaucescu, d'une pétition de soutien à un poète persécuté par le régime, Mircea Dinescu. Les deux couples font connaissance au début de 1939, à l'occasion d'un voyage organisé à Reims. Portant un blouson de cuir, coiffé d'un béret, c'est ainsi qu'apparaît dans le car où ils ont pris place celui que Mihai Sora identifie aussitôt comme étant le poète des *Élégies pour êtres minuscules*, et l'auteur de *Non*, ce brûlot abrupt et impertinent, pathétique et persifleur, qui, quelques années plus tôt, a tant agité le micro-milieu intellectuel roumain. Quelques mots, et les Sora et les Ionesco nouent une relation qui les conduira aux vastes échanges et aux longues marches dans le Paris de l'immédiat avant-guerre. Entre eux, les Sora nomment les Ionesco *les Eugènes*[123]. Mariana Sora se souvient d'un Ionesco imprévisible, farceur, jamais à cours d'idées ni de jeux de mots, sur lequel Rodica exerçait une vigilante surveillance, un homme travaillé par l'inquiétude métaphysique, que l'absence périodique de Rodica plongeait dans des abîmes d'anxiété qui valaient aux Sora sa visite aux heures les plus incongrues du jour et de la nuit. Terreur du noir, panique de la solitude, le personnage, à l'occasion de ses intrusions nocturnes, gratifie ses hôtes de la lecture à haute voix de son *Journal*. Angoissé par le cours des événements, accablé de voir ses pires prévisions confirmées, indigné de la myopie et de l'apathie qui l'environnent, accusant et fulminant, tel leur apparaît Ionesco. De son côté, François Fejtö se souvient de ce Ionesco 1938, agrégé comme lui aux groupes d'émigrés des pays de l'est européen, désemparé au spectacle de ses meilleurs amis adhérant aux doctrines qu'il déteste le plus, les yeux grands ouverts sur la guerre qui vient. Pour ces hôtes étrangers de l'immédiat avant-guerre, la France reste la référence, le rempart, l'espoir. Le français est la langue dans laquelle s'exprime leur fraternité cosmopolite. Les brasseries de Montparnasse, Le Dôme, le Select, etc., sont les lieux où ils se rencontrent. Tandis qu'il rumine les raisons qu'il a de redouter la catastrophe prochaine, Eugène Ionesco s'adonne au jeu du 421 dans les bistrots qu'il fréquente.

Même si, parfois, il se situe lui-même à gauche, sa référence doctrinale n'est pas la social-démocratie, mais le personnalisme d'Emmanuel Mounier, la philosophie de Jacques Maritain et celle de Gabriel

Marcel. C'est par l'intermédiaire d'*Esprit* qu'Eugène Ionesco s'est trouvé en rapport avec J. Maritain et G. Marcel.

C'est dans cet environnement intellectuel qu'Eugène Ionesco trouve la réponse aux contradictions qui l'habitent, la synthèse entre un individualisme viscéral et une nécessaire sociabilité, car cet *existant spécial*, impatient à l'égard des contraintes du groupe, est certes un fervent de la solitude, mais que la solitude porte aux extrêmes limites de l'angoisse. Et l'angoisse ne s'assoupit que dans un rapport à autrui dont Eugène Ionesco voit bien qu'il ne peut exister que socialement protégé, institutionnellement organisé. Aussi trouve-t-il dans le personnalisme chrétien dont *Esprit* est le point de ralliement, la doctrine qui lui permet le mieux de tenir la position face à ce que représente la Garde de fer en Roumanie. Son *Journal de Bucarest, avant et autour de 1940* exprime cette position : « Je hais le cosmos fasciste, je n'aime et n'admire point le cosmos communiste, et je me demande vraiment si je leur préfère les libéralismes, ces pis-aller[124] ». Tout au long du commentaire politique de son temps, qu'Eugène Ionesco ne cessera de pratiquer, il fera toujours la différence entre les sociétés libérales et les régimes totalitaires. Mais les systèmes sociaux établis, dont il observe le fonctionnement, en particulier en Roumanie, ne le satisfont pas pour autant.

Dans un fragment de son *Journal*, postérieur à juin 1942 puisqu'au moment où il l'écrit il est de retour en France, on trouve ce parallèle : « Je déteste en ce moment, subjectivement, le nazisme et Hitler presque autant que le gros bourgeois[125] ». Le désespoir d'une possible victoire de l'Allemagne imprègne toute la page. La méfiance à l'égard de la société bourgeoise n'en est pas effacée. Dans les années d'avant-guerre, la découverte du personnalisme d'*Esprit* lui a rendu une assurance intellectuelle que l'allégeance progressive des jeunes gens de *Criterion* au Mouvement légionnaire lui avait fait perdre. Quatre décennies plus tard, il se remémore cette époque dans un entretien avec Frédéric Towarnicki. Vers 1938, résistant à la rhinocérite roumaine, il éprouvait un malaise : « Quand on pense seul contre les autres, contre tous, on ne peut pas avoir bonne conscience[126] ». Ce qu'il découvre à Paris avec *Esprit*, c'est qu'il n'est pas seul, c'est qu'il y a des gens qui partagent ses réactions, mais qui, eux, sont capables de le fournir en arguments alors que sa propre réaction est spontanée. Avec Maritain, Berdiaev, il a rencontré un humanisme chrétien qui lui convient. « Il y avait d'autres encore en 1938-1939, il y avait Gabriel Marcel, le métaphysicien d'alors, c'était toute une famille spirituelle dans laquelle je me sentais réconforté, confirmé, par la lecture de leurs livres ou par la connaissance personnelle de certains d'entre eux... » Il se croyait seul. Il ne l'était pas. Il a fait la connaissance d'Emmanuel Mounier. Il a participé aux congrès d'*Esprit* qui se tiennent à Jouy-en-Josas. Ionesco nomme aussi Denis de Rougemont. Et peut-être faut-il remonter plus haut dans le temps, et citer Péguy. Ces relations, ces lectures l'ont conforté dans sa résistance spirituelle solitaire. Il ajoute : « Ma femme m'a beaucoup aidé [127] ».

Cette rencontre intellectuelle avec des philosophes patentés tels Henri Thomas, libère Eugène Ionesco du redoutable complexe d'infériorité qu'il entretient à l'égard des gens du métier. Faute d'être agrégé de philosophie, il se fera toujours l'effet d'être un penseur de contrebande, un penseur qui pense sans le permis de penser. La rencontre de diplômés en situation réglementaire, et qui partagent ses convictions, lui communiquera une nouvelle assurance. Le complexe, cependant, ne disparaîtra pas. Plus tard, il incitera sa fille, mais sans succès, à s'orienter vers des études de philosophie, les lettres lui paraissant marquées du signe honteux de l'amateurisme.

Transposées en France, les incompatibilités roumaines ne perdent rien de leur acuité. Ionesco refuse de rencontrer Cioran. Cette place de la politique dans sa vie l'exaspère. La politique, c'est le *divertissement*, c'est ce qui détourne l'homme de regarder en face sa condition, l'homme, c'est-à-dire lui, Eugène Ionesco. Mais l'Histoire a beau être « bête et vulgaire », n'être que « du mauvais théâtre... le déchaînement des passions les plus sordides, les plus trompeuses [128] », ainsi que le lui répétera, vers 1967, Emil Cioran, le moyen de ne pas s'en occuper alors qu'elle fond sur vous ?

Or la catastrophe est à l'horizon de l'Europe en cet automne 1938. Eugène Ionesco la voit venir. Résidant à Paris, ce sujet roumain est, par la plume, présent dans les journaux et les revues à Bucarest.

En 1938, il se manifeste en publiant, en décembre, un fragment de roman, *Liza*, dans *Viata Romaneasca*, (*La Vie roumaine*). Dans la même publication paraissent ses *Lettres de Paris*. La première est du 13 novembre 1938. Hostiles au fascisme, au nazisme, au communisme, mais, également, critiques à l'égard du système capitaliste, ces *Lettres* ne sont pas que politiques. L'autoportrait y fait aussi irruption comme dans la *Lettre* du 13 novembre. « Je me suis toujours senti prisonnier à l'intérieur de moi-même... Un besoin irrépressible de m'enfuir m'a torturé depuis toujours [129]. »

La réflexion politique y occupe tout de même une place essentielle. Ces chroniques épistolaires sont l'occasion pour Eugène Ionesco de présenter, au cours de la première moitié de 1939, Emmanuel Mounier et le personnalisme au public roumain, puis Georges Bidault et la démocratie chrétienne. Les notions auxquelles il souhaite voir la France se référer – « homme, liberté, amour, tension intérieure, connaissance, Dieu [130] » –, sont en contradiction avec les dérives de la démocratie libérale, ainsi qu'il le souligne. Elles sont surtout radicalement antagoniques avec les principes et pratiques des systèmes totalitaires. Ionesco écrit aussi sur Jean Cocteau et Jean Giraudoux.

Alors que pour Emil Cioran, le Paris de 1939 gagne beaucoup à être visité de nuit, quand les rues sont vides de ses habitants, pour Eugène Ionesco, la France reste la patrie maternelle. Pour en parler, il retrouve parfois l'enthousiasme qu'il mettait à hurler, vers 1920, sous la direction de M. Guéné, instituteur à La Chapelle-Anthenaise, le chant patriotique : *Qu'il est noble, qu'il est beau, le drapeau de la France.* Sa confiance va même aux Français : il les voit « magnifiques et tragiques [131] », imposant leurs nobles idéaux au monde non sans préciser : « victorieux ou vaincus ». Victorieux ou vaincus : sa sympathie ne l'empêche pas de voir venir le séisme. S'il ne partage pas le pessimisme funèbre d'un Cioran, s'il se refuse à voir dans le peuple français un peuple fatigué voué à la décadence, si Paris l'exalte au lieu de l'accabler, il n'en demeure pas moins celui qui écrit dans son *Journal du printemps 1939* : « Mauvaises nouvelles dans les journaux. La guerre peut-être. Agonie de l'Europe ? J'ai peur que ce ne soit la fin de tout [132]... » Au sein du grand naufrage qui s'annonce, il devine, palpable, sa propre peur, mais multipliée. « Je m'imagine une civilisation en ruines ». Cependant le calme qui règne à La Chapelle-Anthenaise le retient parfois de « croire que la guerre menace [133] ». Mais la lucidité impose bientôt sa loi : « Ils vont se faire la guerre [134] ». Il craint que l'Europe ne devienne « aussi étrangère aux hommes que les civilisations précolombiennes [135] ».

Cette France d'avant la guerre, ce temps de 1938-1939, qu'en restera-t-il dans la mémoire d'Eugène Ionesco ? Des rêves rapportés dans un *Journal*, quelques répliques de théâtre disant la nostalgie de cette ultime lumière de soleil couchant. « Dans mes rêves... il y a ce peintre au bord de la Seine, il me dit : nous sommes en 1938... Le grand souffle de 1789 passe encore à travers ces habitants... La France, ça existe encore [136]... » Ces Français de 1938 sont vifs, intelligents. Au contraire : « Regardez-les, ces Français de 1945, comme ils sont bêtes et comme ils sont vaincus ! Oui, ces Français de 1945, leur intelligentsia, de sordides crétins ». La manière dont le rêve du *Journal* passe dans *L'Homme aux valises* illustre le travail de l'artiste sur le matériau onirique, les corrections du conscient sur les confidences du *Journal*, elles-mêmes fruit d'une écriture du rêve, et non pas sa photographie. Le texte théâtral substitue 1944 à 1945 et les Français vaincus sont ceux de 1940-1942. « Regardez-les, ces Français de 1940-1942, comme ils sont petits, comme ils sont vaincus [137] ». Dira-t-on que l'auteur, donnant aux personnages les répliques qu'ils ont à dire, s'est avisé que les Français de 1945 étaient dans le camp des vainqueurs, la défaite étant seulement le lot des Français de 1942 ? Le rêve serait-il alors l'expression d'une réalité non censurée, le 8 mai 1945 n'y étant perçu que comme une apparence de victoire, cependant que la fiction opérerait un retour à l'histoire gaullienne ? Reste une impression : la France qu'Eugène Ionesco retrouve en 1938, aux prises avec l'entreprise conquérante de l'Allemagne nationale-socialiste, n'en demeure pas moins la puissance victorieuse de 1918 alors que la France de 1945 ne parvient pas à lui faire oublier la défaite de 1940.

Ionesco, printemps 1939

En 1939, il est l'homme de trente ans. Quelles pensées lui occupent l'esprit ? Il nous en a laissé quelques-unes dans ses *Pages de Journal, Printemps 1939* avec comme sous-titre *Les Débris du souvenir.* D'autres débris flottent dans le cours d'autres journaux, *Journal* des années quarante repris dans *Présent passé, Passé présent, Journal en miettes, L'Homme en question,* etc.

Le principal du *Journal de 1939* consiste en la remémoration des souvenirs de La Chapelle-Anthenaise à l'occasion d'une visite sur place au début de cette année-là. « C'est ici que j'ai vécu quand j'étais petit [138] », se rappelle *Jean* dans *Voyages chez les morts.* « J'habitais le Moulin. La ferme qui s'appelait Le Moulin. » C'est Marie qui accueille son ancien pensionnaire. Elle avait trente-deux ans en 1919. Elle en a cinquante-deux. Elle n'est pas mariée. Père Baptiste est mort d'un cancer à la gorge dix ans auparavant et mère Jeannette deux ans avant père Baptiste. « On meurt aussi en temps de paix [139] », constate le *Journal. Débris de souvenirs* : ces débris lui appartiennent-ils ? Lorsqu'il les confronte avec ceux d'un camarade de classe, il s'aperçoit que ce ne sont pas exactement les mêmes. Marie en est persuadée : « Les saisons ont beaucoup changé... Ça a remué le ciel [140] ». À son visiteur à plume, elle adresse cette mise en garde : « Tu ne vivras pas vieux à penser du matin au soir... et puis la nuit. » Conseil inutile car lui sait bien qu'il n'est bon qu'à ça : penser et écrire ce qui lui traverse l'esprit. Quand il reverra Marie, un quart de siècle plus tard, elle aura soixante-seize ans, elle habitera une maison confortable dans un bourg voisin.

Elle pleurera d'émotion en le voyant et elle mettra sur la table la bouteille de calvados du père Baptiste. « J'aurais voulu avoir ce Moulin [141] », se dira Ionesco mais cela ne se fera pas.

Printemps 1939. Il revoit Agnès : « Vingt-sept ans, vingt-huit ans : une adulte, une vieille. Qu'est devenu son sourire [142] ? » Marie, le père Baptiste, la mère Jeannette feront brusquement irruption vers 1980 dans *Voyages chez les morts* : « Ici c'était le *moulin*... c'était habité [143]... », dit *Jean*. La terre d'enfance traverse les décennies, abritant les vies et les tombes des êtres chers, fécondant la mémoire d'Eugène Ionesco, faisant de lui un Français enraciné dans les chemins et les lieux d'autrefois, familier des garçons et des filles de l'école, René, Maurice, Raymond, Édith, Simone, Mariette, instruit par l'instituteur libre-penseur, catéchisé par le curé amateur de cidre, gardeur de vaches avec Maurice, pêcheur de vairons avec le même et Raymond, victime émerveillée des initiations alcooliques du père Dalibar. Sur le monument aux morts de La Chapelle-Anthenaise, il y a le nom d'un Dalibar*d* né en 1934, mort pour la France en Algérie en 1957, et qui, au printemps 1939, entamait sa brève existence. Le temps de La Chapelle-Anthenaise. Le visiteur de 1939 s'interroge : « Combien de fois suis-je mort depuis [144] ? » La mort est une rouille. « Je meurs avec mes souvenirs [145] ». Tout cela a-t-il été ? L'a-t-il rêvé ? Marie lui répond : « Tout de même dans les huit jours que tu as passés ici, nous avons vécu ce qui n'est plus, depuis vingt ans. Ceux qui sont morts aussi ont revécu avec nous [146]. » C'est une protestation contre les pensées funèbres que Marie devine chez son visiteur, et qu'il a couchées dans son *Journal* : « J'ai senti, j'ai su réellement que ce qui avait été n'était plus, que tout était mort [147]. » Une pensée qui est comme un poignard dans le cœur : « Où donc tout cela a-t-il disparu ? Dans quel abîme [148] ? » Et lui-même n'est-il qu'un « fantôme [149] » ? Sa réponse : « Je décide de ne jamais oublier cet instant [150] ». Autre instant marqué dans le *Journal*. Matin d'été. Dimanche lumineux, costume blanc. Il est léger, il a des ailes. Village, place de l'église. « Je pleure de joie [151] ». Soudain surgit le visage de sa mère. Fatigue et détresse. « Tout aura été tellement douloureux, ardent, beau, qu'il est impossible que cela soit pour rien, impossible que cela soit pour rien [152]. »

Automne-hiver 1939. La guerre. Mariana Sora se souvient d'un Ionesco écrivant son journal en état de frénésie, d'indignation, de désespoir devant le déroulement des événements. Il en reste ce qui a été publié dans *Présent passé, Passé présent*. On ne peut pas écarter que d'autres fragments aient pu être confiés à des amis roumains. Mais alors ils auront été détruits, de tels documents pouvant valoir la prison à leurs détenteurs sous le régime communiste. Il ne faut pas trop compter sur des découvertes à venir en la matière. L'homme à la plume continue d'alimenter la presse roumaine. En février 1940 paraissent dans *Viata Romaneasca* des *Lettres de Paris, journal*; dans *Universul Literar*, en mai, des *Pages arrachées d'un Journal*, et en juin, *Des notes sur l'homme et la poésie.*

CHAPITRE V

SECOND ÉPISODE ROUMAIN

ÉTÉ 40

Mai 1940. Le 10, c'est l'offensive allemande qui conduira la Wehrmacht à Paris en un mois. Un déferlement qui déclenche chez les Ionesco le même réflexe que celui qui jette des millions d'hommes, de femmes et d'enfants sur les routes de France, réflexe viscéral de tous les peuples aux prises avec les invasions barbares. Fuir. Ne pas se faire prendre dans la nasse. Se mettre à l'abri. Les Ionesco se retrouvent en juin à Bucarest.

Rodica est rentrée quelques semaines avant son mari. Mais dès le mois de juin 1940, Eugène Ionesco est en Roumanie. C'est de Bucarest que, le 23 de ce mois, il adresse à Alphonse Dupront une lettre qui, par le ton, par la noblesse de la pensée, par la sincérité de l'émotion, témoigne que ce Roumain francophone n'a jamais cessé d'être français par l'esprit non plus que par le sentiment. Le 14 juin 1940 la Werhmacht est à Paris. L'armistice, demandé le 16, a été signé le 22 à 18 h 30. Les Allemands sont à Brest, Lyon, Vienne, Saint-Nazaire, Niort. Ils seront bientôt à La Rochelle, Bordeaux, Bayonne. Ineffaçables jours de désastre dont la lettre du professeur Ionesco garde la marque. La France : pour en parler, le poète des *Élégies pour êtres minuscules*, le tumultueux agitateur littéraire de *Non* trouve les accents des *Mémoires de guerre*. « Même si, par malheur pour ce monde égoïste, cruel et stupide, la France devait mourir, elle n'aurait à se reprocher, devant Dieu, aucune bassesse [1]... » Mais, si « la France s'est sauvée spirituellement », il n'en demeure pas moins que « le désastre dont nous souffrons atrocement, est dû à la faute de la France ». Ayant cessé de croire en sa mission, la France s'est trouvé absente du monde. « La Bête s'est ruée sur l'Esprit malade ». Ce serait la punition du monde que de devoir se passer de la France pour l'avoir assassinée. « Mais le monde peut-il vraiment assassiner son âme ? » Quant à lui,

Eugène Ionesco, il ne pourra vivre dans un monde « où il n'y aurait plus de France ». Il n'a qu'une patrie, « c'est la France, car la seule patrie est celle de l'Esprit[2]. » Après avoir fait référence à Péguy, Ionesco poursuit : « Monsieur, je ne suis qu'une humble personne, mais une *personne* ». Une personne : voilà bien Eugène Ionesco, *existant spécial*, qui, certes, ne se voit pas comme un héros, mais qui se sait peu doué, par la nature et par la culture, pour la soumission profitable, pour la reptation flagorneuse, incapable de répéter poliment, en même temps que tout le monde, ce que tout le monde répète, et, par là, assez mal supporté par ses contemporains. Ici, en ce 23 juin 1940, il se contente de solliciter d'Alphonse Dupront qu'il veuille bien le considérer comme l'un de ses *compatriotes*, « un des membres de la Famille française, un parent pauvre... Je pleure, monsieur ». Il s'en veut de ne pas disposer du pouvoir de sauver la France et d'anéantir ses ennemis. « C'est tellement tristement idiot de ne pouvoir faire que des phrases, de n'offrir que des larmes, que de l'impuissance ». Au moins peut-il penser qu'il a eu assez d'intuition pour quitter à temps un pays occupé par une armée victorieuse au service d'une idéologie ennemie, gouverné par un pouvoir qui, même dans la zone où s'exerce encore sa souveraineté, n'aurait pas manqué de le mettre sous surveillance en sa qualité d'étranger mal pensant. Bref instant de soulagement que les tribulations roumaines, intérieures et extérieures, transformeront vite en amer sentiment de regret impuissant. Pendant près de deux ans, il sera la proie prise au piège.

Pour le roi Carol et pour le personnel politique roumain, la défaite de la France signifie l'effacement de la scène internationale du puissant vainqueur qui a présidé à la naissance, en 1919, de la Grande Roumanie. L'effet de la disparition de cette protection internationale se fait sentir instantanément. La chute de la France à peine consommée, Staline, le 26 juin 1940 à 22 heures, adresse un ultimatum à la Roumanie, lui accordant un délai de cinq jours pour évacuer la Bessarabie et la Bucovine septentrionale. Ce déplacement de frontière faisant partie de l'accord Molotov-Ribbentrop du 23 août 1939, Staline est assuré de l'assentiment de Hitler. Le roi ne peut que céder à l'injonction non sans engendrer dans le peuple roumain une véritable rage de revanche. Le 28 juin l'Armée rouge pénètre en Bessarabie.

Tout l'été est occupé par des tractations désastreuses pour la Roumanie. Le 31 juillet 1940 les Bulgares récupèrent la Dobroudja du sud. Le 30 août, c'est la Hongrie qui, en vertu d'un arbitrage rendu par l'Allemagne, connu sous le nom d'arbitrage de Vienne, obtient la restitution de la Transylvanie. Déplacements de populations, maltraitances, manifestations. C'est ainsi que le professeur Ionesco, nommé au lycée Saint-Sava, se retrouve englué dans une Roumanie qui lui paraît vite pire que la France à demi occupée qu'il a fuie quelques mois plus tôt.

« JE NE FAIS PAS LA GUERRE »

La Roumanie d'Antonescu, c'est la trappe dans laquelle il est tombé. Il note dans son *Journal du printemps 1941* : « Quelle idée stupide nous avons eue de quitter la France. Nous aurions dû y rester, même s'il y avait l'occupation. Je me mords les doigts. Ici ne sommes-nous pas occupés ? Doublement même, cent fois plus même[3]. » Des détachements de la Wehrmacht sont stationnés en Roumanie. Mais, juridiquement, cette présence n'est en aucune manière une *occupation*. Encore quelques semaines et la Roumanie sera dans la guerre contre l'Union soviétique aux côtés de l'Allemagne. Reste qu'en janvier 1941, l'armée allemande a sauvé le régime d'Antonescu de la déroute devant La Garde de fer. Si la victoire du Mouvement légionnaire eût représenté le pire pour lui, Eugène Ionesco n'en ressent pas moins le pouvoir du *Conducator* et l'alliance avec l'Allemagne comme une *double occupation*. D'où le projet qui emplit ses jours et ses nuits, et qu'il formule ainsi dans son *Journal* du printemps de 1942, à un moment où l'armée roumaine est engagée dans la guerre contre l'Union soviétique : « Je ne fais pas la guerre. Mourir pour le nazisme, ce serait insensé. Combattre pour Staline, et pour l'impérialisme russe ? Ce serait tout aussi bête[4]. » Le 31 décembre 1941, il avait écrit : « L'année dernière, le soir du 31 décembre, je m'étais donné rendez-vous pour ce jour-ci et cette nuit-ci. J'espérais que tout allait être terminé. Je me donne rendez-vous pour l'année prochaine[5]. » Une obsession, deux années d'obsession. Jusqu'à la fuite finale. « Le miracle s'est produit... Mercredi, je serai en France, à Lyon[6]. » Derniers mots du *Journal* de Roumanie. Nous sommes fin juin 1942.

Cette Roumanie d'où il vient de s'évader, il l'a rencontrée en juin 1940 en la personne de Constantin Noica, un compagnon du temps de *Criterion*. Il écrit à Tudor Vianu le 2 février 1944 qu'il a croisé Constantin Noica le 25 juin 1940, si heureux de l'effondrement de la France devant l'Allemagne, qu'il dit lui avoir vu des larmes de joie dans les yeux.

La Roumanie est comme le reste de l'Europe : divisée. Lorsque Alphonse Dupront improvise la veille de l'entrée des Allemands à Paris une réunion publique dans les locaux de l'Institut, son intervention est saluée par *La Marseillaise*, chantée debout par l'assistance entière. Dès le 22 juin, le même Dupront écrit au général de Gaulle, pour recommander ce qu'il appelle une *attitude duplice*, en fait le double jeu, allégeance intime au Comité de Londres, maintien du lien hiérarchique avec le gouvernement de Vichy. Spitzmuller, le chargé d'affaires français durant l'été et l'automne 1940, penche du côté de la France libre. L'ambassadeur Jacques Truelle, également. Il en va de même de Jean Mouton, successeur d'Alphonse Dupront à la tête de l'Institut. Lorsque, le 19 juin 1943, Jacques Truelle rejoindra le gouvernement d'Alger, Jean Mouton notera dans son *Journal* : « Les autorités roumaines ont fermé les yeux sur ce départ[7]. » Informé seulement une semaine plus tard, l'ambassadeur allemand Killinger « entrera dans une grande colère ». Truelle est parti en donnant pour conseil : « Dans quelque temps vous verrez arriver mon successeur ; ce sera Paul Morand. C'est un homme charmant ; mais ne l'écoutez pas. »

En novembre 1942, au lendemain du débarquement américain en Afrique du Nord, on fait salle comble à l'Institut à l'occasion de la reprise des activités 42-43. Les sentiments pro-français se manifestent avec chaleur dans la population. Les officiels voient bien de quel côté penchent les fonctionnaires nommés par Vichy.

La Roumanie dans laquelle viennent de plonger les Ionesco n'est donc pas unanime. Reste que l'engagement militaire aux côtés de l'Allemagne le 22 juin 1941 n'a pas été mal accueilli par l'opinion. Il s'agit de reconquérir les provinces perdues l'année précédente. Le procédé soviétique a fait l'unanimité de l'opinion contre Moscou. Mais dès que les armées roumaines auront franchi la frontière antérieure à juin 1940, celle du Dniester, la politique du maréchal Antonescu sera jugée aventureuse par beaucoup.

Le *Journal* de Jean Mouton et les correspondances diplomatiques de Spiztmuller nous restituent l'image de ces années 1940-1941 au cours desquelles l'histoire aura ébranlé les nations jusqu'en leurs fondations. C'était comme si la terre avait tremblé dans ses profondeurs, libérant une onde de choc aux conséquences sans fin. Elle avait tremblé, d'abord, au sens le plus sismique du terme. Jean Mouton a noté dans son *Journal*, le 7 novembre 1940, que le matin, assistant à la messe, il s'était produit « une grosse secousse... le plancher s'inclina comme le pont d'un navire par gros temps... » Le célébrant, Mgr Ghika, futur martyr des persécutions d'après-guerre, réussit à poursuivre l'office jusqu'à son terme. Le tremblement de terre proprement dit, l'un des plus violents que l'on connaisse, surviendra dans la nuit du 9 au 10 novembre. Au nombre des choses étranges que Ionesco rapporte comme lui étant arrivées, il y a ce sommeil dont il est sorti la nuit précédente en hurlant : « Un tremblement de terre[8]. » Si l'on rapproche ce souvenir, que relate Ionesco dans les *Cahiers de l'Est* de janvier 1975, et le *Journal* de Jean Mouton qui note, dès le 7 novembre, une première secousse, il vient à l'esprit que le cri d'Eugène Ionesco relève peut-être, non de la prémonition, mais de la perception : un mouvement sismique avant-coureur, analogue à celui dont Jean Mouton a été le témoin le 7 au matin, a pu l'alerter alors qu'il était encore endormi. Les journaux rapportèrent que des vaches et des chevaux, pris de panique, avaient rompu leurs attaches, la veille du séisme, et s'étaient enfuis. Rentrant en voiture d'un dîner très arrosé, un poète que Ionesco identifie par l'initiale T, voyant son immeuble vaciller, en avait conclu qu'il était sérieusement éméché, jusqu'au moment où, étant sorti de la voiture, il avait vu toute la construction s'effondrer comme s'effondrèrent, en partie ou en totalité, le grand immeuble Carlton et l'ambassade du Japon. Il y eut de nombreuses victimes.

Peu nombreuses cependant au regard de celles qui trépassèrent du fait de la guerre contre l'Union soviétique. Pour la seule Roumanie, même si les chiffres varient selon les sources, on peut être assuré que les pertes militaires s'évaluent en centaines de milliers d'hommes. On ne doit pas omettre d'ajouter aux soldats et officiers qui sont allés périr en Russie, à Stalingrad et ailleurs, ceux qui sont morts dans la guerre contre l'Allemagne après le retournement d'alliance du 23 août 1944. Soumis aux obligations militaires légales, Eugène Ionesco sera mobilisé, mais sur place, dans son lycée, à Saint-Sava. S'il évite l'incorporation, il le doit au parti délibérément arrêté de certaines autorités militaires de ne pas exposer le pays à la destruction de ses élites les mieux formées afin de ne pas renouveler les hécatombes de diplômés de la Grande Guerre.

S'efforçant à la discrétion dans son action, l'Institut français, qu'il soit dirigé par Alphonse Dupront ou par Jean Mouton, apporte son aide aux minorités israélite et catholique. Il s'agit d'établir un lien avec les groupes les mieux à même de résister à l'influence culturelle allemande. L'une de ces minorités s'appelle Eugène Ionesco, orthodoxe de baptême, catholique de catéchisme, en état d'insurrection morale contre le national-socialisme hitlérien et ses relais idéologiques roumains.

Quel est l'état d'esprit de cette minorité composée d'un unique individu associé, il est vrai, pour la vie, à une autre individualité, son épouse Rodica ? Bloqué au fond de la trappe roumaine, le prisonnier de Saint-Sava confie son état d'âme au papier, non sans quelque imprudence car ces sortes d'aveux sont à la merci de la première perquisition policière. Écoutons le murmure d'Eugène Ionesco tel qu'il nous parvient de la profondeur des années 1940-1942. Il se sent comme l'homme de la rue. « Je ne puis rien faire. Je ne joue aucun rôle, je suis joué[9]. » Mais lui, il est conscient de ce qui se passe. S'il est impuissant, il n'est pas dupe. « Je suis en danger de mort, menacé d'être écrasé. » Il s'indigne : « je ne mérite pas un tel destin, je ne le mérite pas puisque *je comprends.* » Il a décrypté l'histoire qui s'accomplit sous ses yeux. Se résigner à en être la victime anonyme ? Sa lucidité même le lui interdit. « Je suis furieux de me sentir perdu dans la pâte informe des multitudes. » Alors qu'il est né pour accomplir quelque chose, pour transmettre quelque chose, le voilà exposé à disparaître sans avoir laissé la trace qu'il a mission d'imprimer sur le sol, et qui témoignera de son passage. « Il y a d'autres choses à me faire faire, vous vous trompez, j'ai mon destin ! » Quelque part « (son) absence doit étonner, doit inquiéter. Ils doivent me chercher, ils s'interrogent, etc. » C'est à lui qu'il appartient de réparer l'erreur qui fait qu'il est là, d'autant que cette erreur, c'est la sienne. « C'est par erreur que vous me tenez là, c'est par erreur que je suis pris ici ». Son retour en Roumanie, voilà bien la sottise absolue. « Je vais être broyé, *à moins que je sois plus malin* ». Il est dans le piège, mais l'italique montre bien qu'il entend ne pas s'y faire prendre, qu'il va déployer toutes les ressources de son intelligence pour s'en extraire. Voilà une confession à mi-voix qui en dit beaucoup sur cet *existant spécial* : tombé dans la nasse comme tout le monde, mais bien décidé à ne pas y rester à la différence de tout le monde, assuré par ailleurs que quelque part *on* attend quelque chose de lui. Il ne s'agit pas d'aller s'engloutir dans le sanglant magma que la cécité des peuples et de leurs maîtres est en train produire.

De quand date cette confidence ? Une allusion, deux pages plus haut, à l'extermination des juifs de Bessarabie pourrait laisser croire que la reconquête de cette province a eu lieu, et que donc la guerre contre l'Union soviétique a commencé. Été 1941. Le propos nous renseigne sur la détermination d'Eugène Ionesco à échapper au sort qui s'annonce comme devant être le sien s'il se contente de le subir, mais aussi sur l'idée qu'il se fait de lui-même et de sa place dans l'histoire de la littérature. Cela était déjà dans *Non*. Il a une œuvre à accomplir. *On* l'attend quelque part.

La rue n'appartient plus à la Garde de fer. Ses chefs, sûrs d'être en connivence idéologique avec les dirigeants nazis de Berlin, avaient entrepris, en janvier 1941, d'évincer le *conducator*, ultime obstacle à leurs yeux, à l'instauration d'un véritable État national-légionnaire. Dans la nuit du 20 au 21 janvier, ils avaient occupé une caserne, dressé des barricades, investi une partie de Bucarest. Le général Antonescu, n'ayant pu conclure un accord avec Horia Sima, avait donné l'ordre à l'armée d'ouvrir le feu. « Vive la mort ! » proclamaient les communiqués légionnaires, prélude adéquat aux *Jeux de massacre* à venir. *Les troubles*, selon le bilan officiel, auraient causé la mort de près de 2 000 civils et de 346 légionnaires. Plusieurs milliers de gardes avaient été arrêtés et condamnés, des chômeurs et des ouvriers non qualifiés pour beaucoup d'entre eux. Plus d'une centaine de juifs avaient trouvé la mort, quelques-uns aux abattoirs dans des conditions atroces. Si des rumeurs annonçant le ralliement de certains régiments à la cause légionnaire avaient circulé, elles n'avaient pas été confirmées. L'intervention décisive avait été celle de la Wehrmacht. Selon ce que rapporte Mihail Sebastian, le jeudi 23, des détachements motorisés allemands avaient pris position sur une place proche du siège de la Légion. Persuadés qu'il s'agissait d'un renfort, les légionnaires les avaient accueillis avec enthousiasme, aux cris de « Heil Hitler ». L'investissement de la place terminé et toutes les issues bloquées, un officier avait ordonné aux manifestants de se disperser. Médusés, les gardes de fer s'étaient exécutés, sans esquisser la moindre résistance. Il leur avait échappé que, reçu début janvier par Hitler, le général Antonescu avait été informé de l'intention de l'Allemagne de déclencher la guerre contre la Russie. Le chancelier n'allait pas compromettre le concours qu'il attendait de la Roumanie en laissant le pays sombrer dans l'anarchie.

Cette défaite du mouvement légionnaire ne suffit pas à rasséréner Eugène Ionesco. Son *Journal* du printemps 1941 montre bien qu'il *comprend* ce qui se passe, mais que cette compréhension n'apaise en rien son anxiété. « Nous attendons avec angoisse l'attaque des armées allemandes contre la Russie [10] », écrit-il. Apparemment cette information circule dans toute la Roumanie. Dans la première quinzaine de juin 1941, J. Mouton note : « Tout le monde parle de la guerre contre la Russie. Aussi nous n'y croyons pas beaucoup [11] ». Le *Nous* s'applique au micro-milieu universitaire et diplomatique français. Le 15 juin, il observe que les rumeurs se multiplient. Il commence à s'interroger sur la pertinence du scepticisme condescendant des gens avertis. Le *Journal* de M. Sebastian témoigne dès le 13 avril de la vraisemblance de cette perspective : « Une guerre germano-russe devient possible [12] ». Si le 10 mai, M. Sebastian envisage la possibilité d'un nouvel accord entre Staline et Hitler, le 11 juin il fait état d'une rumeur : « L'offensive en Bessarabie a été fixée : le 20 juin [13] ». Le 12 juin, la guerre est dans toutes les conversations, dans celle d'Eugène Ionesco en particulier qui, le matin, a fébrilement interpellé M. Sebastian : « Tu n'y crois toujours pas, tu n'y crois toujours pas [14] ? » Ionesco est en pleine panique. M. Sebastian, lui, serait plutôt enclin à prendre en considération un communiqué de l'Agence Tass, attribuant « les rumeurs de guerre germano-soviétique » à des provocations anglaises. Le lundi matin 16 juin, M. Sebastian doit affronter à nouveau la panique d'Eugène Ionesco. « Eugène Ionesco fait irruption chez moi ce matin pour me dire qu'il n'y a plus aucun espoir, la guerre contre les Russes est définitivement décidée, elle est imminente. Nous autres qui continuons à ne pas croire à la guerre, nous sommes obtus ou aveugles. Il a passé toute la matinée chez moi, torturé, décomposé [15] ». Cette capacité à se tourmenter, cette propension subséquente à investir les domiciles amicaux, déjà notées par Mariana Sora à Paris, se manifestent aussi à Bucarest, bien qu'à Bucarest Eugène Ionesco ne soit pas seul. Les intuitions de *cet existant spécial*, survolté et encombrant, ne l'auront pas trompé. Le dimanche 22 juin, M. Sebastian note : « Hier soir encore, ce matin encore, j'étais sûr qu'elle n'éclaterait pas [16] ». Staline non plus ne croyait pas que la guerre se déclencherait ce jour-là.

La guerre, Staline la voyait venir bien sûr. L'Europe en serait le butin. Mais ce 22 juin, non, en dépit de tout ce que ses services de renseignement lui avaient annoncé, la guerre, il ne l'attendait pas. Au contraire d'Eugène Ionesco, le futur maréchal Staline n'avait pas inscrit la guerre sur son agenda à cette date-là. Hitler, si.

La guerre, survenant dans ces conditions, allait compliquer la vie de Joseph Staline, celle d'Eugène Ionesco aussi.

« Il y a trois semaines, nous avions passeports et visas [17]. » Début avril 1941, les Ionesco sont en mesure de quitter la Roumanie, via la Yougoslavie. Le professeur Ionesco entend toutefois respecter les règles : il veut avoir un congé en bonne et due forme de son ministère. C'est une affaire de deux jours. Deux jours de trop : le 6 avril, suite à un coup d'État pro-anglais, la Wehrmacht envahit la Yougoslavie. Plus moyen de transiter par ce pays. À présent, pour se rendre en France, il faut passer par l'Allemagne. Comment croire que les services allemands accorderont le visa ? Qu'à cela ne tienne : « Nous sommes allés demander un visa au consulat allemand pour transiter à travers l'Allemagne, pour aller d'Allemagne en Suisse, et de là, en France non occupée ». Le professeur Ionesco est sûr que la réponse sera négative. « Il y a quelques jours, je suis donc allé au consulat allemand où j'ai appris que le visa m'avait été accordé. » L'état-major roumain, tout en renâclant, avait autorisé le départ du militaire de réserve Ionesco, le pays étant encore en paix. Est-ce la porte de la prison qui s'ouvre ? Non. Il a trop attendu. « Maintenant, le visa allemand est périmé, ainsi que le passeport [18]. » Ce « maintenant » paraît bien désigner la guerre avec l'Union soviétique. La date d'invasion de la Yougoslavie laisse penser que les démarches auprès du consulat allemand se déroulent courant avril-mai-juin 1941. La détermination de gagner la France ne faiblit pas. « Je décide de tout recommencer... Mais je ne puis faire une demande de visa sans un nouveau passeport. » Et là, nouvelle complication : « Je viens d'apprendre que depuis hier le Conseil des ministres a décidé que personne ne peut partir au-delà des frontières, à moins d'une mission officielle. »

Une mission officielle ? Concrètement cela signifie que, pour quitter la Roumanie, il ne suffira plus d'obtenir l'autorisation du gouvernement, il faudra encore se faire attribuer la charge de le représenter. « Désespoir, colère, accalmie, apathie. Comment ai-je pu être aussi bête, tout est à recommencer ». Cette détermination à quitter la Roumanie n'est pas propre au seul Ionesco. Le 2 janvier 1941, M. Sebastian croise un E. Cioran radieux : il vient d'être nommé attaché culturel en France. Il était temps : ses sympathies légionnaires peuvent expliquer que la procédure ait suivi un cours favorable jusqu'en janvier 1941. Mais ensuite, ces mêmes sympathies auraient pu la faire échouer. Non : Cioran conserve son poste. Nommé à compter du 1er février 1941, E. Cioran est à Vichy le 1er mars. Dès le début du mois de mai, le chef de la Légation réclame d'en être débarrassé. Il est révoqué le 16 mai 1941 par le général Antonescu lui-même. E. Cioran se garde de regagner la Roumanie. Il se rendra à Paris où il attendra la fin de la guerre. Puis il s'y établira définitivement.

Pendant ce temps, E. Ionesco se morfond à Bucarest. Le général Antonescu, le 2 mars 1941, se fait plébisciter : 2 millions de oui, un peu plus de 3 000 non. Détail utile à connaître : le vote est public.

Les relations franco-roumaines sont au bord de l'incident diplomatique. La crise éclatera durant le deuxième trimestre de 1941. La politique de *roumanisation* des entreprises, menée par le gouvernement Antonescu, entraîne l'exclusion des ressortissants français des postes de direction. Certains nationaux sont expulsés voire internés en camp de concentration. Pour les protéger, le gouvernement de Vichy doit menacer d'interner des sujets roumains en territoire français. La princesse Bibesco a beau faire l'éloge de la France, l'alignement de la Roumanie sur l'Allemagne produit des conséquences dans tous les domaines, en particulier dans celui de la culture. La *roumanisation* s'exprime également par de nouvelles dispositions excluant les juifs de nombreuses activités – professions libérales, médicales, etc. –, qui viennent s'ajouter aux mesures les ayant déjà évincés de l'administration et de l'armée. Si la mise au pas des légionnaires a mis fin aux troubles à l'ordre public, l'antisémitisme d'État n'en continue pas moins de sévir.

C'est, peut-être, en se souvenant de ce contexte, qu'il faut lire ce qu'écrit Ionesco dans son *Journal*, quelques jours avant le déclenchement de la guerre contre l'Union soviétique : « attente angoissée également des mesures légales qui décréteront, peut-être, notre anéantissement [19] ». Quelques mois plus tôt, fin janvier ou début février, au lendemain de l'éviction des ministres légionnaires du gouvernement, il avait déjà noté : « Nous avons échappé de justesse aux coups de tant de décrets-lois, mais c'est maintenant, cette année que nous vivrons le grand danger [20]. » Quel est ce péril qu'il pourrait courir ? Ce péril a un nom : le nom de son arrière-grand-mère. Si lointaines que puissent paraître ces ascendances, elles étaient de nature, dans le climat de folie idéologique qui emportait la Roumanie au moment où il écrivait son *Journal*, à l'entretenir dans l'angoisse d'une disposition qui viendrait *légalement* l'inclure dans « une catégorie ethnique persécutée [21] » pour reprendre les termes de *L'Homme aux valises*. Sa propension à l'anxiété suffisait à lui faire envisager le pire. Si cette hypothèse explicative était la bonne – et il ne s'agit que d'une hypothèse car le *Journal* est trop sibyllin pour qu'on puisse avancer des certitudes –, elle éclairerait d'une lumière vive la vigilante attention qu'Eugène Ionesco manifestera tout au long de sa vie à l'égard des peuples menacés, envahis, écrasés, massacrés, promis à l'éradication. Le souvenir d'avoir lui-même craint de se voir englobé, par l'effet d'une simple décision juridique, dans une « race condamnée » l'aura peut-être obscurément hanté sa vie durant. Une espèce de culpabilité universelle, qui se lit dans sa littérature, aura été avivée par la conscience d'avoir échappé à un destin qui aurait pu l'engloutir sans la frêle et arbitraire protection d'une définition légale.

Iassy, été 1941 : les 24 et 26 juin, bombardements russes, rumeurs sur l'aide israélite aux parachutistes soviétiques, perquisitions dans des maisons juives, regroupement de personnes arrêtées à la préfecture de police, les 28, 29 et 30 juin, exécutions à la mitrailleuse, tortures, déportations, train de la mort, peut-être 8 000 victimes. De ces événements sanglants, Malaparte a fait le récit, d'abord dans un article paru dans le *Corriere della Sera* du 5 juillet 1941, sous le titre : « À Iassy, répression de la trahison hébraïque [22] » ; ensuite, dans son livre *Kaputt* (1943) où la férocité des scènes d'extermination revêt un éclat qui tient au talent de l'écrivain pour amalgamer réalité historique et fiction littéraire. Pour l'ambiance, lisons dans *Kaputt* : « Partout le joyeux et féroce labeur du pogrom remplissait les rues et les places de détonations, de pleurs, de hurlements terribles et de rires cruels [23] ».

Selon les chiffres cités par C. Iancu, sur les 607 000 juifs recensés à la veille de la guerre en Roumanie, (Transylvanie non comprise), 265 000 auraient péri (43 %), principalement ceux de Bessarabie et de Bucovine. En Moldavie et en Valachie les victimes auraient été d'environ 15 000, le maréchal Antonescu ayant refusé de livrer aux Allemands les juifs de l'Ancien Royaume. Dans sa quasi-totalité, la communauté juive a émigré en Israël au lendemain de la guerre.

La distribution dans le temps du *Journal* des années quarante est malaisée dans la mesure où les fragments publiés dans *Présent passé, Passé présent*, ne comportent aucune précision de date, tout au plus des indications très vagues telles que : *autour de 1940*, parfois *1941*, une seule fois *fin janvier 1942* ; dans la mesure aussi où la présentation dans le volume n'obéit manifestement à aucun ordre chronologique. Pour avoir quelques repères, il reste la ressource de consulter le *Journal* de M. Sebastian où les apparitions d'E. Ionesco sont datées. Ainsi le 15 juin 1940, « de retour de Paris, Eugène Ionesco (lui) apprend des choses consternantes [24] ». Le 25 mars 1941, il reçoit sa visite. Le jeudi soir 28 mai, il le trouve chez Tudor Vianu en compagnie notamment de Mihai Ralea. On y discute de Nae Ionescu qui, pour Ralea et Vianu, n'était qu'un charlatan. M. Sebastian s'est amusé à dire que pour lui « il était le diable [25] ». Le 2 juin, nouvelle rencontre, cette fois chez l'historien Pippidi : E. Ionesco lit des pages de Thucydide « d'une troublante actualité. On eût dit un pamphlet contre les Allemands [26] ». Nouvel échange le 20 juillet. Le lundi 1er septembre 1941, M. Sebastian s'est « promené (à Bucarest) avec Eugène Ionesco... comme dans une ville étrangère [27] ». Le 4 septembre, discussion à propos du *Journal* de Gide. Quelques jours plus tard, le lundi 22 septembre, « après-midi agréable chez Tudor Vianu [28] ». Sont là, outre lui-même et Eugène Ionesco, Serban Cioculescu, l'historien Pippidi, Victor Iancu... On parle littérature. « On ne se serait pas cru en septembre 1941. » Le dimanche 30 novembre, M. Sebastian constate qu'en deux jours, il a vu les « rares personnes » qu'il a l'habitude de rencontrer, parmi lesquelles Eugène Ionesco.

MONOLOGUE DE *L'EXISTANT SPÉCIAL* AU FOND DE LA TRAPPE

Eugène Ionesco, *Journal*, octobre 1932 : « Je suis accroupi comme un animal dans sa tanière[29]. »

Eugène Ionesco 1940-1942 : le sujet pensant au fond de la trappe. L'*Existant spécial* nous a laissé son monologue, le monologue de l'animal pris au piège. Son programme pour 1941 : « Si nous sommes en vie à la fin de l'année et pas encore rendus déments, nous pourrons considérer que nous sommes presque victorieux[30]. » Au-delà, si le sort de la guerre demeure encore incertain, les alliés de l'Allemagne commenceront à prendre leurs précautions, ils joueront sur les deux tableaux. Pour l'heure, il s'agit de survivre dans une Europe dominée par l'Allemagne hitlérienne.

Les Allemands : leurs crimes « d'autant plus graves qu'ils sont imbéciles[31] », leur insolente stupidité, leurs complots, la menace latente d'un coup d'État des gardes de fer. Le garde de fer : l'homme qui se voit comme « un saint » et qui n'est qu'« un assassin[32] », le tueur « effroyablement bon[33] », digne fils d'un peuple qui révère Vlad l'Empaleur[34], et qui, à présent, colporte des sentences mortifères telles que : « Il vaut mieux être les domestiques des Allemands que les esclaves des youpins[35] » ; ou : « les Allemands nous vengent des autres occupants, les juifs » ; ou : « Les juifs veulent écraser notre nation[36] ». Immergé au sein de ce maelström, en proie à « la tristesse d'exister[37] », lui, Eugène Ionesco, essaie en vain de se soustraire à « l'immonde bêtise du monde[38] », observateur perplexe des vanités persistantes, celle, par exemple, de cet éminent écrivain rencontré dans la rue, exclusivement préoccupé de l'effet produit par le numéro spécial que vient de lui consacrer une revue pour son soixantième anniversaire. Lui, Eugène Ionesco, stratège militaire comme les autres, s'adonne aux prévisions : « L'armée soviétique sera défaite à l'automne de 1942 ; au 1er janvier 1943, l'Égypte, Gibraltar, le canal de Suez, l'Afrique du Nord, le Caucase seront occupés par l'Allemagne[39] » ; la guerre deviendra réellement mondiale en 1943, 1944, 1945 ; le Japon s'emparera des Indes, de l'Indochine, de l'Australie, de la Nouvelle-Zélande, de toutes les îles du Pacifique ; les flottes alliées auront été envoyées par le fond. Un cri : « Que font les Américains, mais que font-ils[40] ? » L'avenir appartiendra à *l'homme nouveau*, à cet homme qui a renoncé à être une personne alors que « Dieu peut être conçu seulement comme une personne[41] », cet homme dont la « vision du monde est en train de vaincre[42] », qui prépare « un monde de tigres... de feu et d'acier[43] », ce même homme qui a entrepris la « résurrection du paganisme[44] » en Allemagne, qui voue à l'extermination les Polonais, les Serbes, les Belges, etc., et dont le triomphe accable Eugène Ionesco dans le fond de son souterrain. Eugène Ionesco, « heureux quand tombe la nuit[45] », échappant alors seulement aux pensées du jour : « Nous serons perdus[46] », « C'est l'enfer dans le monde » ; puis cette correction : « Certainement, ce n'est que le début de l'enfer[47] » ; et encore : « Nous sommes perdus. Nous ne sommes plus des contemporains » ; mais aussi : « Je ne végéterai pas, je ne vivrai pas une existence médiocre[48] ». Dans l'obscurité de sa nuit, Bérenger ne se résigne pas : « Être libre, marcher, courir, ne plus ramper[49]. » Bérenger s'insurge contre l'Histoire qui se fait sous ses yeux. Trois décennies plus tard il écrira : « J'assistais impuissant, de loin, plein de rage aux envahissements de la Pologne par les nazis et par les rouges[50] ». L'Histoire, « confuse, chaotique, absurde », est la proie de ses conquérants. « Nous sommes chassés de leur univers[51]. » Révulsé par « les racistes... représentants de l'Histoire en marche[52] », Eugène Ionesco constate qu'il a « tendance à être... contre son temps », assuré que les idées transcendent l'Histoire, que « ce que nous pensons est éternel ». Il n'a que faire d'être « en retard sur son temps[53] », sans, cependant, que son tempérament *colérique et anxieux* l'autorise à cette indifférence totale qu'il faudrait réserver à l'Histoire : « trop de pitié, trop de peur[54]. » Quant à la Révolution, il sait à quoi s'en tenir : « Les changements ne changent rien[55] », ou plutôt si : « Des tyrannies plus implacables ont remplacé des tyrannies plus lâches, libérales[56]... » Il a vu Staline, « tsar crapuleux[57] », livrer à Hitler « les communistes allemands réfugiés en Russie ». Non. La Révolution, « action de salut condamnée à l'échec[58] », ne fait qu'exprimer l'impuissance de l'homme à répondre à son désir profond.

Dans ce microcosme en délire, où la Roumanie, un certain jour de décembre 1941, déclare solennellement la guerre aux États-Unis d'Amérique, où « tous ont un système pour expliquer le monde », il est, lui, Eugène Ionesco, le « seul au monde à ne rien comprendre[59]. » Des voix se font entendre, qui jaillissent des postes de radio, celle de Hitler par exemple, comme en ce vendredi 3 octobre 1941, où Eugène Ionesco, Rodica et Mihail Sebastian sont réunis dans un café de Bucarest pour écouter la retransmission d'un discours du Führer. *Je ne peux pas ! Je ne peux pas !* Cette voix qui le révulse, Eugène Ionesco la reconnaît alors même que celui qui parle n'est qu'un imitateur du maître, le vice-président du Conseil de Roumanie par exemple : « La voix est imitée de celle de Hitler[60]. » Hurlements, stridences, pathos, enrouement : le modèle est intériorisé. Cette posture, celle du pouvoir, il l'abandonne à ceux que cela intéresse de conduire le monde : « Moi ça ne m'intéresse pas[61] ». Il n'aime que l'indépendance. Il a parfois des velléités de mettre de l'ordre dans l'Univers. Mais il y renonce vite : « Il m'est impossible de me faire obéir par deux milliards de personnes[62]. » Il se résigne : « Je suis dans le chaos. » Se laisser « porter par les vagues du chaos[63] » comme sur un océan démonté. « Il faut que j'arrive à croire en Dieu ». Il formule l'alternative : « Dieu ou le suicide[64] ». Le désespoir le guette : « Il n'y aura plus de printemps. » Il lui arrive, comme à d'autres, d'être traversé par des pensées qui épousent furtivement le maléfique à l'œuvre dans le monde. Il avoue comme une « joie secrète » à l'annonce des catastrophes. Les massacres, les hécatombes le vengent : « Il me semble parfois que ce n'est pas assez ». Que tout s'écroule : « Repu de ruines, j'irai ensuite comme Rimbaud en Afrique, chez les fils de Cham. » Le désespoir, le chaos : visité par « l'impossible espérance d'une catastrophe universelle[65] », il ne peut que déplorer qu'il n'y ait pas assez de neige « pour nous ensevelir tous ». Il se résigne à rester « plongé dans les ténèbres sans fin ». Il laisse sa plume aller : « Que vienne l'invasion des jaunes... Si les Japonais obtiennent la suprématie des mers, ils seront les maîtres du monde. Hitler sera bien attrapé[66] ! » D'ailleurs il « en a marre de la race blanche[67] ». « Horreur de vivre, horreur de mourir[68]. » Il tente de se consoler en pensant « que plus personne ne se souviendra des tortures et des massacres[69] », que ce qu'il « aime le plus au monde et dont (il est) jaloux ne sera plus ». Sur cette pensée, il croit pouvoir s'endormir. Mais il est vite réveillé. Il sait qu'il est de ceux qui ne « se consoleront jamais du fait qu'ils ne peuvent déchiffrer l'énigme divine », de ceux « qui ne perdent pas de vue le problème des fins dernières[70]. » Il sait qu'il fait partie du monde. Dieu. « Le Messie était derrière la porte[71]. »

Reste, au milieu de ce magma sanglant, l'extase des mystiques, leur tentative pour « rendre compte de l'expérience ineffable[72] », qui transcende « toute l'histoire des cultures. » Lui aussi se souvient des fulgurances de la lumière. « La lumière m'a aveuglé. Mais elle m'a arrêté[73] ». La lumière et la beauté : « La beauté est atroce parce qu'elle n'est qu'un fantasme[74] » ; la beauté le rend *jaloux* ; la beauté laisse dans les ténèbres la partie du monde où il se trouve ; la beauté, « un trésor qui resplendit dans l'obscurité d'une caverne [75] ». « Transfiguration d'un réel quotidien ». A-t-il rêvé sa vie ou l'a-t-il vécue ? « Matins limpides d'une grâce légère... Le monde n'est que lumière et eau [76]. » Fontaines jaillissantes, « filles qui marchent sans toucher le sol ». Attente. Vêtements du dimanche, cloches, orgues, chœur pour l'hymne triomphal : « L'événement va se produire peut-être. Le seul événement pour lequel est créé le monde [77] ». Transparence du premier jour. Mur. « La beauté est comme une lumière inaccessible... Je ne suis plus qu'une ombre sombre dans sa splendeur [78]. » Mirage. Nostalgie. « La soif et la faim insatiables. » Alors ? « J'aime mieux m'abriter dans la grisaille tiède et supportable de la somnolence et de l'oubli ». Reste l'invasion du désir infini.

Autour de 1940. « Que va-t-il se passer pendant ces deux cents pages [79] ? » Question lancinante : comment échapper à la menace collective ? « Peut-être pourrais-je tout au plus sauver ma vie personnelle dans ce déluge [80] ». Dans un an, lui et les siens seront peut-être morts. Ou peut-être danseront-ils si leurs jambes les portent encore. Fin janvier 1942 : « Menace imminente, nous vivons dans un abri précaire : il y a la guerre pour tous [81]. » La guerre : une simple décision de l'autorité militaire peut l'envoyer sur le front russe.

Écrire ? « Je n'arriverai pas à écrire sans passion, sans peine, et sans douleur [82]. » La guerre ? Mais s'il n'y avait pas la guerre, déclarée ou menaçante, c'est l'ennui qui le torturerait. Paresse et fureur. Confusion des idées, brume épaisse. La trentaine seulement, et déjà fatigué, inconsolé, survivant à son monde, « âme en peine... pièce archéologique [83]. » Mais irréductible : « Je me sens irréductible [84]. » Fou ? Peut-être mais le sachant, et tenant le rôle du fou consciemment, traînant ses questions après soi, obstinément là : « Moi tout m'écorche. Je ne suis jamais chez moi. On dit que j'ai un caractère épouvantable, mais je ne suis pas fait pour ça [85]. » Il était fait pour rester spectateur. On lui a donné un rôle de figurant. « Hallebardier ». Il n'a qu'une seule réplique à dire. Mais laquelle ? Obsessionnellement, il cherchera la réplique. Dégoût, douleur, peur, angoisse : « tout cela peut être noyé ce soir dans un verre d'alcool [86]. » Parfois, « mal à la tête... (d)'avoir trop bu [87]. » Il s'est lui-même mis les chaînes aux pieds. Au milieu de la brume, une idée claire : « Je ne fais pas la guerre [88]. » Il n'est pas parmi ceux qui décident du sort des nations. Au moins peut-il « s'arranger pour ne pas être envoyé à la mort par eux [89]. » Or « toute la jeunesse du pays est en train de crever à la guerre [90]. » Survivre. Est-ce une faute ? « Je dois dépasser cette mauvaise conscience [91] ».

Ni l'Allemagne nazie, ni la Russie soviétique : il reste la France. La France vaincue de 1940, coupée en deux, à demi occupée. Juin 1940 l'a plongé dans la détresse. La France, oui, mais il voit les choses comme elles sont. Les valeurs françaises ? « Humanisme déplumé. » Les Français ? Ils ont « l'air de s'éteindre sous nos yeux, de temps en temps, ils rouspètent encore vaguement, comme des gens dérangés dans leur sommeil[92]. » Alors ? « Qui sauvera la France ? Qui nous sauvera[93] ? » Parfois il se reprend à espérer. « L'Histoire a peut-être ses plans[94]. » La France peut retrouver sa grandeur. Sur qui compte-t-il ? La France de la Révolution a été défaite par l'Allemagne hitlérienne. Mais « il semble que l'ancienne France... celle d'avant 1789, renaisse pour combattre[95]. » De Gaulle ? D'Estienne d'Orves ? « C'est comme si elle avait survécu dans les consciences de quelques individus[96]. »

Et les hommes de lettres et de culture ? Là, c'est la stupeur, l'incrédulité, le désastre. Il a sous les yeux quelques-uns des derniers numéros de *La Nouvelle Revue française* : « Chose incroyable, la *NRF* est favorable aux Allemands... ombres lamentables... des faibles voulant faire les forts... » qui attendent de l'Allemagne qu'elle rende sa virilité à la France : « Le Français ne serait-il plus qu'une loque[97]... » ? Cela ne change pas l'unique projet qui guide Eugène Ionesco dans son labyrinthe roumain : partir. « Comment faire pour regagner la France[98] » ? Il croit qu'en France on peut « encore se faire comprendre. » Le dernier jour de l'année 1941, il ne s'y trouve toujours pas. Son espoir d'il y a un an ne s'est pas réalisé. Il se promet de mobiliser toutes « ses sources d'énergie[99]... », tout son « entêtement (qui est) sans bornes », pour quitter la Roumanie. Son seul but : « retourner en France[100]. » Il meurt du mal du pays. « Reverrai-je la France l'année qui vient[101] ? » Il s'agit de l'année 1942. L'Amérique vient d'entrer en guerre. La nuit, il lui est arrivé de rêver qu'il était à Paris. Au réveil, « cuisante douleur[102] ». Sous la mention *1940* : espoir fou de partir, frayeur de ce que pourrait être la déception du lendemain en cas d'échec. Déception. Il est comme une puce qui essaie de sauter sous un globe de verre. Jusqu'à quand aura-t-il la force de sauter ? Mihail Sebastian confirme : « Eugène Ionesco, qui passe chez moi de temps à autre, fait des pieds et des mains pour quitter la Roumanie le plus vite possible, pour s'enfuir[103] ». Nous sommes le 8 janvier 1941. M. Sebastian note : « La même panique que Cioran, la même alarme, la même hâte de fuir pour se mettre à l'abri ». Lui, *bizarrement*, note que le projet de partir ne le mobilise pas. En février, il consignera cependant son sentiment d'abandon en voyant un couple ami prendre l'avion pour Le Caire. Puis le 11 octobre 1941 : « Je voudrais m'en-fuir, m'évader [104] ». Le lundi 22 juin 1942 : « Eugène Ionesco est parti hier. Une occasion miraculeuse [105]. » En ces mêmes jours, le même mot jaillit dans le *Journal* d'Eugène Ionesco. « Le miracle s'est produit. Pour moi du moins... Je prends le train demain... Mercredi, je serai en France, à Lyon [106]. » Sa femme l'accompagne. Lyon, c'est encore la zone libre.

Libre.

Eugène Ionesco : J'ai foutu le camp [107]...

L'intervenant extérieur : Le problème n'est pas là.

Eugène Ionesco : Considérant qu'il était absurde et qu'ils étaient stupides de se battre, j'étais fier de pouvoir *ne pas marcher* et de me faufiler grâce à ma situation qui me permettait de n'être ni roumain, ni français ou tantôt l'un ou tantôt l'autre, selon mon avantage.

L'intervenant extérieur : Bel aveu de cynisme !

Eugène Ionesco : ...cynisme plein de vitalité, un cynisme de jeunesse. Je me suis révolté !

L'intervenant extérieur : Évadé plutôt...

Eugène Ionesco : ...un évadé qui s'enfuit dans l'uniforme du gardien [108].

L'intervenant extérieur : Là est le problème ! La faute !

Eugène Ionesco : La beauté est une trace précaire que l'éternité nous fait apparaître et qu'elle nous retire... une prière désespérée et fastueuse [109].

L'intervenant extérieur : Pas de diversion ! C'est de votre séjour en France qu'il s'agit.

Eugène Ionesco : Mes amis des différents ministères m'ont arrangé un bon passeport avec des visas en règle [110].

L'intervenant extérieur : Pas seulement un passeport. On vous a aussi donné un emploi. Un emploi à Vichy.

L'orateur : À la Légation roumaine auprès du gouvernement de Vichy !

L'intervenant extérieur : Auprès duquel Eugène Ionesco représentera pendant plus de deux ans le gouvernement du maréchal Antonescu. Longue période vichyssoise d'Eugène Ionesco !

L'orateur : Est-ce que les diplomates américains en poste à Vichy en 1942 étaient des *Vichyssois* ? Est-ce que les diplomates français en poste à Moscou au temps de Staline étaient des *Moscoutaires* ? De grâce, nous ne sommes pas en représentation. Épargnons-nous les postures et les jeux de mots. Laissons là les fraudes sémantiques, et voyons l'histoire.

L'intervenant extérieur : Précisément ! Et commençons par examiner la valeur historique du *Journal* des années quarante de Ionesco.

L'orateur : Je conviens bien volontiers que ce sont des fragments présentés dans le désordre, dont les dates peuvent, parfois mais pas toujours, se déduire des événements auxquels ils font allusion.

L'intervenant extérieur : Il n'y a pas que ça. *Présent passé, Passé présent* enchaîne des textes qui, tantôt se rapportent aux années trente et quarante, tantôt aux années soixante. La présentation typographique permet, en principe, d'opérer la distinction. Or quand on regarde certains passages, on reste un peu perplexe. Quand il fait le bilan de l'année 1941, Ionesco écrit : « Le conflit germano-russe a éclaté alors que personne ne s'y attendait [111]. » Vingt-cinq pages plus loin je lis : « Nous attendons avec angoisse l'attaque des armées allemandes contre la Russie [112] ». Que les fragments soient dans le désordre n'est pas le problème. Le problème, c'est la contradiction qu'il y a entre eux. D'un côté, la surprise rétrospective devant l'attaque allemande. De l'autre, sept ou huit mois plus tôt, l'attente, apparemment très informée, de l'événement alors qu'il ne s'est pas encore produit. À quelles dates ces textes ont-ils été réellement écrits ? À l'avant-dernière page du *Journal*, dans une typographie qui est celle des années quarante, je note aussi cette phrase : « Il n'y a pas d'individu tout seul, nous disent les sociologues structuralistes [113] ». Comment Eugène Ionesco userait-il, dès 1942, d'un mot dont la fortune s'est faite largement après 1945 ?

L'orateur : Vous m'accorderez que les dernières lignes du *Journal*, celles qui commencent par : « Le miracle s'est produit », et se terminent par : « Mercredi, je serai en France, à Lyon [114] », donnent à penser qu'elles ont été écrites en Roumanie à la veille du départ. Eugène Ionesco y explique que ses amis lui ont fait obtenir un passeport et des visas qui lui permettent de *s'évader dans l'uniforme du gardien*, en compagnie de sa femme. Cela situe clairement le moment de l'écriture.

L'intervenant extérieur : Rien n'empêche que le passage n'ait été réécrit des années plus tard. De la part d'Eugène Ionesco on peut tout supposer.

L'orateur : On peut toujours tout supposer. Mais votre soupçon ne repose sur rien. En revanche, je vous accorde que les fragments qui précèdent, et qui sont une exaltation nostalgique de la beauté du monde et de la lumière du premier jour, sur fond de menaces totalitaires, ne comportent pas d'éléments qui autoriseraient le lecteur à en fixer à coup sûr la date de composition.

L'intervenant extérieur : Or leur allure typographique laisse croire qu'ils font partie du *Journal* des années quarante.

L'orateur : Ils peuvent très bien dater de l'immédiat après-guerre, à un moment où le terme de structuralisme a déjà pris son essor. Structural est connu depuis la fin du XIXe siècle. Sur les dates de composition, la présentation de ses textes par Ionesco en 1967 reste très prudente. Il n'y a pas lieu de revenir sur ce sujet, déjà traité.

L'intervenant extérieur : Reste à savoir de quand date une proclamation comme « Je me sens irréductible » qui vient juste avant « Le miracle s'est produit », mais qui est peut-être très postérieur au départ de Roumanie.

L'orateur : Irréductible, Eugène Ionesco l'est, oui. Autant dans les années quarante que dans les décennies qui précèdent ou qui suivent. Irréductible, tout au long de sa vie.

L'intervenant extérieur : Il y a plus grave que ce débat sur les dates de composition, il y a le mensonge par omission. Je lis dans *L'Homme en question* : « Novembre 1941, à Bucarest, arrivé de France, pour quelques semaines et quelques jours avant d'y retourner[115]... » Il est arrivé en Roumanie en juin 1940 et il ne reviendra en France qu'en juin 1942, soit deux ans après, et non « quelques semaines ».

L'orateur : Cela est paru en janvier 1975 dans *Les Cahiers de l'Est*. Il faut mettre l'approximation au compte des incertitudes de la mémoire, non d'une affabulation délibérée.

L'intervenant extérieur : Comment aurait-il pu, fût-ce un tiers de siècle plus tard, réduire à quelques semaines un séjour de deux années, durant lequel il s'est morfondu en attendant de trouver un moyen de revenir en France ? Non. Tout ce qui se rapporte à cette période a été habilement enveloppé dans un épais voile de brume.

L'orateur : Pas du tout ! Lorsqu'il a été naturalisé en 1957, lorsqu'il s'est porté candidat à l'Académie en 1969, Eugène Ionesco a toujours fait état de son séjour à la Légation roumaine à Vichy de 1942 à 1944.

L'intervenant extérieur : Évidemment ! Il ne pouvait pas faire autrement. Toute omission eût été détectée par l'enquête administrative. Non, je parle du silence, voire des manœuvres pour induire en erreur le public. Par exemple, cette phrase de *Présent passé, Passé présent* : « J'étais à Paris pendant la guerre puis après la guerre[116] ». Après la guerre, oui. Pendant, non. Je lis dans *Entre la vie et le rêve* : « Il y a... le souvenir du pays d'origine d'où je suis parti quand je l'ai pu en 1942, m'évadant sous prétexte d'études[117]. » Même lorsque des recherches sont venues ultérieurement corriger les demi-confidences semées au fil des années dans les œuvres autobiographiques, ce rideau de fumée aura aidé Eugène Ionesco à donner vie, pour un temps, à quelques approximations utiles. Je lis dans la *Préface* à l'édition du *Théâtre* dans La Pléiade (1990) : « En mai 1942, Eugène et Rodica parviennent à regagner la France et se réfugient en zone libre, à Marseille. Leur existence est précaire : ils ne jouissent ni de la nationalité française, ni de ressources suffisantes pour assurer leur existence quotidienne. Ionesco vivote en traduisant des documents pour la Légation roumaine installée à Vichy[118] ». Beau travail de suggestion ! Ionesco ne vivote pas en faisant des travaux de traduction pour la Légation roumaine, il est membre de cette Légation, d'abord en qualité d'attaché de presse, puis, à partir d'avril 1943, de secrétaire culturel, puis, à partir de juin 1944, de secrétaire principal. Il est payé comme un diplomate roumain. Il fait effectivement des séjours à Marseille. Mais sa résidence administrative est à Vichy. La notice du *Who's who du XXᵉ siècle* fait encore plus fort puisqu'on y apprend qu'en 1938 Ionesco « s'installe à Paris où déjà père de famille, il exerce le métier de manutentionnaire chez Ripolin, puis devient correcteur d'épreuves dans une maison d'éditions juridiques[119]. »

L'orateur : La notice du *Who's who* relève d'un genre littéraire qui n'est pas celui du procès-verbal de police.

L'intervenant extérieur : La technique est toujours la même : l'approximatif et le flou suggèrent l'erreur sans que l'erreur soit énoncée sauf ici en ce qui concerne la date de naissance de Marie-France Ionesco : 1944 et non 1938 ou avant. Même procédé dans *Souvenirs et dernières Rencontres* qui est de 1986. Évoquant son séjour en Roumanie de 1940 à 1942 et son retour en France, Eugène Ionesco écrit : « J'étais venu me mettre en règle avec ma situation militaire, et je repartis boursier du gouvernement français[120] ». Qu'il eût à régulariser sa situation militaire, sans doute, mais la formule efface la diversité et la complexité des motivations ainsi que la durée réelle du séjour roumain. Quant à son retour en qualité de boursier du gouvernement français, c'est purement et simplement un mensonge.

L'orateur : Une erreur ! Une simple erreur d'écriture ! La mémoire lui aura fait confondre le statut qui est le sien en 1938 lorsqu'il vient à Paris, et celui qu'il a lorsqu'il va à Vichy en 1942.

L'intervenant extérieur : Avantageuse confusion !

L'orateur : Que peut-on lui reprocher ?

L'intervenant extérieur : Toutes ces complicités qu'il lui a fallu réunir pour obtenir le visa et l'emploi que le gouvernement du maréchal Antonescu lui a accordés.

L'orateur : Fallait-il qu'il attende tranquillement l'ordre de mobilisation pour aller risquer sa vie sur le front russe au bénéfice de la coalition germano-roumaine ? Ou qu'il la risque ensuite dans la guerre contre l'Allemagne au profit de l'Union soviétique ?

L'intervenant extérieur : Il savait bien qu'il était dans la politique du gouvernement roumain d'épargner la guerre aux élites du pays.

L'orateur : Pour combien de temps ? Ce qui est vrai, c'est qu'en effet, dès 1942, le gouvernement Antonescu jouait double jeu. C'est ainsi que Mihai Antonescu, ministre des Affaires étrangères, avait pris le parti de nommer dans les représentations roumaines à l'étranger des fonctionnaires en accord de pensée avec leurs pays de destination. Francophiles, comme Ionesco, à Vichy, c'est-à-dire, en réalité, anglophiles dans la guerre : en juin 1944, lors du débarquement, on sable le champagne à la Légation roumaine. Réunis au ministère des Affaires étrangères avant leur départ, les diplomates ont reçu oralement mission de Mihai Antonescu d'exprimer leurs sentiments véritables à leurs interlocuteurs étrangers sans tenir compte des prises de position officielles du gouvernement de Bucarest.

Eugène Ionesco : Ce gouvernement roumain marche à côté des Allemands, mais il se compose en réalité de gens du centre et de la gauche modérée. Ils doivent faire appel aux Allemands et à Hitler lui-même, d'une part pour être soutenus contre les gardes de fer de l'extérieur, et à l'intérieur pour contrecarrer la puissante Garde de fer [121].

L'orateur : Le départ d'Eugène Ionesco se situe dans ce contexte, qui n'est pas propre à la Roumanie : il y a un décalage entre le discours officiel, les sentiments réels des protagonistes et leur pratique sur le terrain. Sa nomination en France est une faveur personnelle, mais qui prend place dans une politique d'ensemble. Il s'agit de sortir de l'alliance avec l'Allemagne, mais en se protégeant des Russes, et en essayant d'obtenir des garanties de la part des Anglais et des Américains. Vichy en juin 1942 est un lieu où l'influence anglaise s'exerce encore et où les Américains sont toujours représentés diplomatiquement. Nommer quelqu'un comme Eugène Ionesco à la Légation, c'est être assuré que la voix de l'opposition roumaine à l'alliance avec l'Allemagne s'y fera entendre. C'est dans cet esprit qu'un homme comme Niculescu-Buzesti, directeur du chiffre au ministère des Affaires étrangères, ardent partisan d'une politique de rapprochement avec les puissances occidentales, s'applique à promouvoir un homme comme Eugène Ionesco dès 1942. Niculescu sera, en 1944, l'un des intermédiaires qui faciliteront le rapprochement entre le chef des nationaux-paysans, Maniu, et le Palais royal, préalable à l'éviction du maréchal

Antonescu. Autre artisan du départ d'Eugène Ionesco, son cousin, Victor (Piki) Radulescu-Pogoneanu, fils d'Helena Radulescu-Pogoneanu, grand-tante de Ionesco, directeur adjoint du Chiffre. Diplomate de profession, ses contacts du temps des années de guerre avec les Britanniques lui vaudront en 1947 une condamnation à vingt-cinq ans de prison. Il mourra à la prison de Gilava en 1962, ayant auparavant longuement connu l'un de ces lieux d'abjection que l'imagination au pouvoir avait conçus, le camp de Sighet. Il faut citer aussi Constantin Visoianu, diplomate lui aussi, mais, par ailleurs, un temps directeur avec Mihai Ralea de *Viata Romaneasca* où Eugène Ionesco publie ses *Lettres de France* dans les années 1938-1940. Représentant de Maniu dans les négociations secrètes avec les alliés au printemps 1944, il saura émigrer à temps aux États-Unis. Il y présidera le Comité national roumain, et y mourra en 1994, à quatre-vingt-dix-sept ans. Eugen Jebeleanu, le poète Cicerone Theodorescu, tous deux amis d'Eugène Ionesco, ont pu également jouer de leur influence en sa faveur. Ce que je veux dire, c'est que l'envoi d'Eugène Ionesco à Vichy se situe dans un courant d'opportunisme diplomatique. Loin de signifier qu'Eugène Ionesco ait fait allégeance aux forces favorables aux puissances de l'Axe, sa nomination se place dans une perspective de ralliement aux puissances occidentales.

L'intervenant extérieur : Les conditions de son départ l'ont tout de même travaillé pendant longtemps. Dans *L'Homme aux valises* (1975), il est question à plusieurs reprises de passeport, de nationalité, de rapatriement, de relations diplomatiques.

Eugène Ionesco : Je me suis mis tout seul dans la gueule du loup. Dans l'antre du diable. Dans le ventre de la baleine. Aux portes de l'enfer. Dans l'enfer même [122].

L'orateur : C'est ce que dit *Le Premier Homme* dans *L'Homme aux valises*. Sa vie durant Ionesco aura le sentiment d'avoir réussi à gagner une oasis menacée de toutes parts par des forces hostiles. Ce sentiment d'être l'occupant précaire d'un abri fragile, il l'éprouvera autant dans l'Europe de l'Ouest menacée par l'Armée rouge au temps de la guerre froide que dans la zone libre de 1942 constamment à portée de la Werhmacht.

L'intervenant extérieur : Même si ses protecteurs dans les administrations jouent le double jeu, et si sa nomination se situe dans ce contexte, il n'en reste pas moins que, dans son for intérieur, lui a le sentiment d'avoir *abandonné la partie* ainsi qu'il le reconnaîtra dans sa lettre du 19 septembre 1945 à Tudor Vianu.

L'orateur : Il est dans la nature d'Eugène Ionesco de culpabiliser quel que soit le parti qu'il prend. S'il était resté en Roumanie les circonstances auraient tourné à coup sûr de telle manière qu'elles l'auraient plongé dans les mêmes remords, mais pour des causes différentes.

L'intervenant extérieur : En attendant, connaissant son profil politique, le couple Sora n'en revient pas de le voir en France, en mission officielle.

L'orateur : Étonnés oui, mais heureux aussi ! La nouvelle activité d'Eugène Ionesco ne les dissuade pas de lui demander d'être le parrain de leur fils, né en 1943. Eugène et Rodica se rendent à Grenoble où résident les Sora. Plein d'esprit, mais nerveux, furieux même parfois, sous pression, en permanence entre ironie, humour et sarcasme, impatient de devoir fréquenter le milieu diplomatique de Vichy, mais, en même temps, appréciant de disposer des moyens de se procurer ce qu'il y a de plus cher et de meilleur, le secrétaire culturel leur apparaît en porte-à-faux. Dans les lettres qu'il écrit de 1943 à 1945 à Tudor Vianu, Eugène Ionesco ne se prive pas de gratifier son environnement professionnel d'appréciations peu aimables : il n'est entouré que d'ignorants, d'imbéciles, d'envieux, de ratés.

L'intervenant extérieur : Facilités d'expression qui n'empêchent pas Eugène Ionesco de remplir les tâches de propagande qui sont les siennes. D'ailleurs, c'est bien du ministre de la Propagande nationale qu'il relève.

L'orateur : Ça n'est pas parce que son dossier se trouve dans les archives du ministère de la Propagande qu'Eugène Ionesco fait de la propagande. À Tudor Vianu il écrit même que, d'une certaine façon, il fait de la contre-propagande.

Eugène Ionesco : Je n'étais pas français. Je servais mon pays d'alors[123].

L'orateur : Il n'est pas inféodé à un régime. Il est fonctionnaire roumain.

Eugène Ionesco : J'ai essayé d'être fonctionnaire. Il n'y a jamais eu d'employé plus désordonné... Je suis à la fois chaotique et méticuleux[124].

L'intervenant extérieur : Pas du tout ! Encore un mythe avantageux à dissiper. L'attaché culturel, puis secrétaire, puis secrétaire principal, Eugène Ionesco est très apprécié du chef de la Légation. Il se produit à Marseille, Nice, Aix, Montpellier, Toulouse. Il noue des relations avec les milieux littéraires et universitaires, avec les représentants de la presse et de la radio.

L'orateur : C'était précisément sa mission !

L'intervenant extérieur : Il la remplit ponctuellement. Il s'applique à créer une chambre de commerce franco-roumaine, mais sans y parvenir. Il en résulta cependant un comité d'initiative franco-roumain. Il compose des revues de presse, organise des émissions de radio, fait de la promotion cinématographique. Ses multiples rapports montrent un diplomate efficace et zélé.

L'orateur : Efficace et zélé, mais pour propager quoi ? Que lui reproche-t-on exactement ? D'avoir proposé la publication d'une anthologie de la poésie roumaine ? D'être entré en contact avec des revues telles que *Poésie 40, 41, 42...*, conçue par Pierre Seghers au lendemain de la débâcle, où publient des résistants aussi déterminés que Jean Paulhan ; ou de fréquenter *Confluences* qui paraît à Lyon, et accueille des poètes tels Henri Michaux et Joé Bousquet, et que vitupère Brasillach en 1944 ; ou de préparer un numéro spécial sur la littérature roumaine pour les *Cahiers du Sud* dirigés par Jean Ballard, auxquels Simone Weil, André Breton, Saint-John Perse donnent des textes ? *Poésies, Confluences, Les Cahiers du Sud*, ou encore *Pyrénées*, sont-ce là les fréquentations que vous reprochez à Eugène Ionesco dans ces années 1942, 1943, 1944 ? Bien entendu, en tant qu'attaché de presse, Eugène Ionesco est en rapport avec l'ensemble des organes de presse, mais ses prédilections vont manifestement à des revues, parfois à tirage limité, mais dont l'orientation de fond est opposée à la Collaboration. Ses contacts avec des cercles intellectuels roumains, favorables au retour de la démocratie en Roumanie, et dont les organes d'expression se nomment *France-Roumanie* et la *Roumanie libre*, montrent bien que, dans la limite de l'autonomie qui est la sienne, il se tient aussi proche que possible des courants qui, sans être nécessairement exactement les siens, s'opposent à ceux qui lui sont depuis toujours les plus étrangers.

L'intervenant extérieur : Cela ne l'empêche pas de donner la main à des actions de politique culturelle aux antipodes des positions qu'il a défendues au cours de la décennie précédente. On le voit travailler à la conception d'une revue dont l'objectif principal serait de proclamer la spécificité de la civilisation roumaine.

L'orateur : Il se serait agi de répondre aux thèses de la *Nouvelle Revue de Hongrie* qui s'efforce de justifier, sur le plan culturel, la récupération de la Transylvanie en 1940. Le projet n'a pas abouti. Ce qui est évident, c'est qu'il n'y a aucune action déshonorante à reprocher à Eugène Ionesco. Que fait-il ? Il traduit des auteurs roumains. Il en fait traduire d'autres par des écrivains comme, par exemple, Ilarie

Voronca qui, étant juif, ne peut signer de son nom. Ce faisant, il les aide financièrement. Il fait publier, en le préfaçant, *Le Père Urcan* de Pavel Dan. Il préface également des anthologies. Il coopère à un numéro spécial de la revue *Pyrénées*, consacré à la littérature roumaine. Il crée des liens d'amitié avec des hommes tels que le directeur des *Cahiers du Sud*, Jean Ballard, le critique Léon Gabriel Gros, l'éditeur Jean Vigneau, le poète Jean Tortel. Il fait également la rencontre de Daniel Arasse, retrouve Pierre-André Touchard qui, après la guerre, sera administrateur de la Comédie-Française.

Eugène Ionesco : Je me trouvais à Marseille, fin août 1944. Le débarquement des alliés venait d'avoir lieu dans le sud de la France. La ville de Marseille n'était pas encore libérée. Cependant l'insurrection avait éclaté. J'habitais chez des amis, le poète Léon Gabriel Gros et sa femme Mickey... Les canons des vaisseaux anglais ou américains tiraient sur Marseille... Un peu paniqués, surtout heureux, nous causions, Gabriel Gros et moi, dans une petite pièce qui lui tenait lieu de salon. Nous buvions le pastis... Sa femme... arrive pour nous annoncer que le repas était prêt. Nous nous levons... À peine étions-nous dans l'entrée que nous entendons un bruit de carreaux cassés. Nous retournons voir. En effet, il n'y avait plus de fenêtres. Sur le fauteuil que je venais de quitter depuis quelques secondes, un magnifique éclat d'obus [125].

L'orateur : Comment peut-on parler de compromission ? Quel est ce procès de Moscou qu'on lui fait ? Eugène Ionesco se conduit comme un homme de culture, représentant officiel d'une puissance de second rang, prise entre deux totalitarismes qu'il refuse l'un et l'autre. Et d'ailleurs, s'il est en décalage avec ses collègues de la Légation, c'est d'un décalage culturel qu'il s'agit et non politique. Tous espèrent la victoire des Anglais et des Américains. Ils comptent sur eux pour protéger la Roumanie contre les puissances qui la menacent. Là ils se trompent.

Eugène Ionesco : Des courants de folie ébranlent le monde. Pour résister à ces courants, il faut se dire que l'Histoire a toujours tort alors que l'on croit généralement que l'Histoire a toujours raison [126]... Je suis l'ennemi de l'Histoire [127].

L'intervenant extérieur : N'empêche qu'Eugène Ionesco s'est bien gardé de mentionner l'épisode de Vichy dans ses ouvrages autobiographiques.

L'orateur : Croyez-vous qu'il pouvait prendre le risque, pour lui et sa famille, à un moment où il n'était pas encore citoyen français, de prêter le flanc à un procès médiatique en France, s'exposer au péril de se voir renvoyer en Roumanie où, en 1946, il venait de se faire condamner pour délit d'opinion ? Pour faire simplement comprendre qu'il avait été un fonctionnaire roumain en poste à Vichy, et non un agent de nationalité étrangère au service de la Collaboration française, il eût fallu qu'on lui prête un minimum d'attention dont le moins qu'on puisse dire est, qu'à l'époque, il ne lui était pas garanti. Ce qui, pour les écrivains français, se traduisait par des interdictions de publier que distribuait le Comité d'épuration, aurait pu se terminer, pour lui, par un arrêté d'expulsion dans un pays en proie à une stalinisation accélérée. Aucun procès ne lui étant intenté en France, il n'avait aucune raison de se livrer à la meute. Quant à croire que son anticommunisme serait la compensation d'une mauvaise conscience datant de ce temps, c'est méconnaître que le refus du totalitarisme est constitutif de la structure psychique d'Eugène Ionesco.

L'intervenant extérieur : Reste qu'il n'a rejoint aucun maquis, même en 1944.

Eugène Ionesco : Nul en sport sauf pour la marche à pied. Heureusement j'ai été fantassin. Il m'a été impossible d'apprendre à monter-démonter un fusil-mitrailleur [128].

L'intervenant extérieur : Mais excellent tireur.

L'orateur : Et alors ? Peut-être a-t-il été protégé contre une certaine forme de présomption qui a valu à quelques autres de livrer au hasard d'arrestations les noms de leurs camarades.

Eugène Ionesco : Encore à Marseille. Marseille... La ville était libérée sauf le coin où nous habitions... Il n'y avait plus de fusillades mais (les Allemands) se tenaient toujours là... Nous achetions, entre autres des bouteilles de vin de Corse, à 14 ° d'alcool... Après avoir bu une bonne quantité de vin, j'ouvre la fenêtre. Au bas de la fenêtre, il y avait un rebord qui contournait la maison... J'eus l'idée de monter sur ce rebord. Malgré l'opposition des personnes qui se trouvaient près de moi, je monte, je fais le tour de la maison au neuvième étage, en me collant contre le mur, et je reviens. On ferme la fenêtre, on met les rideaux, on allume, je vois, autour de moi des visages pleins d'épouvante. Le lendemain matin... je suis pris d'un grand vertige rétrospectif... Le soir arrive, nous buvons de nouveau du vin de Corse... malgré l'opposition unanime... je refis le parcours plein d'assurance et de plaisir. Le lendemain... vertige et panique... Le troisième soir... je voulus recommencer mon exploit. On réussit à m'en empêcher. J'avais peut-être senti le besoin de faire, moi aussi, un acte d'héroïsme [129].

Été 44 : mythique, fabuleux, tragique, libérateur, cathartique, épurateur, meurtrier, atroce, festif, funèbre, volcanique, nocturne, solaire. Cependant qu'Eugène Ionesco se livre à des exercices d'équilibriste qui ont l'allure d'histoires marseillaises, à moins qu'il ne s'agisse de défis très réels aux culpabilités qui le travaillent, cet été sans pareil renouvelle, pour lui aussi, le visage de la vie. Voici ce qu'il en dira dans *Victimes du devoir* (1953) par la *Voix du policier* : « Mais en même temps, une joie débordante m'envahissait, car tu existais, mon cher enfant, toi, tremblante étoile dans un océan de ténèbres, île d'être entourée de rien, toi, dont l'existence annulait le néant. Je baisais tes yeux en pleurant : *Mon Dieu, mon Dieu,* soupirais-je. J'étais reconnaissant à Dieu, car s'il n'y avait pas eu la création, s'il n'y avait pas eu l'histoire universelle, les siècles et les siècles, il n'y aurait pas eu toi... qui étais bien l'aboutissement de toute l'histoire du monde... Je fus reconnaissant à Dieu pour toute ma misère et pour toute la misère des siècles... il y avait ta naissance, qui justifiait, rachetait à mes yeux tous les désastres de l'Histoire. J'avais pardonné au monde pour l'amour de toi [130]. »

Marie-France Ionesco parut à Vichy le 26 août 1944 à la clinique La Pergola. Comme rien n'est simple dans l'enchaînement des causes et des effets, cette délivrance maternelle était le résultat d'un accident qui avait l'allure d'un malheur. L'enfant n'était prévu que pour septembre ou octobre. Mais le 22 ou 23 août, Rodica, renversée par un vélo, était hospitalisée. Son médecin gynécologue était absent.

Par ailleurs, le 23 août 1944, se produit à Bucarest un événement politique majeur. Les contacts établis de longue date avec les Anglais et Américains par des généraux, des hauts fonctionnaires, des hommes politiques roumains, à l'initiative du Palais royal, aboutissaient à l'éviction du maréchal Antonescu et de son gouvernement. Les chefs libéraux, Bratianu, et nationaux-paysans, Maniu, étaient unis sur la nécessité de faire sortir la Roumanie de l'alliance allemande. Les tractations, dont le maréchal Antonescu n'ignorait rien, étaient difficiles à conclure car, ce que voulaient les Roumains, c'était un accord qui les protégerait de la domination soviétique. Or les alliés anglo-américains ne pouvaient leur accorder cette garantie. À vrai dire, dès lors qu'il avait été décidé que le débarquement aurait lieu en France et non dans les Balkans, il était clair pour eux que la Roumanie tomberait dans la zone d'influence de Moscou. Au printemps 1944, de violents bombardements alliés sur Bucarest, Ploesti, Brasov, causant de nombreuses victimes, étaient venus rappeler leur situation géopolitique aux

Roumains. Au terme de diverses péripéties, Maniu télégraphia le 20 août au Caire pour annoncer une action imminente. Le 23 août, par décision du roi, le général Sanatescu était nommé président du Conseil en remplacement du maréchal Antonescu mis en état d'arrestation en même temps que son homonyme Mihai Antonescu. Manifestations populaires autour du Palais. On espérait que les Américains allaient débarquer à Constantza.

Ces événements historiques auraient pu avoir de désastreuses conséquences pour la famille Ionesco si Rodica, suite à son accident, n'avait été admise en clinique. En effet les Allemands qui, l'année précédente, avaient déjà été mis devant un fait accompli analogue par les Italiens, réagissent aux péripéties de Bucarest avec le sérieux et l'énergie qui leur sont habituels. Instantanément les sujets roumains deviennent des ennemis auxquels ils font partout la chasse, notamment à Vichy. Pendant quarante-huit heures, les troupes d'occupation traquent ces transfuges qu'ils considèrent comme des traîtres. Puis la ville est libérée, les Allemands l'ayant quittée. De sorte que le 26 août, très en avance sur les prévisions, Marie-France naît dans une ambiance de liesse avec petits drapeaux, chants patriotiques, rengaines populaires, ample consommation de bouteilles de vin qui, pour n'être pas nécessairement d'origine corse, n'en suffisent pas moins à communiquer aux infirmières et aux médecins l'euphorie des jours heureux.

Averti par la Croix-Rouge, Eugène Ionesco quitte Marseille et rejoint Vichy moyennant le large détour que lui imposent les circonstances de la Libération et l'état des communications.

DE VICHY À PARIS : SITUATION DE M. EUGÈNE IONESCO, SECRÉTAIRE CULTUREL

Aucun gouvernement n'y résidant plus, la Légation roumaine à Vichy a perdu sa raison d'être. La représentation du nouveau gouvernement de Bucarest auprès du gouvernement provisoire de la République française s'établit à Paris via, dans un premier temps, le consulat général. Qu'advient-il des personnels de l'ancienne Légation ? Une pièce conservée aux archives du Quai d'Orsay répond avec précision à la question. Il s'agit d'une correspondance enregistrée par le service du protocole du ministère des Affaires étrangères. C'est à ce service qu'incombe la charge de tenir à jour la liste des diplomates accrédités. L'auteur de la lettre ne se nomme pas, se contentant d'identifier l'origine de la correspondance par le timbre du consulat général de Roumanie à Paris. Le document comporte la liste des neuf membres de l'*ancienne* Légation, « se trouvant actuellement en France », au nombre desquels apparaît un Eugène Ionesco, identifié comme *secrétaire culturel* (et non secrétaire principal). L'auteur de la correspondance, après avoir présenté ses compliments *empressés* au ministère destinataire, fait état d'un télégramme du 1er octobre 1944 du gouvernement roumain qui a fait savoir aux intéressés « que, leur mission ayant pris fin, ils sont rappelés à cette date et qu'ils devaient attendre en France de nouvelles instructions ». Si l'on rapproche les dates, celle du télégramme, le 1er octobre, celle de la lettre, le 20 novembre, et celle de l'enregistrement par le service du protocole, le 11 décembre, on peut noter une sage lenteur administrative dans le suivi de l'affaire. La relecture attentive du texte montre que, si les agents sont *rappelés*, il leur est enjoint, en même temps, d'attendre en France de nouvelles instructions. Ils ne sont donc pas tenus de rentrer en Roumanie. Leur promet-on de nouvelles fonctions ? Non. Mais il leur est annoncé qu'ils recevront des instructions. Rien de plus, rien de moins. Épuration ? Elle viendra, draconienne. Mais pour l'heure, il s'agit d'une simple mesure administrative qui laisse à ceux qu'elle concerne tout le loisir de voir et de réfléchir. Il leur est seulement demandé d'attendre. Perdant leurs attributions, ils cessent de bénéficier du statut diplomatique. Néanmoins, l'instruction qui leur est donnée de rester sur place est une invitation adressée au gouvernement français de ne pas procéder à leur expulsion, et d'assurer leur protection, bien qu'à présent, ils ne soient plus que des étrangers, de surcroît ex-représentants d'un régime allié de l'Allemagne, et qu'à Paris, depuis la fin août, le pouvoir est exercé par le général de Gaulle. En continuant de résider en France, ils ne se mettent donc pas en situation irrégulière. Eugène Ionesco conservera des liens avec la Légation. Il gardera son traitement jusqu'en décembre 1947, très précisément jusqu'à l'abdication du roi Michel. Cette situation est enviable par rapport à celle de Mircea Eliade : en poste, lui aussi, d'abord à Londres de mars 1940 à février 1941, puis à Lisbonne de février 1941 à septembre 1944, Eliade a perdu son emploi et les deux tiers de son salaire dès l'automne 1944. Enviable aussi par rapport à la situation d'Emil Cioran qui, à Paris depuis 1941, y survit avec la chétive bourse que le gouvernement français accepte de lui renouveler. Il est vrai qu'Emil Cioran s'est promis, dès 1937, de ne plus travailler du tout, sa vie durant, fût-ce pendant cinq minutes. « Il faut tout faire sauf travailler [131] », estime-t-il. Aussi les Ionesco font-ils figure de privilégiés aux yeux de leurs invités de l'immédiat après-guerre. Mircea Eliade note dans le second volume de ses *Mémoires*, qu'à l'époque, « Rodica et Eugène Ionesco étaient les seuls immigrés roumains à disposer de ce que nous appelions *une vraie table de salle à manger* [132] ». Cela ne fait pas d'eux des nantis. Mais, au sein de l'Exil roumain, ils ne sont pas les plus à plaindre.

Invité par son ministère à attendre de nouvelles instructions, Eugène Ionesco quitte Vichy pour Paris en mars 1945. Avec sa femme et sa fille, il emménage 38 rue Claude-Terrasse, dans le XVIᵉ arrondissement, à proximité de la Porte Saint-Cloud. Les Ionesco demeureront dans ce deux pièces loué en meublé jusqu'en 1960.

Les chambres, les maisons, les hôtels, les châteaux qu'il a connus ont laissé à Eugène Ionesco des souvenirs, des images qui s'égrènent au fil de l'œuvre. L'une des didascalies de *Voyages chez les morts* prescrit un décor ainsi décrit : Rez-de-chaussée de la rue Claude-Terrasse, qui devient le Moulin de La Chapelle-Anthenaise puis se transforme en un vaste château comme celui de Cérisy-la-Salle. Au décorateur de se débrouiller. *Jean* nous apprend par ailleurs que la Porte Saint-Cloud n'est pas très éloignée de la rue Claude-Terrasse, mais qu'il est difficile d'y accéder à cause de la circulation. Le logement préoccupe les personnages de Ionesco comme il a occupé Ionesco lui-même. « Chacun a sa chambre [133] » : ce luxe que lui a offert le château de Cérisy pendant le séjour qu'il y a fait, *Jean* craint d'en être privé : « Je ne veux pas habiter une chambre occupée par quelqu'un d'autre [134] », proteste-t-il. La chambre à soi, le réduit qui garantit la solitude sans laquelle il n'est pas d'autonomie personnelle, la table de travail sur laquelle, dans le silence, l'écrivain peut noircir ses feuilles blanches : au long de sa vie cette exigence de jeune homme sans fortune s'exprime parce que, si minimale soit-elle, cette exigence n'est pas assurée d'être satisfaite. *Jean* est un familier des châteaux et des palais. Il en possède un. « C'est un palais, avec de grands salons, des meubles Louis XVI, et des canapés Empire [135] », mais c'est un palais qu'il ne possède qu'en rêve. La maison qu'il habite dans la réalité, « rue Claude-Terrasse », se résume à « un rez-de-chaussée sombre » où, néanmoins, il lui est loisible de parler « de choses philosophiques [136] » avec le personnage dénommé *l'Ami*. *Jean* avoue qu'il a rencontré cet *Ami* plus souvent dans la demeure de ses rêves que dans celle que lui offre la réalité. « Les vraies maisons sont... celles dont on se souvient dans les rêves ».

Une *maison,* où tout au moins un bel appartement, les Ionesco ont failli s'en procurer un à Paris, dès l'immédiat après-guerre. Correctement payé à la Légation, Eugène Ionesco disposait en 1945 de quelques économies que le couple aurait pu affecter à l'acquisition, pour un prix abordable, d'un appartement très convenable situé à proximité de l'Alma. Mais vint à passer par là le sieur Cracanera, le personnage bien introduit, éloquent, redoutable par sa capacité de séduction, capable de détourner ses interlocuteurs d'un projet d'investissement aussi simpliste, aussi vulgaire, aussi médiocre que l'achat de mètres carrés à proximité de la Seine, alors qu'il est en mesure, lui, de leur proposer des placements comportant des perspectives de rendement autrement alléchantes. Cracanera, qui n'est pas un escroc, qui croit réellement aux propos qu'il tient, apparaît dans le second volume des *Mémoires* de Mircea Eliade. Eliade arrive à Paris, venant du Portugal, le 16 septembre 1945. « Nous étions attendus à la gare par Emil Cioran et par Lica Cracanera, un *homme d'affaires*, ami et protecteur des intellectuels, que j'avais connu deux ans plus tôt... Le soir, comme si souvent ensuite en cet automne 1945, Cracanera nous invita dans un restaurant cher (plus précisément, un restaurant de marché noir) ; je n'en crus pas mes yeux quand je vis l'addition [137] ». Cracanera promet de lui trouver un petit appartement. Il n'y parviendra pas. Parallèlement, Cracanera collecte des fonds dans le milieu des intellectuels roumains en vue d'une affaire *purement et simplement sensationnelle*. Au nombre des bénéficiaires potentiels de cette mirobolante opération financière, figurent Rodica et Eugène Ionesco. Les premiers mois, ils perçoivent effectivement des intérêts substantiels. Puis, plus rien : long silence. Puis, fin 1947 début 1948, leur parvient une lettre de Hambourg dans laquelle Cracanera leur annonce qu'il a tout perdu, étant tombé sous l'emprise d'une femme qui l'a ruiné. Il demande qu'on lui pardonne, et annonce qu'au reçu de la lettre il sera mort. De fait, il se suicide, selon certaines sources, à Hambourg, selon ce que rapporte Eliade, qui le tient de Cioran, son corps aurait été retrouvé sur une plage en Belgique. S'étant fait escroquer, Cracanera se serait rendu à Bruxelles dans l'espoir qu'on lui restituerait une partie des sommes investies dans l'affaire *purement et simplement sensationnelle*. Le désespoir d'avoir échoué l'aurait conduit à mettre fin à ses jours. « Ainsi perdirent leurs économies de nombreux intellectuels roumains [138]... », conclut Eliade qui ajoute : « Je ne saurais oublier la générosité avec laquelle il aida tant d'intellectuels roumains pendant l'Occupation et au lendemain de la Libération ».

Ce tragique dénouement laissera les Ionesco, au début de 1948, dans les difficultés financières les plus sévères.

ÉCRIRE

À quoi s'occupe Eugène Ionesco dans les années 1945 et suivantes ? Il écrit. Rappelons-nous : *bon qu'à ça*. Il écrit. Notamment des adresses. « Je me souviens, il y a de cela des années et des années. Nous étions tout à fait démunis d'argent, j'avais à côté de moi un gros paquet d'enveloppes dans lesquelles je devais mettre des prospectus, sur lesquelles je devais inscrire des adresses : déjà, je vivais de ma plume [139]. » La période des vaches réellement maigres ne commencera qu'à partir de l'année 1948, et se poursuivra jusque vers le début des années cinquante.

Dans l'immédiat après-guerre, Ionesco continue de bénéficier des subsides que lui alloue l'État roumain. Son activité littéraire consiste principalement en traductions. Ainsi il traduira une courte pièce de Caragiale, qui sera créée le 11 août 1953 par Jacques Polieri au théâtre de la Huchette sous le titre *Les Grandes Chaleurs,* et qui sera publiée en 1998 sous le titre *Grosse Chaleur*, en complément à l'histoire de la *Littérature roumaine*. Cette histoire elle-même a été publiée une première fois en 1957 dans l'*Encyclopédie Clarté* qui relevait de l'entreprise d'édition où Ionesco exerçait son métier de correcteur d'épreuves d'imprimerie. Au nombre de ses traductions, figure également le poète roumain Urmuz en qui on s'accorde à voir un précurseur du surréalisme. Gallimard, sur l'avis de J. Paulhan et de R. Queneau, en aurait envisagé la publication en 1948, mais y aurait renoncé en raison de l'opposition de Tristan Tzara. Le conditionnel s'impose.

Écrire : mais en quelle langue ?

Marie-France Ionesco a publié un texte, daté du 5 janvier 1945, qui commence en roumain et se poursuit en français. À partir de 1948, la plume de Ionesco ne connaîtra plus, quasi exclusivement, que le français. Oralement, E. Ionesco continuera de parler en roumain avec ses compatriotes ainsi que dans ses quelques interventions sur Radio Europe libre. Sa maîtrise du français est parfaite. Son immersion durant l'enfance et l'adolescence dans la langue qui le fera connaître mondialement représente pour lui un atout majeur alors que le même choix linguistique imposera à Cioran une véritable ascèse mentale.

Dans sa correspondance du 9 février 1948 à Tudor Vianu, Ionesco l'informe qu'il vient d'envoyer à un correspondant roumain, Ion Caraion, deux manuscrits, l'un intitulé *Lumina falsa* (*La Fausse Lumière)*, l'autre *Jurnalul unui necombatant* (*Le Journal d'un noncombattant*). Ces textes ne trouveront en Roumanie aucun éditeur. I. Caraion sera arrêté en 1950, et il est à présumer que les manuscrits en sa possession lui auront été confisqués. Au regard des péripéties judiciaires de l'année 1946, les espoirs de publication d'Eugène Ionesco en Roumanie semblent quelque peu surprenants.

En fait, le dernier texte publié en roumain par Ionesco dans les années quarante sera cette correspondance incendiaire, datée du 19 mars 1945, et qui paraîtra un an plus tard dans *Viata Romaneasca* sous l'intitulé *Fragments d'un journal intime*.

Sont également écrites en roumain les nombreuses lettres qu'Eugène Ionesco adresse au long des années quarante à Tudor Vianu. Mais celles-là n'étaient en aucune manière destinées à la publication. Très libres de ton, elles comportent des appréciations personnelles qui expriment bien la pensée spontanée de l'auteur, mais qui, dans le contexte qui a été celui de la Roumanie d'après 1945, étaient de nature à nuire à des individualités nommément désignées. Ce rôle de témoin à charge, de délateur, était ce qui pouvait le plus faire horreur à Eugène Ionesco. Même après la chute de Ceaucescu, il n'a pas consenti à leur publication, refusant que soient livrées à la cantonade des imputations concernant Cioran et Eliade, avec lesquels il s'était réconcilié depuis longtemps. Aussi leur parution à Bucarest en 1994 est-elle intervenue sans l'assentiment des ayants droit.

Paris, 1945-1946 : « Je n'arrive pas à m'expliquer comment j'ai pu accepter d'arriver à avoir trente ans, trente-cinq ans, trente-six ans[140]. » Sentiment panique du temps dévorant, du temps dévoré : comment a-t-il pu laisser s'accomplir ce désastre ? « Où donc a pu disparaître celui que j'étais, celui que je dois être encore, l'enfant frêle, l'être neuf ? » Papillon, il est devenu chenille. « Ce ne peut pas être moi ce que je vois ». Un peu ventru, un peu chauve, poilu, avec des sueurs et des humeurs adultes. « Comment le bon Dieu a-t-il pu permettre... que je devienne ça » ? Il lui a été donné de faire l'expérience qu'on pouvait devenir un autre. Reste le regret d'être devenu cet autre : « c'est ce regret qui fait que je suis toujours moi-même[141] ». Une méchante fée l'a métamorphosé. Erreur, cauchemar. « Le châtiment est disproportionné ». Il veut redevenir l'enfant de La Chapelle-Anthenaise et d'avant La Chapelle-Anthenaise. Il se tord les mains. En vain. « Loin de nous les constellations, l'azur infini, la joie sans borne, la fête ». Il est au milieu de l'être, au milieu de la Manifestation, toujours habité par le même irréductible moi, mesurant l'étendue de la catastrophe. Il a dépassé le milieu de la vie, il est sur l'autre versant de la pente. « J'ai oublié mon enfance[142] ». Ses souvenirs, il aurait dû les noter plus tôt. Il a trente-cinq ans. Il se voit dans le cycle de la vie descendante. Une nostalgie pathétique, impuissante, irrigue le *Journal* des années quarante. Le 24 juillet 1946, il écrit à Serban Cioculescu : « Mes parents sont morts, mes amis, mes ennemis sont morts.

Mort aussi Pompiliu Constantinescu, mon ancien professeur et critique. J'écris des montagnes de feuillets, je remplis mes tiroirs, mais je me demande pour qui j'écris puisque je commence à n'avoir plus personne [143] ».

Mort en 1946, P. Constantinescu avait vu en *Non* l'événement littéraire de l'année 1934. Ionesco se souvient. Parlant de soi, il a noté dans son *Journal* : « Écrivain en plus [144] ! ». Écrivain, il est. Écrivain, il écrit. Feuillets, tiroirs, il engrange, mais sans qu'aucune publication ne s'offre en perspective à l'horizon. Ces années 45, 46, n'accordent à l'ambitieux jeune homme tourmenté par un rêve de gloire, aucune de ces parcelles de notoriété qui pourraient adoucir, sans les faire oublier, les désarrois du temps qui passe.

BILAN

Il y a Rodica, il y a Marie-France. Pour Eugène Ionesco, Marie-France, c'est la divine surprise, Marie comme Marie-Thérèse sa mère, France, comme la France, sa patrie. Patrie par l'esprit, ce qui n'implique pas encore un choix de nationalité, mais le second prénom de la fille laisse transparaître les prédilections du père. Mais qui est-il : un Roumain qui peut espérer de la Roumanie qu'elle lui offre une carrière dans l'administration, dans les lettres, voire dans la politique ? Ou un Français à qui la France ne réserve pour l'heure que le statut précaire de l'expatrié, exclu de toute fonction publique, sans perspective assurée d'éclosion littéraire ?

Morts ses parents ? Morts ses amis ? Effet de style, ou amnésie partielle ? Ses parents ? Son père est toujours vivant, ses tantes, ses oncles, toujours là, pour plusieurs d'entre eux, géographiquement proches. Comprenons l'implicite : ses deux mères successives sont mortes. Thérèse Ipcar l'a quitté depuis dix ans, le laissant en proie à d'obscurs remords. Sa seconde mère aussi est morte. « Anca, la mère de ma femme... m'avait adopté... Nous l'avons abandonnée. Presque, ou plutôt ce sont les aléas de l'Histoire qui nous y ont contraints [145]. » Cette seconde mère n'a pu gagner Paris ainsi qu'elle l'envisageait en 1945 : « Elle est morte subitement, dans les bras de notre bonne, la si fidèle Maria ». Anca, Thérèse : les deux femmes qui lui avaient été maternellement attachées n'étant plus là, sa plume, spontanément, écrit : « Mes parents... sont morts ». Le père ? Avec lui les affaires ne sont toujours pas réglées, d'autant que cet avocat de grande notoriété, rescapé des naufrages successifs de la Garde de fer et du maréchal Antonescu, s'applique, non sans succès, à se ménager les faveurs du nouveau régime, en un temps, il est vrai, où ce régime s'efforce encore de sacrifier aux apparences de la démocratie.

Quant à ses amis et connaissances, leur nombre à Paris ne cesse et ne cessera d'augmenter. Sont là ou y viendront bientôt Virgil Ierunca et sa femme, Monica Lovinescu, Ilarie Voronca, Victor Brauner, « un de mes seuls amis [146] », dira de lui Ionesco lorsque le peintre mourra en 1966. Qu'en est-il alors de Cioran, son futur interlocuteur téléphonique quotidien, diurne et nocturne, d'Eliade à qui, lorsqu'il aura disparu en 1986, il dira en trois lignes son désir pathétique de le revoir ? Il les fréquente certes, il les reçoit à sa table, *une vraie table de salle à manger*, mais en 1945-1946, les brumes et brouillards de la décennie précédente ne sont pas dissipés. Le 4 octobre 1945, Eliade rencontre Ionesco. « Longue conversation », note-t-il. Ionesco a « encore écrit quelques centaines de pages de son *Journal* [147] », mais il doute qu'il puisse intéresser quelqu'un. « En Roumanie, comme partout ailleurs, une nouvelle génération se lève. Notre génération est finie. » L'implicite est que Ionesco se pense en tant qu'écrivain roumanophone. En septembre 1945, Eliade s'est installé à *L'hôtel de l'Avenir*, à côté du Luxembourg. Cioran occupe une mansarde dans un hôtel proche. Ce que Ionesco pense de ces deux-là, il le confie à Tudor Vianu. Sa lettre du 19 septembre 1945 évoque d'abord Mihail Sebastian. Écrasé par un camion le 29 mai précédent, Mihail Sebastian vient de mourir à trente-huit ans, alors qu'il venait d'être nommé maître de conférence à l'université de Bucarest. Ionesco n'oublie pas de noter que M. Sebastian n'était pas de ses amis dans les années trente quand « il faisait partie de la bande à Mircea Eliade [148] ». Mais depuis 1940, Sebastian est devenu *un frère*. À presque tous les autres compagnons de sa jeunesse, il reproche d'avoir été *fascistes*. « Cioran ici, exilé ». Il parvient difficilement à lui pardonner, bien que Cioran admette qu'il s'est trompé. Quant à Eliade, c'est un *grand coupable*. Mais tous – Ionesco cite encore Vulcanescu, Haig Acterian, Mihail Polihroniade, Noica qualifié d'imbécile –, tous ont été victimes de *l'odieux défunt Nae Ionescu*.

Si Nae Ionescu et Mircea Eliade avaient été de *bons maîtres*, le sort présent de la Roumanie serait différent. Ionesco confesse les avoir haïs *tout le temps* et le pluriel semble englober les deux personnages même si la responsabilité principale incombe à Nae Ionescu, accusé d'avoir créé une *horrible Roumanie réactionnaire*. Il les a haïs, il en a été haï. Il a lutté contre eux... Mais sans eux, sans ces ennemis-là, il se sent seul. C'est une sorte de pathologie singulière qui affecte son psychisme : il « était condamné à les haïr et à leur être attaché ». Car sinon, avec qui poursuivre le dialogue sans fin de la vie ? « Je suis marqué du même signe [149] ». Aveu éclairant. Eliade et Cioran sont ses adversaires. Il le redira encore à P. Cormarnescu le 7 janvier 1946. Il ne sous-estime pas leurs errances. Légionnaires à tout jamais quoi qu'ils prétendent ! Mais ils sont ses amis, ils l'ont été, ils le redeviendront. Avec qui parler sinon avec eux, et avec ces Roumains d'avant-guerre dont les frères et les amis restés au pays, pour beaucoup, connaîtront longuement les immondes geôles de la Roumanie communiste, quelques-uns y survivant, d'autres y périssant ? Mais en 1945, parler avec eux ne signifie pas s'accorder avec eux. *Longue conversation* avec Ionesco : l'insistance d'Eliade pour faire valoir que les affaires de la Roumanie légionnaire doivent être reléguées dans le passé, que les crimes commis par la Garde de fer comme ceux qui ont été commis contre elle ne doivent plus hanter le présent et l'avenir, pareille redondance fait présumer que son interlocuteur aura été plus que réticent à se laisser convaincre. Le *Journal* d'Eliade (1945-1969) est assez avare en notations relatives à Ionesco. Ses *Mémoires* ne le font paraître qu'au tome II à Paris, en 1945. Eugène Ionesco ne figure pas dans l'avant-guerre de Mircea Eliade. Roumains, sachant l'un et l'autre qui ils sont, d'où ils viennent, se fréquentant, s'affrontant, mais proches par la condition d'exilés qui est la leur, Ionesco, Eliade et Cioran sont liés autant par les contradictions d'idées et de mémoire qui les opposent que par les circonstances historiques et les souvenirs de jeunesse qui les réunissent. Insubmersible, l'amitié survit au combat. D'où ces rencontres, ces échanges conflictuels, ces oscillations perpétuelles de Ionesco entre l'indignation pour le passé roumain et de très antiques, de très amicales affinités qui font de ces collisions fraternelles des moments de bonheur propres à emporter les réticences de l'esprit. Le temps désarme peu à peu les indignations et approfondit les affinités. Vers le début de 1950, le travail de réconciliation mobilise encore Ionesco et Eliade.

Verbalement, il pourrait sembler que vers 1945 l'anticommunisme de fond d'Eugène Ionesco connaisse une éclipse partielle. Il juge que le général de Gaulle est réactionnaire. Il n'est pas insensible aux arguments de la presse communiste. Il est même sollicité de prendre la carte du parti. Il n'y consent évidemment pas. Cependant, il se croit assez bien reçu dans la gauche intellectuelle. Il se dit assuré de son soutien.

Il est même assez surprenant qu'en février 1948, il en soit encore à s'étonner, auprès de Tudor Vianu, que les promesses que lui aurait faites Mihai Ralea ne soient toujours pas suivies d'effets. M. Ralea, ministre des Arts en 1946, puis ambassadeur à Washington, intellectuel engagé qui passe pour exercer quelque influence dans les allées du pouvoir, ne peut évidemment rien pour Eugène Ionesco, repris de justice en Roumanie.

Rentrer en Roumanie ? Pour Cioran et Eliade la réponse est plus simple, en apparence, que pour Ionesco. Cioran et Eliade savent qu'ils ne peuvent retourner *au pays* sans risquer l'arrestation. Si difficile que soit leur vie à Paris, elle ne peut-être pire qu'en Roumanie. Pour Eugène Ionesco, en 1945, il peut y avoir, dans le champ de la réflexion consciente, matière à interrogation. Il voudrait croire en l'avenir de la démocratie en Roumanie. La France est certes la patrie selon son cœur. Ses rêves cependant lui livrent des messages qui expriment avec l'impitoyable lucidité de l'inconscient des jugements sans faiblesse sur les Français de 1945. Quand il est en état de veille, le paysage n'est pas plus riant. Il voit la situation culturelle comme un chaos, les existentialistes tenant le haut du pavé, les marxistes de *La Pensée* s'efforçant d'introduire un peu d'ordre dans cette confusion. Rentrer en Roumanie ? Écrivant à Emmanuel Mounier, le 29 août 1949, Ionesco n'oubliera pas de noter : « Quant aux Gardes de fer, nombreux à Paris, ils sont plus nazis que jamais [150] ». Ce jugement sur le milieu de l'Exil roumain se double d'une critique du communisme, mais en des termes dont la prudence surprend alors que la guerre froide, au lendemain du blocus de Berlin, à moins d'un an de l'invasion de la Corée du Sud par le nord, approche de son maximum d'intensité : « Je n'ai pas pu suivre jusqu'au bout les communistes roumains dont je me suis séparé. » C'est comme si Ionesco s'excusait auprès de Mounier de sa réprobation du régime de Bucarest. En fait c'est exactement cela : toujours attiré par le courant de pensée que représente *Esprit*, Ionesco marque son éloignement pour les dirigeants roumains, mais en des termes dont la modération est à mettre en rapport avec la position personnelle d'E. Mounier à l'égard du Parti communiste français. Entraîné par sa défiance à l'égard du capitalisme libéral, Emmanuel Mounier avait commencé les années quarante par une brève période d'expectative critique à l'égard du régime de Vichy. Il les terminait, à présent, par un compagnonnage non moins singulier avec le communisme stalinien. Dans un cas comme dans l'autre, il avait vite repris ses esprits. Mais, en 1949, le sollicitant pour qu'il accepte un article, Ionesco, prudent, use d'un langage lénifiant pour marquer son éloignement du parti au pouvoir en Roumanie. De quand date cet éloignement ? En profondeur : de toujours.

Certes dans *Souvenirs et dernières Rencontre* (1986), Ionesco écrira :
« À cette époque j'étais violemment antinazi et bien plus proche du
communisme, fût-il russe [151]. » Mais l'époque dont il s'agit est celle de
l'avant-guerre. Après la guerre, ses lettres à Tudor Vianu laissent passer
ici et là des projets ou des revendications qui entretiennent une interrogation sur ses véritables déterminations. On le voit en septembre 1945 caresser l'espoir qu'il pourrait, s'il rentrait en Roumanie,
y jouer un rôle de premier plan. Il est parfois aguiché par les flatteuses
chimères de *l'ambition*, qui le sollicitent de rentrer *au pays* pour y
conquérir une place en rapport avec ses capacités. Il feint, le temps
d'une confidence épistolaire, de s'approprier une image de soi qui ne
lui appartient pas, qui appartient en réalité à l'un de ses doubles.
Exercice d'autofiction par lequel l'imagination accorde à celui qu'elle
visite le privilège de vivre, le temps d'un vagabondage mental, une
destinée souveraine qui n'est pas la sienne. Être le héros qui chevauche
l'Histoire : devenir maréchal, c'était déjà le rêve de l'enfant de La
Chapelle-Anthenaise. *La Vieille* des *Chaises* assure que son mari « aurait pu être un Rédacteur chef, un Acteur chef, un Docteur chef, un
Roi chef [152]... » Elle le présente même au colonel comme un Maréchal ;
Maréchal des logis, s'empresse de corriger le *Vieux*. Cette même rétrac-
tion se lit dans la lettre du 19 septembre 1945 à Tudor Vianu. Le
principe de réalité impose à Ionesco de suggérer à son correspondant,
pour la solution de ses problèmes, des arrangements pratiques,
accordés à ce qui est du domaine du possible. Il se verrait bien continuer au sein de la représentation roumaine à Paris le travail qu'il a
initié à Vichy : mettre à la disposition du public français quelques-
unes des œuvres les plus significatives de la littérature roumaine, une
vingtaine de volumes en trois ans, prévoit-il. Malgré quelques embar-
dées de plume, ce qui s'exprime ici c'est la volonté, ayant jeté l'ancre
à Paris, d'y rester au mouillage, mais, si possible, en bénéficiant d'un
statut diplomatique, avec le grade modeste d'attaché culturel, encore
que, souligne-t-il, son ancienneté lui permettrait d'espérer un emploi
plus élevé dans la hiérarchie. S'exprimant librement, Ionesco se laisse
aller à la dérive la plus commune qui soit : vouloir une chose et son
contraire. Personnage de fiction pour lui-même, il lui est loisible, par
le verbe, d'ouvrir à ce héros les grandes portes de la politique à un
moment où les contraintes du système qui se met en place n'apparaissent pas encore dans toute leur rigueur. Puis, par un puissant réflexe de
prudence, l'évadé de 1942 se reprend. L'homme qui avoue à Claude
Bonnefoy, une vingtaine d'années plus tard : « Je fais souvent le cauchemar que je retourne dans ce pays d'où j'étais parti – dont je m'étais

évadé[153]... », envisagerait peut-être de servir la Roumanie et d'être rémunéré à cet effet, mais à Paris, en France, hors des prises du pouvoir de Bucarest. Quelque chose retiendra toujours Eugène Ionesco de réintégrer la prison dont il a réussi à sortir en juin 1942. D'ailleurs on l'a prévenu. Ce même Mihai Ralea sur qui il semblera compter encore au début de 1948 pour lui arranger une situation en France, lui a dit en 1947, se trouvant à Paris : « Ne rentre pas en Roumanie, reste ici, tu n'es ni assez cynique ni assez croyant pour aller à Bucarest[154]. » Sans doute faut-il comprendre que M. Ralea, sachant ce qu'il sait, juge que les convictions idéologiques de son interlocuteur ne suffiront pas à justifier à ses propres yeux toutes les compromissions que sa présence en Roumanie impliquerait sans que, par ailleurs, il soit tombé dans un nihilisme éthique qui lui permettrait de se passer de toute justification. Amical et salutaire, ce conseil impératif devait être, en 1947, quelque peu superflu, s'agissant d'un Ionesco déjà condamné à deux peines de prison ferme, l'une de cinq ans, l'autre de six ans, par la cour martiale de Bucarest le 31 mai 1946.

Condamnation d'un poète *raté et déséquilibré* à Bucarest

Est-ce de son propre mouvement qu'Eugène Ionesco a adressé, pour publication, à *Viata Romaneasca* des *Fragments d'un Journal intime* daté du 19 mars 1945 en guise de *Lettre de Paris* ? Ou a-t-il répondu à la sollicitation de Mihai Ralea, directeur de la revue ? Le délai d'un an qui sépare la date du texte de celle de sa publication, mars 1946, exprime-t-il l'hésitation de la rédaction à le publier ? Le sentiment d'Eugène Ionesco était que personne, pas même le correcteur, n'avait lu son texte, et que sa parution, en mars 1946, était due à des circonstances purement aléatoires. De surcroît, le lectorat de *La Vie roumaine* étant des plus restreints, il considérait que le scandale politique né de cette parution ne tenait qu'à l'initiative prise par N. Carandino, directeur de *Dreptatea (La Justice)*, de citer sa *Lettre* dans une campagne menée contre le gouvernement dirigé par Petru Groza. La polémique dont il subit les dommages collatéraux prend place dans le combat que mènent les nationaux-paysans et les libéraux contre le noyautage généralisé de tous les centres de pouvoir par le Parti communiste.

Le 16 mars 1946, *Dreptatea*, organe des nationaux-paysans, vient de s'en prendre, par voie de caricature, à certaines unités politisées de l'armée, mettant en cause, implicitement, l'emprise soviétique sur l'appareil militaire roumain. Le ministère de la Guerre réplique par un article signé du colonel Valter Roman dans *Glasul Armatei*. *Dreptatea* est cité en justice le 21 mars. Le journal répond en signalant qu'il n'a pas le monopole des attaques contre l'armée. Ainsi *Viata Romaneasca*, dirigée par Mihail Ralea, ministre dans le gouvernement de Petru Groza, vient de publier un article injurieux à l'égard de cette même institution, signé d'un sieur *Eugen Ionescu*, ancien représentant du régime Antonescu à Vichy en qualité de conseiller culturel. Et de citer quelques passages de cet article de nature à déclencher la fureur des militaires. Et pas seulement celle des militaires, mais aussi celle des policiers et des magistrats. Même les popes y sont sévèrement malmenés sans oublier les professeurs. Un vrai règlement de comptes du sieur Ionesco avec la Roumanie.

Un texte à usage confidentiel se trouvait soudain projeté au plein cœur de la vie politique roumaine. Au point que M. Ralea, dont on peut se demander s'il avait lu l'article avant de le laisser paraître, faisait savoir, dès le 27 mars, que la publication dudit article résultait d'une erreur. La manœuvre de N. Carandino pour compromettre dans son combat politique un ministre en exercice devait faire long feu. Peu de temps après Carandino sera arrêté.

Quelles incongruités incendiaires les lecteurs trouvaient-ils donc sous la plume du sieur Ionesco ? Il y avait d'abord quelques considérations assassines sur le nationalisme : « Le nationalisme a empoisonné toute la culture roumaine[155]. » Ce cancer moral ne peut être extirpé que par la chirurgie. « Anéantie, l'idée nationaliste doit être remplacée par celle de patrie. » Cessant d'être nationalistes, les Roumains doivent devenir patriotes. Et soudain, comme si Eugène Ionesco écrivait à l'intention d'un unique lecteur, celui avec lequel il poursuit son dialogue trois fois décennal, il lâche : « La patrie même ne devrait plus être le pays du père, mais le pays de la mère ». Seul Roumain à comprendre le message dont il était l'unique destinataire, l'avocat Eugen Ionescu aura compris qu'avec le fils la paix n'était pas faite bien qu'à soixante-cinq ans maintenant, il fût en droit d'espérer qu'elle lui serait accordée. Non. Le procès continuait. Il continuait aussi contre Lola, autre destinataire de cette lettre ouverte. Surgissait en effet, au nombre des figures les moins aimables de la vie roumaine, une certaine madame Eleonora, coupable d'avoir séduit le mari d'une « malheureuse mère » dont la mort lui est imputable, organisatrice de surcroît d'une cellule légionnaire féminine. Bien entendu l'accusation concernant la responsabilité morale d'Eleonora Buruiana dans la mort de Thérèse Ipcar n'était qu'un défoulement de plume d'Eugène Ionesco. Non, la paix n'était pas faite. De Paris, par voie de presse, le fils signifiait au père et à la marâtre que le temps n'avait pas éteint les flammes de sa vindicte, oubliant de considérer que, sous peu, il serait trop tard pour qu'entre eux soient prononcées les paroles faute desquelles la paix resterait en suspens.

Ce procès-là n'intéressait personne hormis les parties aux prises depuis trois décennies. Le procès qui passionnait les médias était celui dont faisaient l'objet les représentants des autorités constituées. Le sieur Ionesco avait su trouver les mots qui réveillent : « Aucun type humain ne m'est jamais apparu plus honteux pour l'humanité, plus sous-homme, que l'officier roumain, qu'un commissaire roumain ou qu'un procureur roumain [156]. » L'armée, la police, la justice. Le clergé n'était pas épargné : le pope « hirsute, ventru, hypocrite, ignorant, égoïste » figurait en bonne place aux côtés du magistrat au « rictus poli et huileux », bientôt transformé « en hyène » soufflant au visage du signataire « toute la puante haine bourgeoise contre la liberté ». Et puis, soudain, la fulmination se faisait compassion et connivence : « Ils (les militaires) sont tout de même allés mourir, aussi faut-il beaucoup leur pardonner... Moi je suis tombé sur des officiers gentils qui, durant mon service militaire, m'ont offert toutes les facilités pour que je tire au flanc. » Tous des misérables. Sauf ceux auxquels le sieur Ionesco a eu affaire. Avides et athées les popes ? Certains d'entre eux, peut-être, mais pas le frère Alexandre à qui le liaient tant de souvenirs remontant aux années trente.

Reste que, de proche en proche, la prose vengeresse d'Eugène Ionesco s'étendait à l'ensemble de la société roumaine, non seulement aux légionnaires, aux officiers *bourgeois*, aux magistrats *bourgeois* mais aussi à « la caste des diplomates (dangereuse non par son pouvoir, mais par son crétinisme [157]) », aux financiers et aux industriels sur lesquels le « mal politique s'est appuyé et s'appuie encore ». Moyennant quoi, Ionesco se hasardait à prévoir, quand ces gens-là auraient perdu leur pouvoir, un « pays lumineux ». Il voyait les ténèbres se lever. C'était la raison qui le lui disait. Mais il mettait en garde : « L'inconscient est encore plein de cauchemars. Dans la Roumanie bourgeoise, légionnaire, nationaliste, j'ai vu le visage du Démon du sadisme et de la bêtise obstinée. »

Essayons d'interpréter. Mars 1945 : Ionesco vient de s'installer à Paris. Il est partagé entre le souci de garantir son avenir en faisant allégeance à la Roumanie nouvelle et la crainte instinctive qui lui commande de ne pas quitter la France. Il commet un texte contradictoire, dicté à la fois par l'analyse qu'il fait à 2000 km de la situation roumaine, et par le ressentiment torrentueux qui jaillit de son inconscient *à lui* pour tout ce qui touche à la Roumanie. Les quelques complaisances verbales qu'il destine aux responsables du Parti communiste roumain se résument à un usage répétitif de l'adjectif *bourgeois*, censé disqualifier en termes marxistes les groupes auxquels il s'en prend. Son ignorance de la réalité politique roumaine lui laisse penser que sa charge, à connotation anarchiste, contre les corps constitués, sera bien accueillie par une partie de l'opinion. Lorsque son brûlot, un an plus tard, se trouve jeté sur la place, il tombe à un moment où les partis démocratiques font leurs ultimes efforts pour s'opposer à la dictature qui les menace. Et, certes, dans ce combat, il n'est pas dans la politique du Parti communiste de laisser insulter l'armée, une armée dont il contrôle le commandement et l'orientation idéologique comme en témoigne la signature du colonel Valter Roman dans l'organe de presse du ministère de la Guerre ; de la laisser injurier par un intellectuel surexcité que ses services à la Légation représentant le maréchal Antonescu à Vichy permettent d'englober dans la catégorie aussi imprécise qu'utile des collaborateurs ; par un écrivain qui se flatte d'avoir tout fait pour quitter un pays qui est le sien, la Roumanie, qui clame son bonheur d'y être parvenu, et qui va jusqu'à avouer qu'à la frontière, il a eu envie d'embrasser les douaniers hongrois. Embrasser les douaniers hongrois ? Trop c'est trop. On donnera aisément satisfaction à l'opinion, travaillée par *Dreptatea*, et à l'armée, indignée par les attaques dont elle est l'objet, en exigeant l'incarcération immédiate de ce trublion et en l'envoyant devant un tribunal militaire. Faute qu'on puisse lui mettre la main dessus, au moins qu'on le juge. Et c'est ainsi que *Glasul Armatei* peut rendre compte, le 3 juin 1946, de la condamnation, le 31 mai, par la section I de la cour martiale, d'Eugène Ionesco, à cinq ans de prison ferme pour offense à l'armée et à six pour offense à la nation, avec en prime cinq années d'interdiction correctionnelle.

Le père, la marâtre, l'armée, c'est-à-dire le frère de Lola, la justice, c'est-à-dire ces juges et ces avocats qui ont ignoré la plainte de sa mère pour faux et usage de faux dans la procédure en divorce, les enseignants, c'est-à-dire ces collègues dont il a dû subir les affligeantes réflexions et réactions durant les années 1940 à 1942 à Bucarest, les diplomates, c'est-à-dire ces gens avec qui il lui a fallu coexister à Vichy à la Légation roumaine, de 1942 à 1944, la Garde de fer, ses marches, ses crimes et ses éructations, cette fois Eugène Ionesco réglait ses comptes avec la Roumanie passée et présente. De son côté la Roumanie liquidait les siens avec lui : la prison ferme pour solde de tous comptes. Le poète *raté et déséquilibré* s'était livré à un exercice de défoulement thérapeutique sur la grand-place du village roumain. Il était stupéfait que le garde champêtre vienne lui signifier le prix à payer pour ses déprédations. Apparemment, au printemps de 1946, il ne se doutait pas qu'*au pays* il faisait les gros titres de la presse. Une lettre du 27 juin 1946 adressée à Tudor Vianu nous le montre enfin au courant de ces éclats médiatiques et judiciaires. Mais l'information lui est parvenue tardivement puisqu'il s'étonne qu'on ne l'ait pas prévenu plus tôt. Virgil Ierunca notera dans son *Journal*, en février 1949, qu'il vient d'avoir l'occasion de communiquer à Ionesco le texte officiel de sa condamnation. Il serait surprenant que, mis en alerte dès juin 1946, Ionesco ait pu attendre si longtemps pour se procurer ce texte, par une voie ou par une autre. Il y avait en tout cas dans la dernière ligne de la sentence un mot dont il avait eu connaissance dans les jours ayant suivi le prononcé du jugement, et qui pouvait peser lourd sur la vie de l'étranger qu'était alors Eugène Ionesco en France : *extradarea*. Sans autre titre à résider en France que la tolérance de l'administration, le condamné aurait pu, par l'effet de cette revendication d'extradition des juges militaires, se voir notifier un arrêté d'expulsion suivi d'une immédiate incarcération dans les geôles roumaines.

Les archives du ministère des Affaires étrangères ne détiennent aucune trace de démarches que les autorités roumaines auraient faites pour obtenir qu'Eugène Ionesco leur soit remis. Cette inaction signifie-t-elle que la condamnation publique à Bucarest leur suffisait, et que le sieur Ionesco était un trop petit poisson pour qu'on se préoccupe d'en réclamer la livraison ? Si, néanmoins, des démarches ont été effectuées sans qu'aucune trace n'en subsiste, elles n'ont pas eu de suites. Ionesco n'a été l'objet d'aucune procédure d'expulsion. La guerre froide qui s'ébauche dès 1946 et se déclenche en 1947 ne pouvait qu'encourager les autorités françaises à ignorer d'éventuelles réclamations roumaines et les inciter à considérer Eugène Ionesco comme un réfugié politique, condamné dans son pays pour délit d'opinion.

C'est ce *délit d'opinion* que lui reproche précisément son père. Dans *Présent passé, Passé présent* (1968), Ionesco rend compte de son aventure roumaine de 1946, mais avec un flou qui ne laisse transparaître que la claire réprobation du père à l'endroit du fils. « J'ai été condamné pour les pamphlets que j'ai écrits contre l'armée et les magistrats de son pays [158] ». *Son pays* : la Roumanie, le pays du père. « Mon père me fit savoir, de loin, que j'avais eu tort d'attaquer l'armée parce que c'était maintenant l'armée du peuple, les magistrats roumains, parce qu'ils étaient maintenant des magistrats socialistes. En fait, il me reprochait maintenant de ne pas être bolchevique [159]. »

Savoir de quelle marge de liberté disposait Eugen Ionescu et quelle a été sa pensée véritable sur toute cette affaire, et si la transcription qu'en donne son fils vingt ans plus tard est fidèle ou si elle ne fait que traduire ses propres présupposés, serait utile. Mais cela reste secondaire par rapport au constat qu'imposent ces quelques lignes, indépendamment de leur bien-fondé factuel : la persistance un demi-siècle après le départ du père en Roumanie, vingt ans après sa mort, de l'âpre vindicte du fils, cependant déjà universellement connu, inguérissable de la déception paternelle.

Que l'extradition n'ait pas été exécutée n'empêche pas qu'elle pouvait constituer une menace pour Eugène et Rodica. Dès le 27 juin 1946, s'adressant à Tudor Vianu, Ionesco, après avoir confessé qu'il est sidéré par la condamnation, entreprend de mobiliser ses *amis* pour que les autorités roumaines oublient de demander son transfert. Le 28 janvier 1947, écrivant au même Vianu, il croit pouvoir assurer que, en Roumanie, sa « situation est réglée, en partie, par un décret paru dans le *Moniteur*[160] ». Il n'a pas été trouvé trace de ce décret. Néanmoins Ionesco croit possible sa réintégration dans un poste diplomatique. Et tant qu'à y être, il trouverait normal vu son âge, d'être promu au grade supérieur. C'est à peu près vers ce moment-là que Mihai Ralea lui adresse le salutaire conseil de rester là où il est. Ce qu'en réalité il est résolu à faire. L'attente d'un poste administratif au début de 1947 non plus que l'espoir d'une publication littéraire en Roumanie au début de 1948 ne s'accompagne d'aucune velléité de voyage *au pays*. C'est comme s'il y avait là une frontière qu'il ne veut plus franchir, la menace judiciaire de l'après-guerre s'ajoutant au souvenir de l'enfermement de 1940-1942 pour lui faire redouter qu'ayant passé le seuil dans un sens, il ne puisse plus le repasser dans l'autre. Dans la seconde moitié des années soixante, le régime roumain connaîtra un intermède de relative libéralisation durant lequel la diffusion des œuvres de Ionesco en Roumanie sera autorisée. Des manifestations seront organisées auxquelles participeront Rodica et Marie-France. Le mari laissera partir sa femme et sa fille non sans les avoir recommandées à la protection divine. Lorsqu'elles descendront de l'avion au retour, il en sera visiblement soulagé. Quant à lui, il se sera refusé à les accompagner bien que les autorités roumaines l'en aient sollicité et lui aient assuré que la condamnation de 1946 était périmée. *Le Premier Homme* dans *L'Homme aux valises* ne cesse d'être encombré par les pièces, les procédures et les autorisations administratives. La Roumanie : comme une trappe toujours prête à s'ouvrir sous les pieds d'Eugène Ionesco. Sa crainte, commune à tout l'Exil roumain, sera que le modèle soviétique ne s'étende à la France soit par invasion extérieure soit par submersion intérieure.

Aussi cet article incongru, associant quelques traces de terminologie marxiste à de hargneuses trivialités à l'encontre des corps constitués, de l'armée en particulier, intervient-il au milieu de la vie de Ionesco comme une sorte de dérive de plume aux conséquences providentielles. Si l'instinct n'a jamais cessé de l'avertir de ne pas rentrer *au pays*, la condamnation pénale vient juste à point pour le lui interdire. Même si, singulièrement, il croit encore possible ou feint de croire possible quelque arrangement qui lui permettrait de jouer en France un rôle de représentation culturelle, le voilà protégé contre toute tentation de se rendre en Roumanie.

« UNE BONNE DOUZAINE D'ANNÉES DE VENGEANCE »

En ces années 1944-1945, tout occupées par la guerre victorieuse de la Grande Alliance contre l'Allemagne, les réalités soviétiques à l'est de l'Europe sont ignorées ou occultées à l'ouest. Le 28 septembre 1973, Ionesco écrira : « En août 1944, ce fut l'occupation par l'Armée rouge et la dictature qui s'installèrent avec la terreur, des dizaines de milliers de gens traqués, torturés, emprisonnés[161] ». En 1977 il ajoutera : « Après la guerre, lors de l'arrivée des communistes au pouvoir, il y eut une bonne douzaine d'années de vengeance[162]. » Cela, il l'écrit, mais trois décennies après les événements. Sur le moment, si prévenu, si méfiant qu'il fût, il aurait pu se faire que l'un ou l'autre des hommes estimables qu'il avait croisés avant la guerre, un Patrascanu, par exemple, ministre de la Justice de 1944 à 1948, arrêté en 1948, torturé, condamné, exécuté en 1954, il aurait pu se faire que l'un ou l'autre de ces intellectuels de gouvernement lui fasse quelque offre digne d'intérêt pour que l'hésitation le saisisse. « L'homme est l'animal qui hésite[163] », lui avait enseigné M. Ralea. Mais la menaçante, la salvatrice condamnation de 1946 était là pour dissiper les interrogations.

Sur place, au demeurant, les esprits les plus éveillés n'avaient pas été longs à analyser les faits qui s'offraient à leurs yeux. Quelque enthousiasme qu'il ait manifesté à l'arrivée de l'Armée rouge, M. Sebastian note dès le 1er septembre 1944 : « L'incompréhension, la peur, la perplexité. Des soldats russes qui violent les femmes... Des magasins pillés[164]... » Lorsque, le 19 mars 1946, le bateau sur lequel il a pris place quitte le port de Constantza, Jean Mouton a bien conscience de laisser la Roumanie en proie à la terreur. Quelques milliers de militants à peine jusqu'en 1944, 250 000 en 1945, 800 000 en 1947 : l'évolution du nombre des inscrits au Parti communiste illustre la puissance d'attraction du pouvoir sur la société, et combien difficile est la résistance intellectuelle au courant historique porté par le rapport de force. Un accord aurait été conclu entre le représentant d'Anna Pauker, hiérarque du régime, et Horia Sima, successeur du *Capitaine*, pour récupérer le mouvement légionnaire. Convergence moins invraisemblable qu'il n'y paraît. Évoquant la composition du mouvement légionnaire dans une correspondance du 22 novembre 1940, adressée au département des Affaires étrangères, le chargé d'affaire français en Roumanie écrivait : « La masse de ses membres... est anarchiste ou bolcheviste[165]. »

C'est dans ce contexte de réappropriation du nationalisme par le discours communiste, dont il ignore tout, qu'Eugène Ionesco voit, au printemps 1946, son article jeté dans la mare politique roumaine. Aussi lorsque, au printemps 1991, Marta Petreu prend l'initiative de lui proposer une nouvelle publication de cet article, Ionesco s'y oppose. Un an après la chute de Ceaucescu, alors que la Roumanie parvient mal à s'arracher à l'emprise communiste, il lui est apparu que l'article de 1946, publié tel quel, pouvait donner lieu à *récupération*. S'il prend cette position, c'est, précise-t-il, « sans rien renier de ce texte écrit il y a quarante-six ans, mais se référant à des faits datant des années trente ne correspondant plus à l'actualité d'une republication dans le contexte actuel de la Roumanie. » Il ne s'agit donc pas d'un acte d'autocensure puisqu'il en prévoit l'insertion dans un ouvrage à paraître prochainement aux éditions Humanitas, « mais avec notes et présentation nécessaire à sa juste appréciation[166]. »

À la relecture, il lui sera apparu que ses charges passionnées contre les officiers, les juges, les policiers et autres corps constitués de la Roumanie des années trente, n'avaient reçu que trop d'écho de la part des dirigeants de l'après-guerre pour qu'il fût sans inconvénient d'en livrer tel quel le texte brut à l'opinion. Certes, écrivant en 1945, il ne pouvait connaître l'histoire roumaine à venir. Mais, justement, « sans rien renier » de ce qu'il avait écrit, qui exprimait bien son sentiment de l'époque, il lui était loisible d'en regretter la publication en 1946. Aussi, dans le contexte politique certes encourageant mais encore mouvant des années quatre-vingt-dix, la rediffusion de ces *Fragments d'un Journal intime* ne lui est-elle apparue possible que dans la forme d'une édition critique avec notes et explications de nature à en évacuer les ambiguïtés. Il lui fallait, à tout prix, éviter que quelque thuriféraire de la *Securitate* n'aille invoquer son texte pour justifier rétrospectivement les déportations, tortures et tueries de l'époque.

Maître en calculs stratégiques et en finesses tactiques, Ionesco a su s'imposer par une écriture qui a les allures de la spontanéité et de la sincérité. Ce parti pris de spontanéité et de sincérité l'a exposé aux approximations du fil de la plume, mais corrigées dans le cours du temps par d'autres approximations énoncées également au fil de la plume, les unes et les autres se contredisant, s'éclairant, se complétant pour tenter de cerner un réel insaisissable et divers. Souvent stable en son fond, mais mouvante dans son expression, la pensée d'Eugène Ionesco doit s'appréhender d'un seul tenant, ce qu'il y a dans la *Quête intermittente* (1986) étant en résonance avec ce qui se découvre dans *Non* (1934), ce qu'il y a dans le théâtre trouvant sa source dans les œuvres de confidence, les aveux existentiels du moment s'approfondissant par ceux du moment d'après ou par ceux qui viendront un demi-siècle plus tard. Avec Ionesco, il ne faut pas se hâter de conclure, il faut aller jusqu'au terme. L'expression immédiate peut prêter à ambiguïté. Aussi importait-il à un auteur aussi politiquement responsable que lui de prévenir le renouvellement des dérives d'interprétation du texte paru en 1946. D'où son opposition à la publication, trop rapide à ses yeux, de ses *Lettres à Tudor Vianu* des années quarante, et des *Fragments de son Journal intime* de 1945.

Père, mère, sœur, femme, fille ; Lola Costica et Mitica ; La Chapelle-Athenaise et Saint-Sava ; Bucarest années trente, la notoriété, ses parfums, ses tourments ; Arsavir Acterian et Barbu Brezianu, Eliade et Cioran ; la *Jeune Génération*, et La Garde de fer ; Paris 1938, Vichy 1942 ; la guerre et le refus de la guerre ; Petre Bubu, mort ; morte Anca ; Paris 1945 ; la Roumanie paternelle interdite, la France maternelle hospitalière ; la langue de l'enfance et celle de l'adolescence ; *Élégies pour êtres minuscules*, *Lettres de Paris*, *Fragments d'un Journal*, ébauches. Écrire ? Bon qu'à ça. Écrire ? Mais avec quoi ? Avec les images et les émotions de la guerre, de la vie, de la famille, de la politique, de l'amitié, de l'inimitié. Avec les émotions et les images engrangées en soi, disponibles pour la transcription, pour la transposition, pour le cryptage scénique. Écrire avec les inventions de l'imagination et du rêve, le jeu des mots, la puissance de l'inspiration.

L'œuvre ? À faire. Pourquoi une œuvre ? « Nous sommes nés, je suis né non pas seulement pour mourir, mais aussi, j'en suis convaincu, pour réaliser des choses, pour créer des œuvres, à l'image de Dieu [167]. »

Cela est écrit au milieu des années quatre-vingt. C'est aussi, n'en doutons pas, ce que pense Ionesco au milieu des années quarante.

TRIBULATIONS

Mais en attendant, il faut vivre, c'est-à-dire gagner sa vie. Les économies se sont envolées avec les tragiques mésaventures de Lica Cracanera. Lorsque le roi Michel abdique, le 31 décembre 1947, c'est la rémunération de l'ancien conseiller culturel qui disparaît.

En Roumanie, en effet, les choses sont allées d'arrestations massives en Transylvanie en janvier 1945 en épurations administratives et universitaires dans tout le pays, d'élections frauduleuses en intimidations policières, de noyautages en éliminations. Le roi, fin 1947, cerné de toutes parts, s'est trouvé, pendant les fêtes de fin d'année, sommé par Petru Groza et Georghiu Dej d'abdiquer et de s'en aller. Il quitte la Roumanie le 3 janvier 1948. Le crépuscule roumain se lit dans l'histoire de l'Institut français. À l'invasion idéologique, l'Institut tente d'opposer une culture française familière à toutes les élites roumaines, devenant, à son corps défendant, le centre de ralliement de l'opposition. Pour moitié, les élèves du lycée français de Bucarest sont issus de familles juives, souvent fortunées. Des liens ont été établis par Dupront et Mouton avec les catholiques uniates et latins. Le pouvoir en place n'entend laisser aucun secteur échapper à son emprise. L'Institut aura beau louvoyer, il représente une menace culturelle à un moment où les milieux cultivés roumains sont, spontanément, hostiles au régime. L'année 1948 est celle des harcèlements, des fermetures, des interdictions, des expulsions. Le 10 novembre 1948, un décret vient abroger l'accord franco-roumain du 31 mars 1939. Suppression de l'Institut. Arrêt des cours. Mars 1950 : rafles de la *Securitate* dans l'immeuble de l'ex-Institut, arrestations, condamnations des ressortissants roumains.

Janvier 1948. Pour le réfugié politique Eugène Ionesco, mieux vaut le dénuement à Paris que la prison en Roumanie. Reste que la misère est lourde à porter. « C'était en 1948. J'étais dans la misère. Ma fille était un bébé ». Plus tout à fait : Marie-France aura quatre ans en août. « Nous n'avions littéralement pas un sou... Je me mis en colère. Je pris le sac à commissions, brusquement, et je sortis faire les courses. J'allai au marché. Je cherchai par terre. Je trouvai une petite liasse de billets de banque : 3 000 F. Je rentrai le panier plein de provisions ». Quelque temps plus tard, répétition du même scénario : cette fois l'aubaine est de 500 F. À la même époque le pharmacien, un jour, lui rend la monnaie sur 1 000 F alors qu'il a donné un billet de 100 F. « J'acceptai ce don du destin [168] ». Quelques années plus tard, vers 1952, commençant à gagner quelque argent avec son emploi de correcteur, il perd trois billets de 1 000 F en achetant des journaux et des revues. « La Providence ne m'avait fait, quelques années plus tôt, qu'un prêt d'honneur. Je m'étais acquitté de ma dette. Je suis sûr que c'était un pauvre qui a trouvé l'argent ».

Vers 1920, la vie avait été difficile pour lui, sa mère et sa sœur. À partir de 1922-1923, son père lui avait permis, non sans d'âpres confrontations, de faire de longues et sérieuses études jusqu'à ce professorat qui, cumulé avec celui de Rodica, lui avait assuré un honorable niveau de vie de 1934 à 1942. Il en avait été de même du statut de secrétaire culturel à la Légation roumaine, de 1942 à 1944, avec ses prolongements parisiens de 1945 à 1947. À présent, privé de tout traitement et délesté de leurs économies, les Ionesco doivent trouver de nouvelles activités. Les concours familiaux dont ils bénéficient ne peuvent avoir qu'un caractère temporaire. Ont-ils réellement envisagé, ainsi que Ionesco en a fait la confidence à E. Jacquart en 1987, d'émigrer à Constantinople ? Ce qui est sûr, c'est qu'en fin de compte, c'est en France qu'ils se sont fixés. Étrangers mais en situation régulière, dans la France en pleine activité de l'immédiat après-guerre, ils trouvent à s'employer. Eugène Ionesco prend d'abord un emploi de débardeur chez Ripolin. Cet intermède d'une durée de six semaines à deux mois figure en bonne place dans la biographie du *Who's who*. Si restreinte qu'elle ait été dans le temps, cette activité semble avoir laissé une marque profonde dans la mémoire de Ionesco : exécution de rudes tâches de manutention, hiérarchie très présente, main-d'œuvre immigrée d'origine polonaise, hongroise, russe, parfois diplômée. Lorsque l'atelier est visité par la direction, Eugène Ionesco a le sentiment que le personnel, endimanché, est transparent sous le regard des chefs. Pour l'employeur, l'un des dommages collatéraux de cette courte expérience fut de rendre Eugène Ionesco durablement allergique à la peinture Ripolin.

Pour subvenir aux nécessités, les Ionesco tentent de vendre quelques bijoux, quelques fourrures, des ouvrages de littérature publiés dans la Pléiade. Une tentative pour négocier un certain manteau d'astrakan ayant échoué, tous deux, déambulant sans but dans Paris, avisent une galerie de peinture où se déroule un vernissage. Ils y entrent comme s'ils étaient invités, l'allure très habillée de Rodica suffisant, apparemment, à légitimer leur présence en ce lieu.

Se rappelant ces jours difficiles, Ionesco écrit le 3 décembre 1993 dans le *Figaro* : « Et puis je fus aidé par mon propriétaire de la rue Claude-Terrasse, M. Colombel, Dieu le bénisse, qui n'osa pas mettre à la porte un réfugié qui ne payait pas son loyer mais qui était peut-être envoyé par Dieu [169] ». Les Ionesco réglaient leur loyer mais se montraient récalcitrants à payer les augmentations qu'on leur notifiait.

La famille Ipcar n'est pas absente de ces années d'après-guerre.

Peytavi de Faugère l'ayant quittée pour retrouver son état religieux, tante Sabine, si émue qu'elle fût à l'évocation de son souvenir, eut néanmoins des faiblesses amoureuses pour Mussolini. Elle eut l'imprudence de lui envoyer des télégrammes. Ionesco assure qu'on lui répondit. Elle rêvait de grandeur et avait prévenu qu'« un jour on saurait qui elle était [170] ». Malheureusement, durant l'Occupation, ses élans pour le lointain Duce s'étaient doublés de sentiments analogues pour des officiers allemands en proie au mal de dent. « Elle devint, follement adepte à sa manière, folle du nazisme [171] », écrit son neveu. À la libération de Paris, elle se dévoua à soigner les victimes des combats qui se déroulaient dans les rues. Toutefois, un héros local, soucieux de châtier cette collaboratrice, la gifla avec une énergie si courageusement virile qu'elle fut victime d'une congestion cérébrale la laissant aphasique. On la traîna en justice. Acquittée « à cause de son aphasie », elle échoua dans ses tentatives pour continuer à exercer son métier de dentiste. Eugène Ionesco se souvient de l'avoir vu paraître rue Claude-Terrasse, « habillée comme une folle [172] ». Les pompiers eurent à éteindre un feu qui s'était allumé chez elle, peut-être à son initiative. La dernière fois qu'il la vit, Ionesco se souvient d'elle comme de la Folle de Chaillot. « Elle parlait à peine, mais comprenait tout ou presque tout [173] ». Mendiant dans les rues, devenue familière aux services de police, elle se retrouva un jour à Saint-Anne. Dans le temps de sa gloire, elle avait été chef de clinique dentaire à l'hôpital Broussais.

Au bord de mourir, elle n'avait pas perdu la mémoire du beau Peytavi de Faugère dont elle montrait la photo, en habit religieux, disant : « C'est mon Napoléon [174] ». Peytavi, de son côté, sans jamais revenir la voir, s'était, néanmoins, manifesté auprès d'Eugène et de Rodica pour qui il éprouvait un véritable attachement. Il leur écrivait des lettres que Ionesco qualifie de « très sentimentales, affectueuses et toujours pleines de rhétorique [175] ». Cela dura une dizaine d'années après la guerre.

Famille. Armand Ipcar, ayant perdu du fait d'une innovation concurrente, le marché que son esprit d'innovation lui avait assuré, pendant un temps, dans le domaine des ampoules électriques, s'avisa d'inventer un appareil à souder triphasé qui aurait pu lui permettre un nouveau départ s'il ne s'était obstiné à en assurer lui-même la distribution. La commercialisation étant limitée au cercle restreint de ses connaissances, il n'eut pas le temps de reconstituer sa fortune avant que ce marché-là aussi ne soit conquis par de nouvelles soudeuses.

MORT DU PÈRE

Famille. Roumanie. 1948, octobre ou novembre : mort d'Eugen N. Ionescu. Eugène Ionesco ne pensait pas que son père dût mourir. La mort c'était pour sa mère, pour lui. Pas pour le grand avocat de Bucarest, plus fort que la mort dans la conscience du fils, homme de pouvoir, de prestance, de prééminence, inébranlable sur son socle de savoir et d'autorité, homme de la victoire dans le champ social, vaincu dans le champ des mots, victime du fils, connu par lui. Le dernier regard du père pour le fils avait été un regard de colère, le jour de l'inhumation de sa propre mère, colère contre ce fils incapable d'être à l'heure le jour où l'on enterre sa grand-mère, contre ce retardataire inconnu, marchant à grands pas, son bouquet de fleurs à la main, essayant d'arriver avant que la fosse ne soit comblée, alors que lui-même Eugen Ionescu, regagnait déjà la sortie du cimetière en compagnie de sa femme, Eleonora Buruianu, irritation à l'égard de ce fils jamais là où il faudrait, quand il le faudrait, toujours en porte-à-faux par rapport au moment vécu, disant ce qu'il ne faut pas dire, écrivant ce qu'il ne faut pas écrire, toujours décevant. À présent le père était parti, avec sa déception. Le fils était absent, et, certes, l'eût-il voulu, qu'il n'eût pu venir aux obsèques paternelles en ce dur automne roumain, mais c'était encore à cause de ses débordements de plume.

Mort Eugen Ionescu, c'était bien le moment pour Eugène Ionesco, de répéter l'ultime parole qu'il lui avait lancée dans un café de Bucarest : « J'ai bien l'honneur de vous saluer, monsieur [176] ». Il eût fallu pouvoir redire cela, mais sur un autre ton, sur le ton de la confidence extrême, comme un murmure d'adieu. « Je regrette toujours mes dernières paroles, car malgré l'agressivité que je nourrissais à son égard, cela ne m'empêchait pas d'aimer, malgré tout, mon père. J'aimais mon père [177] ». Quatre décennies après sa mort, Eugen Ionescu continuait d'investir l'âme de son fils.

Mort du père. Héritage ? Néant. Lola, la nièce, la maîtresse tsigane, l'État etc., solde : néant. Rien pour le fils. Quant à tante Sabine, qui avait, au cours du temps, largement entretenu ses père et mère, frères et sœurs, neveu et nièce, Ionesco dit ignorer en quel état se trouvait sa fortune à la fin de sa vie. « Avait-elle ou n'avait-elle plus d'argent ? On nous a raconté qu'elle allait mendier au coin de la rue[178] ». Nécessité ? Plutôt dérèglement.

Aussi bien, pour les Ionesco, la fin des années quarante est bien le temps des vaches maigres. L'heure est au travail. Rodica et Eugène trouvent à s'employer aux Éditions techniques. Son activité au service après-vente met Rodica en rapport avec des cabinets d'avocats. Quant à Eugène, si l'épisode Ripolin est important par l'expérience vécue et par l'image qui en reste, il n'aura duré tout au plus que deux mois. Voici l'exilé roumain correcteur d'épreuves, chez Durieu, rue Séguier. La tâche consiste en une relecture méticuleuse des publications juridiques – *Juris classeur périodique* (JCP), *Semaine juridique etc.* –, que la maison édite, et qu'il s'agit de nettoyer de leurs incorrections orthographiques et syntaxiques avant parution. De septembre 1948 jusqu'au milieu des années cinquante, Eugène Ionesco s'appliquera à détecter toutes les scories qui peuvent polluer un texte. Il y gagnera une familiarité renouvelée avec les mots. La charge est lourde, mais, travaillant vite, l'œil en éveil, le correcteur Ionesco obtiendra de ne paraître au bureau que le matin, emportant à domicile le reliquat des pages à relire, et consacrant son loisir à ses propres travaux littéraires. À partir de 1952, ce plein temps fera place à un mi-temps (9 heures/13 heures). Ionesco n'a pas détesté ce moment de sa vie. En 1978, dans sa conversation avec P. Sollers et P.A. Boutang, il déclare : « J'étais, entre 45 et 50 [en fait entre 1948 et 1955 (?)], un petit employé dans une maison d'édition juridique... Et je regrette maintenant de ne pas être resté petit employé. Je n'aurais rien écrit, je ne serais pas entré dans ce bruit, dans ce chaos, dans cette notoriété, et je prendrais maintenant ma retraite[179] ». Pur exercice de style ? Coquetterie de star se donnant à bon compte la posture du grand homme nostalgique de l'obscurité commune ? Il se peut que certaines des obligations de la célébrité aient fini par l'encombrer. Mais, lorsqu'il ajoute dans la même conversation : « Je ne sais quelle ambition m'a pris d'écrire des pièces de théâtre[180] », nous, qui avons lu *Non* (1934), nous sommes en mesure de lui rappeler de quelle ambition il s'agit. « Vivre et mourir inconnu[181] », soupire Cioran le 26 avril 1969, citant Voltaire devant Ionesco. « Eugène n'en parut pas trop convaincu », note Cioran, lui-même assez peu convaincant. La gloire ? « Quelle fumée plus capable de faire tourner les meilleures têtes ? » s'exclame Bossuet, en voie d'y accéder, dans son *Oraison funèbre* de la duchesse d'Orléans en 1670.

Reste que, pour l'heure, en France, à connaître le nom d'Eugène Ionesco, il n'y a personne, hormis quelques familiers de la Roumanie tel Alphonse Dupront. Personne ? Si. Il y a l'Exil roumain.

L'EXIL ROUMAIN

L'Exil roumain : une sorte de colonie de peuplement qui n'a cessé de s'accroître au fil des décennies, dans le sillage des migrations estudiantines moldo-valaques du XIXᵉ siècle, le temps du « sombre et beau Bratiano [182] » qu'évoque Paul Morand, dans la continuité des alliances et des coopérations du lendemain de la Grande Guerre, dans la familiarité des langues et des cultures. Émigration unie par le parler roumain, mais pour le reste divisée par les combats politiques des années trente. Pour l'essentiel, le noyau central de l'exil roumain se forme autour de ceux qui fuient le régime au lendemain de la guerre, au premier rang desquels Eliade qui, après avoir occupé la chambre 18 de l'hôtel de l'Avenir, s'est transporté dans un appartement, rue des Saints-Pères, puis dans une grande chambre à l'hôtel de Suède, rue Vaneau. Eliade est l'un des points de ralliement des exilés qui ne cessent d'affluer, fuyant la Roumanie. L'anticommunisme est commun aux opposants des années trente, libéraux et nationaux-paysans, aussi bien qu'aux gardes de fer et aux fidèles du maréchal Antonescu. Mais si leurs divisions échappent à l'œil étranger, elles sont présentes à l'esprit des Roumains eux-mêmes. Eux savent qui est qui et n'ont rien oublié des sanglants règlements de comptes du temps de la guerre et d'avant la guerre. Virgil Ierunca, essayiste et poète, qui a laissé un *Journal,* vient d'une gauche assez extrême. Sa femme, Monica Lovinescu (Monique Saint-Côme), fille du critique occidentaliste Eugène Lovinescu, mène le combat sur Radio-Europe libre. Tous deux forment un couple très actif au sein de l'émigration roumaine. Parfois la colonie connaît des soubresauts qui débordent ses frontières. L'immense succès de la *Vingt-cinquième heure,* paru en 1949, est l'occasion de découvrir le passé roumain de son auteur, Constant-Virgil Gheorghiu. Voient le jour, autour de 1950, un Centre roumain de recherches et une université roumaine, ainsi qu'un cercle littéraire qu'anime Eliade. Ce qui rassemble l'Exil roumain, c'est la conscience aiguë de ce qui se passe dans la patrie danubienne, c'est la misère qui impose des solidarités élémentaires, c'est aussi l'orthodoxie. Souvent Eugène Ionesco est présent aux cérémonies du vendredi saint en l'église de la rue Jean de Beauvais dans le Ve arrondissement. Reste que son rapport avec l'Exil roumain est soumis à des mouvements contradictoires. Il n'a pas perdu la mémoire. S'il écrit à E. Mounier le 29 août 1949 que les gardes de fer sont nombreux à Paris, et qu'ils n'ont rien abandonné de leur idéologie, s'il téléphone encore le 24 avril 1960 à V. Ierunca pour lui asséner subitement que toute la Roumanie – rien moins – a été nazie, c'est que les affrontements des années trente relèvent pour lui de l'obsession récurrente.

Roumanie : lointaine, omniprésente, images et visages, noms et prénoms, ceux, par exemple, de Pierre Hechter, frère de Mihail Sebastian, à qui Ionesco, dans les années cinquante, dédicacera sa *Jeune Fille à marier*.

Français en Roumanie, il est roumain en France, familier par la lecture ou la fréquentation de ces Roumains d'antique implantation française, Stéphane Lupasco (1900-1988), théoricien d'une conception de l'énergie qui fait sa place à la dynamique des contradictoires, Tristan Tzara (1896-1963), poète pré et parasurréaliste, auteur du manifeste dada, brouillé de longue date avec son pays, mais que la nostalgie de la langue et le désir de l'entendre parler conduisent chez les Ionesco.

Ionesco oscille entre l'aspiration à rompre la solitude qui le fait participer aux manifestations communautaires, et la révulsion pour les survivances du mouvement légionnaire qui l'incite à garder ses distances avec les initiatives et les organisations de l'Exil roumain, ou du moins avec certaines d'entre elles.

Ce qui réunit ces hommes et ces femmes, c'est la hantise de la menace qui pèse sur eux. Dans le courant de la seconde moitié de l'année 1950, à un moment où la guerre de Corée connaît des rebondissements qui portent la tension internationale à son comble, ils ne sont pas les seuls à redouter un déferlement de l'Armée rouge en direction de l'Europe de l'Ouest. Que Strasbourg ne soit qu'à deux étapes de Tour de France de l'Elbe, le général de Gaulle ne s'est pas fait faute de le rappeler. Mais ce que les hommes et les femmes de l'émigration savent mieux que d'autres, c'est ce que ce déferlement signifierait. Aussi les exercices d'alerte auxquels se livre volontiers un Cioran auprès de ses amis, Mircea Eliade, Eugène Ionesco, etc., ne font-ils que traduire une inquiétude qui, pour être commune à de nombreux secteurs de l'opinion occidentale, n'en affecte pas moins tout spécialement cette petite colonie étrangère bien renseignée. Parfois des circonstances contingentes viennent menacer l'unité du groupe. Lorsque

Constantin Virgil Georghiu connaît, en 1949, avec *La Vingt-cin-quième heure*, un prodigieux succès de librairie, Monica Lovinescu, qui en a assuré la traduction, trouve normal de faire valoir ses droits. Sa réclamation est ignorée. Il en résulte irritation et indignation dans le micro-milieu. Les uns suggèrent d'éclairer l'opinion sur le passé de l'auteur cependant que d'autres, notamment Cioran, recommandent la plus grande circonspection si l'on veut éviter que le discrédit ne retombe sur l'ensemble des intellectuels roumains. Ionesco alimente le débat à sa manière en remarquant que si le curriculum vitae de Georghiu est mis sur la place publique, il n'y a aucune raison de ne pas en faire autant pour celui d'Eliade.

L'intervenant extérieur : Nous y voilà ! Il est clair que poser le pro-blème en ces termes, c'était plaider pour l'étouffement de l'affaire. Ionesco était assez malin pour savoir que c'était en menaçant de char-ger la barque jusqu'à la faire couler que ses compagnons retrouveraient le sens de la prudence.

L'orateur : En quoi le coup de projecteur sur la Roumanie des années trente pouvait-il l'atteindre, lui, qui, dès ces années-là n'avait cessé de faire le procès des dérives légionnaires de l'intelligentsia rou-maine ? Ses *Lettres de Paris* de 1939-1940 ne lui auraient pas nui si elles avaient été jetées sur la place publique vers 1950.

L'intervenant extérieur : Mais sa présence à Vichy de 1942 à 1944, si. Et c'est pourquoi, autant que Cioran et Eliade, il avait intérêt à ce que le silence soit fait sur le passé roumain de tout ce petit monde auquel il appartenait. D'où ce pacte d'amnésie conclu entre ces trois partenaires au bénéfice de chacun d'entre eux. C'est cet intérêt commun qui fait que Ionesco passe outre aux condamnations épisto-laires qu'il porte contre les deux autres. À Tudor Vianu, abrité derrière le secret des correspondances, il confie ce qu'il pense d'eux réellement. Mais, à Paris, dans l'après-guerre, il fréquente l'un et l'autre. Quand il a l'occasion de présenter Cioran à François Fejtö, il le présente comme étant son ami le plus cher.

L'orateur : La scène se situe de nombreuses années après la guerre.

L'intervenant extérieur : Cette scène-là, peut-être. Mais les relations entre Ionesco et Cioran étaient déjà redevenues familières dès 1950. Cela, bien sûr, n'empêche pas entre eux des impatiences réciproques. Confident quotidien de Ionesco par la vertu du téléphone, Cioran, à son tour, confie à ses *Cahiers* des réflexions qui ne sont pas toujours exemptes d'agacement à l'endroit de Ionesco, trop dépendant, à son gré, du succès planétaire de son œuvre, d'autant que ce dramaturge universellement connu est un inquiet de la renommée. « Que veux-tu de plus ? Tu es l'homme le plus connu du monde ? » lui dira-t-il. Et Ionesco de répondre : « Mais moi j'aime la gloire [183] ». Voilà le fond des choses. Pour Ionesco, qu'une rapide carrière va conduire des Noctambules en 1950 avec *La Cantatrice chauve*, à l'Odéon avec *Rhinocéros* en 1960, il ne s'agit pas de laisser polluer son image par le rappel public du lieu où il a exercé ses activités diplomatico-culturelles de 1942 à 1944. Pour Cioran, il s'agit d'effacer les traces de ses tropismes nationaux – socialistes des années trente, mais aussi, latéralement, bolcheviques. Ces tropismes, il se refuse à les désavouer car ce serait, écrit-il « piétiner (sa) jeunesse [184] », une jeunesse dont, par ailleurs, il évoque *l'ardeur* avec nostalgie. Ailleurs encore, il se rappelle sa « jeunesse désespérée et *enthousiaste* [185] ». Quand il désavoue ce qu'il fut, c'est aussitôt pour ajouter que c'est un autre qu'il renie. Il tente de s'octroyer le bénéfice d'une sorte d'éthique de l'irresponsabilité littéraire. Il s'est construit une forteresse d'où il peut délivrer des aphorismes d'autojustification tels que « sans l'orgueil de l'échec, la vie serait à peine tolérable [186] », tout en déclamant son ostentatoire désespoir à l'occasion de confessions publiques à répétition. Il n'oublie pas de noter dans ses *Cahiers* que son essai de 1937, *Des larmes et des saints*, avait si profondément affecté ses parents – son père était prêtre orthodoxe à Rasinari en Transylvanie –, qu'ils en étaient tombés malades, lui reprochant de n'avoir pas attendu qu'ils soient morts pour publier un pareil ouvrage.

L'orateur : D'accord. Les dégorgements blasphématoires de Cioran, tout au long de son œuvre, relèvent de la pathologie. L'objectivité oblige, cependant, à dire que ce pathétique tenant du pire, au demeurant joyeux convive quand il est avec ses amis, n'a cessé de traîner comme un boulet un sentiment de culpabilité récurrent pour ses dérives des années trente. Ceux qui ont fréquenté Cioran assurent que le regret de ce qu'il avait écrit autrefois était sincère. Il reconnaît s'être trompé dans sa jeunesse, écrit Ionesco à Tudor Vianu dès le mois de septembre 1945. Quand Cioran écrit dans ses *Cahiers* : « Souvent il m'arrive de me réveiller le matin avec un sentiment oppressant de culpabilité, comme si je portais le poids de mille crimes [187]... », quand il confie à Sandra Stolojan un propos comme : « Ce que l'Allemagne a fait équivaut à une damnation de l'Homme [188] », les mots qu'il lâche ne sont pas anodins.

L'intervenant extérieur : Ce qui, surtout, n'est pas anodin, c'est le genre de relation qui s'est instauré entre Emil Cioran et Eugène

Ionesco, et qui montre en quoi consistaient les services que se rendaient mutuellement les deux compères. Le 28 février 1969, Cioran note : « Eugène Ionesco avec lequel j'ai parlé longuement au téléphone de la Garde de fer, et auquel je disais que j'éprouve une sorte de *honte intellectuelle* à m'être laissé séduire par elle, me répond très justement que j'ai *marché* parce que le mouvement était *complètement* fou [189]. »

Eugène Ionesco : « C'est mon frère et... je l'aime [190] ».

L'intervenant extérieur : On voit ce que c'est. Le premier rassure le second sur sa notoriété universelle, cependant que le second excuse le premier pour ses égarements au motif que le mouvement qui l'a entraîné était trop dément pour qu'il pût y résister.

L'orateur : Il vous a échappé que Cioran tranquillise Ionesco sur sa position littéraire en février 1981 alors que la conversation sur ses dérives roumaines se situe en février 1969.

L'intervenant extérieur : C'est dès 1967 que Cioran mentionne les confidences de Ionesco au sujet d'une « diminution de sa gloire [191] ».

L'orateur : Diminution *supposée*, en réalité, pur fantasme car à ce moment-là, la notoriété de Ionesco est déjà planétaire. Mais il n'y a là aucun trafic, aucun échange. Ou plus tôt si, sur la durée, il y a bien un échange, celui de l'amitié. L'amitié plus forte que les idéologies. L'amitié nouée dans la profondeur des temps, troublée, suspendue, par les engagements politiques, mais non pas morte, capable de renaître quand les risques de la proscription s'ajoutent aux misères de l'exil et de la pauvreté. Quoi ? On voudrait qu'Eugène Ionesco soit apparu solennellement sur la place publique pour dénoncer Eliade et Cioran ? C'est une chose de laisser libre cours aux remémorations et aux irritations dans une lettre adressée à un unique destinataire, c'en est une autre de rendre publiques ces accusations pour qu'aussitôt elles servent d'éléments à charge dans les dossiers des procureurs staliniens et de leurs compagnons de route. D'où l'opposition déterminée et impuissante de Ionesco à la publication, dans la Roumanie d'avant 1989, de ses lettres à Petru Cormarnescu ; d'où aussi son opposition non moins déterminée et tout aussi impuissante en 1994, à la publication de ses lettres à Tudor Vianu. Avant comme après 1989, il s'est refusé à prendre le risque de porter préjudice à des personnes vivantes ou à leur mémoire. La délation n'était pas dans sa manière. Les années de l'après-guerre avaient permis au temps de faire son œuvre. Les liens que la tragédie historique avait rompus avaient été rétablis.

L'intervenant extérieur : D'où la photo à diffusion mondiale, prise place de Furstenberg en 1977, où les trois compères jouent la comédie de l'amitié, en réalité celle de la connivence sociale et de l'imposture morale. L'homme moderne bricole dans l'incurable, répétait Cioran, selon Ionesco. Ces trois-là, en tout cas, auront réussi, au lendemain de la guerre, à bricoler chacun sa fusée porteuse, et à s'élever très au-dessus du commun, trois piétons de l'air experts en dissimulation.

L'orateur : Trois Roumains talentueux, exilés hors du guêpier natal, obligés de recommencer leur vie. Dans ce cas-là, l'amitié, ça aide.

L'intervenant extérieur : Complicité plutôt qu'amitié qui a permis à Eliade de faire la carrière mondiale que l'on sait, lui qu'Eugène Ionesco tenait en 1945 pour un grand coupable.

L'orateur : Quatre décennies ont passé. Eliade est mort en 1986. Un jour il avait reconnu devant Ionesco : « J'ai commis une grande faute [192]. »

Eugène Ionesco : Par-dessus tout c'était un ami, un des deux ou trois qui me restaient et c'est sa mort que je pleure. C'est comme si je ressentais un grand vide à la place du cœur...

L'intervenant extérieur : Et la transparence ?

L'orateur : De quel poids pèse la transparence au regard de l'amitié ? Et qui sont ces gens qui s'instituent en juges des mots et des pensées d'autrui ? Quels actes d'héroïsme leur ont conféré titre et légitimité ?

CHAPITRE VI

LES CHAISES VIDES

Place au théâtre

La vie roumaine d'Eugène Ionesco se poursuivra au long des décennies. Mais l'avenir est en France de même que le gagne-pain. Correcteur aux Éditions techniques où Rodica a également trouvé à s'employer, tous deux, ainsi que la très chère Marie-France, continuent d'habiter le rez-de-chaussée de la rue Claude-Terrasse. Le quotidien étant ainsi assuré tant bien que mal, l'aventure, désormais, pour Eugène Ionesco, ce sera le théâtre, et la langue de l'aventure, le français.

Brève chronologie de la période 1950-1960.

1950

— 11 mai : création de *La Cantatrice chauve* aux Noctambules ; mise en scène : Nicolas Bataille.

— Août : interprétation du rôle de Stepan Trofimavitch lors de la représentation des *Possédés* de Dostoïevski.

1951

— 20 février : création au théâtre de Poche de *La Leçon* ; mise en scène : Marcel Cuvelier.

— Admission au Collège de pataphysique.

1952

— 22 avril : création des *Chaises* au théâtre Lancry ; mise en scène : Sylvain Dhomme.

— Octobre 1952/avril 1953 : reprise au théâtre de la Huchette, à l'initiative de Marcel Cuvelier, de *La Cantatrice chauve* et de *La Leçon*, réunies pour former un seul spectacle.

— Publication en 1952 dans les *Cahiers du collège de pataphysique* de *La Cantatrice chauve* et, ultérieurement, de *L'Avenir est dans les œufs*.

— Séjour à Cérisy-la-Salle.

1953

— Février : création de *Victimes du devoir* au théâtre du Quartier latin ; mise en scène : Jacques Mauclair.

— Juin : publication de *La Jeune Fille à marier* dans *Les Lettres nouvelles.*

— 11 août 1953 : spectacle Ionesco au théâtre de la Huchette, composé de sept courtes pièces : *La Jeune Fille à marier, Les connaissez-vous ?, Le Maître, Le Salon de l'automobile, Le Rhume onirique, La Nièce-Épouse, Les Grandes Chaleurs* (de Caragiale, traduction de Ionesco) ; mise en scène : Jacques Polieri.

— Août : article de Ionesco dans *Arts.*

— Séjour à Cérisy-la-Salle.

— Publication aux Éditions Arcanes d'un volume de théâtre (*La Cantatrice chauve, La Leçon, Jacques ou la Soumission, Le Salon de l'automobile*).

1954

— 10 avril : création de *Amédée ou Comment s'en débarrasser* au théâtre de Babylone ; mise en scène : Jean-Marie Serreau.

— Attribution à Eugène Ionesco du *Prix séculaire d'horticulture allaisienne*, décerné à Honfleur.

— Publication chez Gallimard (« Le Manteau d'Arlequin »), de *La Cantatrice chauve* et de *La Leçon.*

— Automne : publication chez Gallimard du *Théâtre I.*

1955

— Mai : publication du *Maître* dans *Bizarre.*

— 13 octobre 1955 : création de *Jacques ou la Soumission* et du *Tableau*, à la Huchette ; mise en scène : Robert Postec.

— Création du *Nouveau Locataire* en Finlande, dans une traduction suédoise.

— 1er novembre : publication de *La Photo du colonel* dans la *NRF.*

1956

— Février : création de *L'Impromptu de l'Alma* au Studio des Champs-Élysées ; mise en scène : Maurice Jacquemont ; reprise des *Chaises* dans une mise en scène de Jacques Mauclair au même Studio.

— Publication de *L'Impromptu* en langue polonaise à Varsovie.

— 23 avril : article de Jean Anouilh dans *Le Figaro*, « Du chapitre des Chaises ».

— Novembre : *Problèmes insolubles* dans *Les Cahiers des saisons.*

1957

— Février : reprise à la Huchette de *La Cantatrice chauve* dans la mise en scène de Nicolas Bataille et de *La Leçon* dans celle de Marcel Cuvelier.

— Mai : création de *L'Impromptu de la duchesse de Windsor*.

— 23 juin : création de *L'Avenir est dans les œufs* au théâtre de la Cité universitaire ; mise en scène : Jean-Luc Magneron.

— 10 septembre : création du *Nouveau Locataire* au théâtre de L'Alliance française ; mise en scène : Robert Postec.

— Publication de pièces en langue polonaise à Varsovie en 1956-1957.

— Septembre : publication d'une nouvelle intitulée *Rhinocéros* dans *Les Lettres Nouvelles*.

1958

— Mars : publication en langue danoise d'extraits de *L'Impromptu de l'Alma*.

— Juin-juillet : controverse journalistique à Londres avec le critique Kenneth Tynan.

— Publication du *Théâtre II* chez Gallimard.

— Publication de diverses pièces en langues italienne, allemande, anglaise, tchèque.

— Publication de deux volumes de théâtre à New York.

— Publication de deux volumes de théâtre à Londres.

1959

— Hiver 1959 : numéro spécial des *Cahiers des saisons*, consacré à Ionesco.

— 19 février : création de *Tueur sans gages* au théâtre Récamier ; mise en scène : José Quaglio.

— Préface pour l'adaptation théâtrale des *Possédés* de Dostoïevski aux éditions Émile-Paul.

— Juin : discours inaugural des *Entretiens d'Helsinki*.

— Août : diffusion de *Rhinocéros* à la BBC.

— 6 novembre : création de *Rhinocéros* à Düsseldorf.

— Publication de *Rhinocéros* chez Gallimard (« Le Manteau d'Arlequin ») et aux Foreign Books.

— Publication d'une édition collective à Berlin.

— Publication de *Scène à quatre* dans les dossiers du Collège de pataphysique, *l'Avant-scène* et, en janvier 1960, dans *Plaisir de France*.

— Déménagement de la rue Claude-Terrasse à la rue de Rivoli (1959 ou 1960).

— 1er décembre 1959-6 janvier 1960 : publication des *Salutations* dans *Les Lettres françaises*.

1960

— 22 janvier : création de *Rhinocéros* à l'Odéon-Théâtre de France ; mise en scène : Jean-Louis Barrault.

— Mars : conférence d'Eugène Ionesco à la Sorbonne sur son théâtre.

— 28 avril : représentation à Londres de *Rhinocéros* ; mise en scène : Orson Welles.

— Avril : création au théâtre de l'Étoile du ballet *Apprendre à marcher* dont l'argument a été écrit par Ionesco.

— Publication à New York d'un volume contenant plusieurs pièces.

— Publication des volumes III et IV du théâtre à Londres et d'un volume II à Berlin.

— Publication de *Rhinocéros* en Allemagne, à Turin, à New York, à Oslo.

— Et des voyages : Heidelberg (1954), Londres (1955-1957), Madrid (1956), Italie (1958), Portugal (1959), Düsseldorf (1959), New York (1960), Brésil (1960), etc.

LE TEMPS QUI PASSE, LE TEMPS QUI PRESSE

1950-1960 : une dizaine d'années, dix ans ça passe vite, cela aura suffi pour faire d'un exilé roumain complètement inconnu un homme de théâtre considérable, joué et publié en Europe et en Amérique. L'*existant spécial* n'a pas ménagé sa peine : près d'une vingtaine de pièces créées, cinq nouvelles publiées. Des traductions en allemand, en anglais, en italien, mais aussi en hongrois, en tchèque, en polonais, en danois. Avec *Rhinocéros*, créé à Düsseldorf et diffusé par la BBC avant d'être accueilli à l'Odéon, Ionesco franchit une étape. Il confirme, dix ans après *La Cantatrice chauve*, sa dimension internationale, déjà amplement reconnue par la charge qui lui a été confiée l'année précédente d'ouvrir les *Entretiens d'Helsinki sur le théâtre d'avant-garde*. Dix ans au terme desquels ses metteurs en scène – Nicolas Bataille, Marcel Cuvelier, Sylvain Dhomme, Jacques Mauclair, Jean-Marie Serreau, Robert Postec, Orson Welles, etc. –, son éditeur – Gallimard –, les critiques qui l'ont soutenu – tout spécialement Jacques Lemarchand –, peuvent se féliciter de l'accueil qu'ils ont réservé à ce correcteur d'épreuves, amateur et fabricateur de mots, qui, apparemment, a trouvé son public, en France et à l'étranger. Dix ans sous le signe du temps qui passe, du temps qui presse. Le mardi 28 juin 1955, Jacques Brenner note dans son *Journal* : « Ionesco craint de *n'avoir plus le temps d'écrire*, c'est-à-dire que sa période de production soit finie[1]. » Son âge l'obsède. « *Quarante ans passés*, me dit-il. En France, un homme de quarante ans, c'est un homme en pleine maturité. En Roumanie, c'est véritablement un quadragénaire. » Se rajeunissant de trois ans au moment de jouer son rôle sur le grand théâtre de Paris, peut-être Ionesco espère-t-il obscurément *paraître* moins âgé qu'il n'est effectivement, gagner trois ans d'écriture, trois ans d'activité, trois ans de vie.

Lorsque, vers 1948-1949, Ionesco traduit en français son texte roumain, *L'Anglais sans professeur*, il lui faut quelque vertu pour échapper au découragement. C'était l'heure d'appliquer son précepte : ne pas se laisser décourager, en particulier par le découragement.

Dans sa lettre du 29 août 1949 à Emmanuel Mounier, Ionesco nous a laissé son autoportrait à quarante ans. Autoportrait politique : dix ans sont passés, il reste fidèle à ses convictions de l'immédiat avant-guerre. Il est attaché à « cette civilisation chrétienne et française, ce carré[2] » dont son destinataire et ceux qu'il a rassemblés autour de lui sont « les porte-drapeaux. » Il ajoute que c'est le moment pour la France de redevenir *nationaliste* : c'est lui qui souligne le mot. La France, écrit-il, « est l'expression d'une civilisation, de la seule civilisation chrétiennement possible. » Aussi ce *nationalisme* qu'il recommande est-il un universalisme. Il juge que lui, un étranger, peut tenir ce discours sans être suspecté de « patriotardisme ». Il désigne les dangers qui assiègent « *notre* monde » : l'Allemagne, l'URSS, mais l'Amérique est également citée. Sa lettre est d'abord une offre de services. « Est-ce qu'un papier sur le livre de mon compatriote C.V. Georghiu, *La Vingt-cinquième Heure*, pourrait intéresser votre revue[3] ? » Son jugement sur le livre est plutôt favorable. « Pourriez-vous m'offrir l'hospitalité – et j'espère bien que cette fois-ci je ne vous procurerai plus d'ennuis[4]. » Eugène Ionesco cherche un lieu où porter ses textes. Sa démarche, apparemment, n'aura pas eu de suite. S'est-on souvenu des *ennuis* nés d'une collaboration vieille de dix ans ? Peu probable. Se trouvant à Paris à la veille de la guerre, Ionesco y avait fait la connaissance de P.A. Touchard, à l'époque directeur d'un hebdomadaire antimunichois, *Le Voltigeur*, relevant de la mouvance d'*Esprit*. Son concours ayant été sollicité, Eugène Ionesco y publia, sous le pseudonyme de Ion Petru, un article sur la situation politique en Roumanie, qui parut en avril 1940. Il y prévoyait un renversement des alliances de son pays qui se produisit en effet après l'effondrement de la France. L'article de ce Ion Petru attira instantanément l'attention de l'ambassade roumaine à Paris. Suivant le cours naturel de ses obsessions, l'ambassade supposa aussitôt que ce Ion Petru ne pouvait être que le pseudonyme d'un agent au service de la propagande hongroise, poursuivant un dessein évidemment malveillant. L'attaché militaire roumain réclama de la censure militaire française qu'elle lui livre le nom de ce mauvais sujet. P.A. Touchard fut prié de le donner. Il n'en fit rien. *Le Voltigeur* fut suspendu. Les événements des mois de mai et juin se chargèrent de ramener l'incident à ses justes proportions. Mais l'amitié entre P.A. Touchard et Eugène Ionesco était ainsi scellée.

La condition du correcteur d'épreuves de chez Durieu se laisse deviner par quelques incidences de sa lettre à E. Mounier. Il n'a pas lu le dernier numéro d'*Esprit* : « Je n'ai plus assez d'argent pour acheter les revues... » Il en fera la lecture samedi, jour libre pour lui, à la Bibliothèque nationale. Voilà pour sa situation socio-économique. Pour la situation politique, il constate : « Je suis insupportablement seul ». Solitude intellectuelle et morale. Bien entendu, s'adressant à Emmanuel Mounier, et sollicitant son admission dans le cercle des collaborateurs d'*Esprit*, Ionesco épouse spontanément le profil qui peut le mieux lui valoir la sympathie de son interlocuteur. Rien, cependant, ne conduit à suspecter la sincérité du propos. Bien que son offre de collaboration n'ait pas eu de suite, Emmanuel Mounier gardera pour Eugène Ionesco son statut de maître à penser. Sa mort en 1950 laissera en lui un vide analogue à celui que produira en 1960 la disparition d'Albert Camus.

Financièrement à l'étroit, solitaire, Ionesco cherche une ouverture dans le mur auquel il se heurte. Il la trouve.

« LE THÉÂTRE NE M'A JAMAIS INTÉRESSÉ VRAIMENT »

« Le théâtre ne m'a jamais intéressé vraiment[5] », écrira-t-il dans la *NRF* en 1978. Snobisme d'auteur dramatique consacré ou aveu sincère ? Ce qui est vrai, c'est que, durant les années trente, son activité littéraire s'est trouvée orientée du côté de la critique. « En 1948 avant d'écrire ma première pièce : *La Cantatrice chauve*, je ne voulais pas devenir auteur dramatique. J'avais tout simplement l'ambition de connaître l'anglais[6] ». Hum ! Méfions-nous un peu. Prêtons-lui l'oreille lorsqu'en 1979 il écrit à Monica Lovinescu : « Je n'étais alors ni un novice ni un naïf[7]. » Son projet à l'époque ? Faire exploser le théâtre. Il se pourrait bien qu'au long des années quarante, Ionesco ait traîné dans ses valises un manuscrit en roumain dont la longue gestation aboutira au texte fondateur de sa dramaturgie. Il en entretient Tudor Vianu le 9 février 1948. « J'ai écrit encore un livre où j'expérimente une technique de désagrégation intellectuelle totale[8] ». La future *Cantatrice chauve* ? Cela y ressemble assez. En 1986, irrité de la rumeur cosmique qui enveloppe le nom de *Beckett*, il se livre, dans *La Quête intermittente*, à une revendication d'antériorité bien digne d'inspirer une pièce à Eugène Ionesco. Mais ici, non : il n'est pas dans le théâtre, il joue son propre rôle, celui du *grand auteur* indûment négligé. « On dit que Beckett avait écrit son *Godot* déjà, en 1947. Mais il était bien discret. D'ailleurs, les premiers essais de *La Cantatrice chauve*, qui s'intitulaient alors *L'Anglais sans professeur*, je les avais écrits en 1943, en Roumanie, et je peux facilement en fournir des preuves[9]. » Des preuves qu'en 1943 en Roumanie il travaillait au brouillon de *La Cantatrice chauve,* il serait bien en peine d'en fournir, vu qu'en 1943, il n'était plus en Roumanie. Cela signifie seulement que ces premières écritures pourraient bien dater de 1942 ou 1941. À la date près, l'affirmation de *La Quête intermittente* est cohérente avec la confidence faite à Tudor Vianu au début de 1948. Son *livre*, « inutile de l'envoyer au pays[10] ». Cela signifie d'une part, que son texte n'a aucune chance de trouver un éditeur en Roumanie, et, d'autre part, qu'il est écrit en roumain car sinon la question même de *l'envoyer au pays* ne se poserait pas. Une version en roumain de *La Cantatrice* sera publiée en Roumanie en 1965, par Petru Cormarnescu, dans la revue *Le XXᵉ siècle,* sous le titre *L'Anglais sans professeur.*

Ce 9 février 1948, il indique encore à Tudor Vianu : « J'essaierai de me traduire moi-même en français ». L'idée de transposer son manuscrit en français a été suggérée ou approuvée par un ami Roger Paquelin, cadre supérieur de banque, qui forme avec sa femme un couple très proche du sien bien qu'appartenant à la génération précédente.

Lorsque Ionesco, en 1948-1949, entreprend de transcrire son texte en français, l'ouvrage est donc en gestation depuis une demi-douzaine d'années. On peut y voir l'indice d'un projet délibéré, médité, longuement travaillé. *La Cantatrice* n'est pas une pochade farcesque, issue de la pratique utilitaire d'un ouvrage d'apprentissage de l'anglais, jetée sur le papier en quelques mois, et à laquelle il conviendrait de prêter l'attention que l'on accorde aux œuvres de jeunesse des grands auteurs. Il s'agit bien, par certains côtés, d'une farce, inspirée des exercices de la méthode Assimil, mais par certains côtés seulement. Le substrat roumain affleure dans des allusions à des réglementations tout à fait étrangères à la législation britannique, mais qui ont beaucoup à voir avec les lois d'exception qu'ont pu connaître des pays européens comme la Roumanie et la France. On apprend dans la version primitive que le capitaine des pompiers ne peut aller éteindre le feu chez un certain monsieur Cook « car sa mère est d'origine juive... (et) qu'il est défendu d'éteindre le feu chez les juifs, sauf entre le premier et le trois juin de l'année prochaine[11]... » C'est en toute illégalité que M. Cook a éteint un incendie qui s'était déclaré chez lui. S'il venait à être dénoncé, on ferait brûler sa maison, en représailles, mais officiellement cette fois. Les naturalisés sont soumis aux mêmes règles. Le capitaine des pompiers ne peut pas non plus intervenir chez les ecclésiastiques. « C'est le feu sacré », lit-on dans la version initiale. Dans la version définitive, les interdictions propres aux juifs ont disparu.

La Cantatrice chauve opère la transition entre la carrière littéraire d'Eugène Ionesco en Roumanie et celle qu'il entreprend en France.

« INJOUABLE »

La transcription en français étant achevée, qu'en faire ? « Comme c'est curieux, comme c'est curieux[12]... » : voilà une pièce qui, jouée depuis 1957 à la Huchette, y a connu, en cinquante ans, plus de 16 000 représentations, rassemblé plus de 1 500 000 spectateurs, assuré de l'activité à une centaine de comédiens, et qui, comme dans une *success story* archétypale, a d'abord été décrétée injouable. « Bernard Grasset était le premier homme de lettres à prendre connaissance de mon texte : il a dit que cela ne passerait pas la rampe, que cela ne valait rien[13]. » Venant de l'un des meilleurs chasseurs de têtes littéraires de la place, le propos comportait le risque de faire rentrer l'impétrant dans sa coquille. La chance de Ionesco fut que l'une des figures les plus actives de l'Exil roumain, Monica Lovinescu, arrivée à Paris en 1947, fût occupée à faire une étude sur la mise en scène de théâtre. Présentée par les Autant-Lara à Nicolas Bataille, acteur travaillé par le désir de rénover le théâtre, Monica Lovinescu se voit proposer par lui un rôle d'assistante dans le spectacle qu'il prépare. L'occasion se présente à elle de communiquer à son patron le manuscrit de Ionesco. L'ayant lu dans le métro, et ayant beaucoup ri, Nicolas Bataille l'adopte immédiatement. C'est Ionesco qui le met en garde contre son projet de création : « Mais vous êtes fou ? Tout le monde me dit que c'est injouable[14]. » Une quinzaine d'années plus tard, en 1964, Ionesco écrira que cette pièce, à force d'être représentée, a fini par ne plus lui appartenir, par devenir « ce que les autres en font[15] ».

Mais fin 1949-début 1950, jusqu'à sa rencontre avec Nicolas Bataille, les *autres*, justement, « ne voulaient rien en faire ». Pour Nicolas Bataille et les comédiens qui l'entourent – Paulette Frantz, Claude Mansard, Simone Mozet, Henri-Jacques Huet –, le texte qu'ils viennent de lire tombe à point. Ils sont à la recherche de quelque chose qui leur permettrait de renouveler la forme théâtrale. Jusque-là Ionesco s'était contenté de lire sa prose chez lui à l'occasion de réunions amicales. Excellent lecteur, de surcroît très bon interprète, il avait constaté qu'elle faisait rire. Elle fait rire aussi les comédiens qui la mettent aussitôt en répétition. La seconde chance d'Eugène Ionesco aura été que le directeur des Noctambules, Pierre Leuris, ait partagé l'enthousiasme des comédiens, et leur ait prêté son théâtre. De son côté Ionesco lui-même a réussi à rassembler 50 000 F, en provenance notamment de Raymond Paquelin.

La création se fait le 11 mai au théâtre des Noctambules. « Je ne me souviens jamais sans plaisir des murmures de mécontentement, des indignations spontanées, des railleries qui accueillirent l'apparition, en mai 1950, sur la scène des Noctambules, de *La Cantatrice chauve* [16]. » Usant d'une technique qu'il recommande aux critiques soucieux de connaître l'opinion du public, Jacques Lemarchand, dès le rideau tombé, ayant pris le temps de crier « Bravo ! Bravo ! », se précipite vers la sortie puis revient sur ses pas, remonte le courant comme le saumon qui va vers la source du fleuve. La rumeur collective est des plus hostiles. Non seulement il n'y a pas de cantatrice chauve, mais il n'y a même pas de cantatrice du tout.

Ces réactions n'étaient pas imprévisibles. L'étonnant est plutôt l'accueil relativement favorable d'un certain micro-milieu théâtral et littéraire. C'est qu'il y avait un air du temps qui s'accordait au ton des répliques de Ionesco. Une dame Smith qui apprend à son mari que leur nom est Smith, que leur dernière fille s'appelle Peggy, qu'ils ont en outre un garçon, et une autre fille dont le prénom est Hélène, qu'ils viennent de manger de la soupe et du poisson, qui énonce des appréciations diététiques aussi éclairantes que : « Le yaourt est excellent pour l'estomac, les reins, l'appendicite et l'apothéose [17] », des aphorismes aussi inspirés que : « Un médecin consciencieux doit mourir avec le malade s'ils ne peuvent guérir ensemble », ou encore des observations sociologiques d'aussi grande portée que : « Les docteurs ne sont que des charlatans. Et... les malades aussi. Seule la marine est honnête en Angleterre » ; quelques formules à double fond, parfois vaguement polissonnes voire un peu scatologiques ; quelques franches loufoqueries : « Pourquoi à la rubrique de l'état civil dans le journal, donne-t-on toujours l'âge des personnes décédées, et jamais celui des nouveau-nés[18] ? » ; quelques phrases évoquant l'Assimil : « Le plafond est en haut, le plancher est en bas[19] » ; quelques attentats au sens commun : « La pendule... a l'esprit de contradiction. Elle indique toujours le contraire de l'heure qu'il est[20]. » ; ou encore : « Tiens, c'est écrit que Bobby Watson est mort... Il est mort il y a deux ans... On a été à son enterrement il y a un an et demi... Il y a déjà trois ans qu'on a parlé de son décès[21] », le tout assaisonné de quelques oxymores faciles au sujet de Bobby Watson : « Le plus joli cadavre de Grande-Bretagne... Un véritable cadavre vivant », assez proches du « cadavre exquis » des jeux surréalistes ; le cumul ostentatoire de ces divers ingrédients fit que l'on crut reconnaître dans *La Cantatrice chauve* l'exemple même de ce théâtre que le mouvement surréaliste avait espéré en vain voir surgir dans son giron. Jouant sur les mots, sur les structures linguistiques, sur les distorsions logiques, *La Cantatrice* semblait s'harmoniser avec les dernières traces culturelles laissées derrière eux par André Breton et les siens. Surréalisme : tout au long des décennies, le mot se retrouvera dans les entretiens et les articles, comme un cliché journalistique, une sorte de point de passage obligatoire, une figure imposée du discours sur Ionesco.

Et pour commencer, il y avait le titre lui-même. Aucun chauve sur la scène, pas de cantatrice non plus. « Mais alors, mais alors[22]... ? » Ionesco raconte qu'un titre devant être choisi, il proposa *L'Anglais sans peine*, puis, *L'Heure anglaise*, *Big-Ben folies*, *Une heure d'anglais*. On lui objecta que c'était prendre le risque de voir certains spectateurs réduire la pièce à une critique de la petite-bourgeoisie anglaise alors que tel n'en était évidemment pas l'objet. C'est alors que l'acteur tenant le rôle du pompier eut assez d'esprit pour commettre le plus improbable des lapsus : ayant à prononcer les mots « institutrice blonde[23] », il lâcha « cantatrice chauve[24] ». Aussitôt Ionesco, présent, s'écria : « Voilà le titre de la pièce ». C'était jeter sur les plateaux de théâtre un personnage fantomatique, créé par la seule vertu d'une question, celle du *pompier : « À propos, et la Cantatrice chauve*[25] ? » Bientôt, par le foisonnement des traductions, cette *Cantatrice* ferait irruption, sinon dans toutes les langues de la terre, du moins dans bon nombre d'entre elles. La seule précision que l'auteur fournissait concernant *sa Cantatrice* : « Elle se coiffe toujours de la même façon », ne suffisait évidemment pas à en faire un véritable personnage de théâtre. Tout cela autorisait Ionesco à parler d'antipièce, de tragédie du langage, toutes choses assez accordées avec un certain esprit du temps, en symbiose avec les *Exercices de style* de Raymond Queneau, parus en 1947. Ces *Exercices* consistaient à faire le récit en quatre-vingt-dix-neuf variantes, répertoriées dans un savant sommaire selon les quatre-vingt-dix-neuf figures de style utilisées, d'un unique épisode : un jeune homme échange quelques propos un peu vifs avec un voyageur dans un autobus puis tient une conversation avec un ami. Antipièce ? Il y avait des mots dont il fallait s'emparer au plus vite. On pouvait ainsi parler avantageusement d'avant-garde.

« FAIRE APPARAÎTRE LES ÉVIDENCES CACHÉES »

Une année après la création de *La Cantatrice chauve*, deux mois après celle de *La Leçon*, Ionesco confie à son *Journal*, à la date du 10 avril 1951, quelques réflexions sur son art : tentative pour faire fonctionner le théâtre *à vide*, essai d'un théâtre abstrait, non figuratif. « Il faut arriver à libérer la tension dramatique sans le secours d'aucune véritable intrigue, d'aucun objet particulier[26]. » Le genre littéraire du *Journal* se prête à la redondance. Ionesco se répète : « Progression d'une passion sans objet... Drame pur. Antithématique... antipsychologique de boulevard, anti-bourgeois, redécouverte d'un nouveau théâtre libre[27]. » Ce théâtre libéré est, pour Ionesco, « un instrument de fouille », le seul à pouvoir être « sincère, exact », le seul capable de « faire apparaître les évidences cachées. »

Quant à ses personnages, il les voit « sans caractère... (des) fantoches... (des) êtres sans visage », avec lesquels les comédiens peuvent faire ce qu'ils veulent. « Ils n'ont qu'à bien se mettre dans leur propre peau. Cela n'est guère facile. Il n'est pas facile d'être soi-même. » Son théâtre n'est pas seulement antibourgeois, ce qui, bien sûr, va de soi, il est aussi « anti-idéologique, antiréaliste socialiste, antiphilosophique. » Cela, on s'en apercevra toujours assez tôt. La querelle est inévitable. Mais le moment n'est pas à la provoquer. Puisqu'on veut bien ici et là voir en cette *Cantatrice* une critique de la société bourgeoise, laissons dire, quitte à ajouter que la critique porte alors sur une sorte de petite-bourgeoisie universelle sans lien avec tel ou tel type de société, attachée à son confort, usant d'un langage entièrement vidé de son sens. Ce que révélait *La Cantatrice chauve*, c'était « du vide endimanché, du vide charmant, du vide fleuri, du vide à semblants de figures, du vide jeune, du vide contemporain[28]. » Ainsi, cette dramaturgie sans intrigue, ces personnages sans contenu, ces êtres sans visage, révélaient-ils l'une de ces « figures monstrueuses que nous portons en nous[29] », ils révélaient précisément cette monstruosité : qu'ils étaient sans contenu, sans visage. Avec cette forme de théâtre, Eugène Ionesco s'emparait d'un site enviable : celui de l'avant-garde, toujours bon à prendre même s'il est clair que ce site se dérobe à peine conquis. Si, par ailleurs, de bons esprits avaient la bienveillante attention de traduire dans le langage de la lutte des classes, des jeux de mots tragiques ou comiques, cela ne pouvait qu'aider les gens de lettres et de théâtre de Pologne, de Tchécoslovaquie, de Hongrie, à présenter les productions d'Eugène Ionesco en des termes qui en permettraient l'accueil par les censures locales dès la seconde moitié des années cinquante. Mais les confidences qu'il fait à son *Journal*, dès 1951, montrent que Ionesco, lui, sait ce qu'il a mis dans ses deux premières pièces, et ce qu'il n'y a pas mis, même si d'aucuns l'y ont découvert.

Il faut dire que le mobilier et les costumes de la création aux Noctambules, en mai 1950, ne pouvaient qu'entraîner les plumes familières des terminologies de l'époque vers une interprétation sociologique de la pièce. Le manque d'argent était tel que les comédiens transportèrent eux-mêmes quelques meubles empruntés au Village suisse jusqu'au théâtre, rue Champollion, dans le Ve arrondissement. Claude Autant-Lara avait prêté les costumes d'*Occupe-toi d'Amélie*, alors en cours de tournage. Cela était parfaitement accordé avec les didascalies de l'auteur qui constituent ses premières lignes de littérature dramatique : « Intérieur bourgeois anglais, avec des fauteuils anglais. Soirée anglaise[30]. » Les costumes projetaient le spectateur dans l'Angleterre victorienne, une Angleterre de cliché 1900, avec deux couples, une bonne et un pompier, tout y était anglais : le journal, le feu et jusqu'au silence. Anglaises aussi la pipe de M. Smith, ses pantoufles, ses lunettes, sa moustache, les chaussettes que raccommode Mme Smith, et même la pendule qui « frappe dix-sept coups anglais[31]. »

Avant d'ouvrir la salle au public, il y avait quelques problèmes à résoudre. D'abord celui du dénouement. La rencontre des Smith et de leurs invités, les Martin, sombrait dans une mêlée verbale généralisée, les personnages s'apostrophant au moyen de mots à sonorités agressives, mais dénués de signification autre que celle que leur conférait, précisément, le ton sur lequel les comédiens les prononçaient. La phrase qui déclenchait l'affrontement était le cri de M. Smith : « À bas le cirage[32] ! » Après quoi les personnages s'insultaient en proférant des propos tels que : « Encaqueur, tu nous encaques[33] », « N'y touchez pas, elle est brisée », le tout se terminant par une sorte de chœur au milieu du chaos, tous les comédiens, au comble de la fureur, hurlant : « C'est pas par là, c'est par ici, c'est pas par là, c'est par ici[34]... » Prévoyant les réactions indignées d'une bonne partie du public,

Ionesco avait prévu de les devancer. « Une fois la scène vide, deux ou trois compères devaient siffler, chahuter, protester, envahir le plateau. Cela devait amener l'arrivée du directeur du théâtre suivi du commissaire, des gendarmes : ceux-ci devaient fusiller les spectateurs révoltés, pour le bon exemple[35]. » Après quoi la maréchaussée menaçante faisait évacuer la salle. Cette répression bien méritée des manifestations d'un public mécontent avait toutefois l'inconvénient de coûter cher. Ces quelques minutes finales imposaient à elles seules une demi-douzaine d'acteurs supplémentaires. Aussi Ionesco avait-il envisagé un autre dénouement, n'entraînant aucun coût accessoire : pendant que les Smith et les Martin s'affrontaient sur le plateau, la bonne annonçait : « Voici l'auteur ». Aussitôt « les acteurs s'écartaient... respectueusement, s'alignaient à droite et à gauche, applaudissaient l'auteur, qui, à pas vifs, s'avançait devant le public, puis, montrant le poing aux spectateurs, s'écriait *Bande de coquins, j'aurai vos peaux.* »

Cependant cette démarche elle-même, toute gratuite qu'elle fût, était apparue quelque peu décalée par rapport au parti pris de sobre retenue de la mise en scène. Il fut donc décidé de finir la pièce en la recommençant. « M. et Mme Martin sont assis comme les Smith au début de la pièce. La pièce recommence avec les Martin qui disent exactement les répliques des Smith dans la 1re scène[36] ».

L'inconvénient de ce dénouement était évidemment de laisser impunis les grognements, sarcasmes, haussements d'épaules, à l'évidence délictueux, des spectateurs mécontents. L'avantage était qu'il était parfaitement accordé avec le texte lui-même, suggérant un recommencement à l'identique, les Smith et les Martin étant interchangeables.

Au nombre des problèmes à résoudre, il y avait aussi celui de l'horaire. Il était à craindre que le public ne trouvât un peu brève une soirée dont la durée ne dépasserait pas une heure. On décida de fixer la séance à 18 h 30. Cet aménagement ne suffit pas à calmer la clientèle. À quelques exceptions près, les spectateurs échouèrent à leur examen, sifflant, s'indignant, ajoutant leurs propres répliques à celles de l'auteur, celle-ci par exemple : la seconde phrase que prononçait Mme Smith était : « Nous avons mangé de la soupe[37] » : au moment de sa réitération par Mme Martin, lorsque la pièce recommence, il y eut des esprits assez prévenus pour s'esclaffer : « Nous aussi ».

L'incompétence du public obligea la troupe attristée à limiter les représentations à vingt-cinq.

La présence silencieuse et fidèle de Rodica, chaque soir, ne suffit pas à remplir la salle. Bien entendu, faute de moyens, il n'y eut aucune publicité. Leur impécuniosité réduisait parfois les comédiens à solliciter le prêt d'un ticket de métro pour éviter de rentrer à pied chez eux.

Au cours des répétitions, auxquelles Ionesco assistait régulièrement, la troupe a eu à fixer le ton sur lequel il fallait prendre le texte : comique ou dramatique ? La pièce faisait rire les acteurs. D'où, d'abord, leur tentation de prendre modèle sur les interprétations des vaudevilles de Feydeau. Ou sur le jeu des Marx Brothers. Akakia Viala, parente des Autant-Lara, étant venue assister à une répétition, suggéra d'essayer successivement les deux registres, sérieusement une première fois, puis une seconde fois sur le mode clownesque. Il apparut que le mode dramatique engendrait l'ennui. Ionesco synthétise sa pensée dans son *Journal* du mois d'avril 1951 :

« Sur un texte burlesque, un jeu dramatique,
Sur un texte dramatique, un jeu burlesque [38]. »

Glisser d'un ton à un autre sans que le public s'en aperçoive, c'est ainsi que l'auteur définit le jeu qu'il juge le plus approprié à sa pièce.

La critique en 1950 ignora le spectacle des Noctambules. Il y eut cependant des exceptions parmi lesquelles Jean-Baptiste Jeener qui, pour les lecteurs du *Figaro*, se borna à admirer « le surhumain courage de ceux qui, sans une faute, ont retenu, interprété, incarné, sublimé l'antitexte de M. Ionesco », déplorant toutefois qu'avec tous leurs efforts, ils fassent perdre « des spectateurs au théâtre ». J.-B. Jeener ajoutait : « Toutefois certains éditeurs reconnaissent le talent de Ionesco [39] ». L'allusion concerne sans doute les collaborateurs de la *NRF* (Gallimard), assez nombreux certains soirs à venir soutenir le spectacle de leur présence. Au détour d'une incidente lâchée par un critique défavorable, les lecteurs du *Figaro* apprennent l'existence d'un certain Ionesco dont ils n'ont pas fini d'entendre parler.

En ce mois de mai 1950, Eugène Ionesco, Nicolas Bataille et sa troupe pouvaient trouver quelque consolation en lisant les lignes que leur consacrait l'hebdomadaire *Arts* : il n'y a pas d'intrigue, « il n'y a que des personnages bizarres qui racontent des histoires de drôles de fous en liberté ». Nicolas Bataille pouvait engranger cette appréciation : « Ce spectacle est une étrange réussite », sa mise en scène, « un bon travail très prometteur ». Les lecteurs du *Figaro* avaient découvert Ionesco. Ceux d'*Arts* apprennent que *La Cantatrice* est une *antipièce*. Un mois plus tard, l'article d'André Frédérique dans le *Match* du 24 juin 1950 reprend une terminologie voisine : « C'est sans bruit que cette délicieuse absurdité poétique de Ionesco fait son petit bonhomme de chemin ». Là aussi : Ionesco, trois syllabes discrètement exotiques, faciles à mettre en mémoire. Les trois cents personnes « qui font l'esprit de Paris... parlent » de ce Ionesco et de sa *Cantatrice* qui appartient à la catégorie « des choses indéfinissables qui bouleversent les uns et horripilent les autres ».

Pas si mal que ça somme toute : huit ou dix spectateurs par soir dont quelques-uns passablement mécontents, peut-être, mais, pour l'auteur et le metteur en scène, il reste cet écho de leur spectacle dans l'esprit de ces trois cents personnes qui font l'opinion en France.

Dans l'article publié le 10 décembre 1964 dans le *Nouvel Observateur*, lors du quinzième anniversaire de la *Cantatrice*, Ionesco cite Lemarchand, Dumur, Frédérique, Brenner, Duvignaud, Humeau, Verdot, Lerminier, Joly, au nombre de ceux qui ont défendu sa pièce. Il se souvient avec une espèce d'émerveillement de tout ce que Jean Pouillon y avait découvert d'implications philosophiques, à l'intention des lecteurs des *Temps modernes*. Incrédule, Ionesco en conclut : « Si on avait vu ce que l'on y avait vu, cela devait y être ; d'une certaine façon je m'étais projeté dans ces dialogues, puisque l'on s'en apercevait, ou bien les autres s'y projetaient eux-mêmes[40]. »

Un article publié dans *Arts*, le 21 avril 1954, revenant sur la création de *La Cantatrice chauve*, affirme qu'aucun critique n'y vint à l'exception d'un seul dont le nom est tu. Il n'y en eut peut-être pas beaucoup, mais il y en eut plus d'un. Le même article cite parmi les spectateurs qui se rendirent aux Noctambules, Jean Tardieu, Armand Salacrou, Jean Paulhan... On peut ajouter : Philippe Soupault, André Breton, Benjamin Péret. La place faite par Ionesco aux jeux sur les mots, aux clichés du langage, aux images et aux structures de l'expression stéréotypée explique que la mouvance surréaliste ait reconnu dans *La Cantatrice chauve* la forme théâtrale qu'elle appelait de ses vœux. Ionesco, pour son compte, n'a jamais fait partie du mouvement surréaliste.

C'est Raymond Queneau qui a alerté le micro-milieu littéraire parisien sur l'intérêt de la pièce montée par Nicolas Bataille, c'est lui qui a conduit aux Noctambules plusieurs des collaborateurs de la *NRF*. Il fut le découvreur de *La Cantatrice chauve*. Sans doute a-t-il perçu d'emblée qu'il y avait entre ses propres exercices de style et ceux de l'exilé roumain des parentés qui l'ont rendu attentif au reste. « La critique est affaire d'autorité », écrit Ionesco en décembre 1964 dans *Le Nouvel Observateur* : « On prend une œuvre en considération lorsque quelqu'un qui est bien considéré vous dit de la prendre en considération. C'est Raymond Queneau, en 1950, qui a donné sa parole d'honneur que *La Cantatrice chauve* avait des mérites littéraires. Pouvait-on ne pas croire Raymond Queneau ? » Sur quel fondement repose l'autorité de Raymond Queneau ? Le sujet n'est pas à l'ordre du jour. Ionesco se contente d'observer : « Moi-même l'aurais-je considéré considérable s'il n'avait pas été considérable au moment où il me considérait ? » Raymond Queneau ayant justifié sa position de critique éclairé en prenant *La Cantatrice* en considération, Ionesco s'interroge : « Si Raymond Queneau n'avait pas été là, *La Cantatrice* aurait-elle survécu ? ou même aurait-elle vécu ?... Après coup, les critiques, les sociologues, vous démontrent que ce qui s'est produit devait se produire nécessairement ». Lui croit plutôt qu'il a eu de la *chance*. Sans Monica Lovinescu, sans Nicolas Bataille, sans Raymond Queneau, que serait devenue sa *Cantatrice* ? Quelqu'un d'autre aurait peut-être été reconnu pour autre chose. Reste à constater qu'il avait un talent à faire valoir et que les circonstances se sont organisées d'une manière providentielle qui a fait que ce talent a pu se manifester.

Ionesco n'oublie pas les comédiens dont il salue la noblesse. Lorsque, en 1952, une première reprise à la Huchette de *La Cantatrice* est intervenue, couplée avec *La Leçon*, et que l'auteur et le metteur en scène ont vu arriver un public un peu plus nombreux, ils se sont demandé avec inquiétude si ces spectateurs ne se trompaient pas de théâtre, et si, en réalité, ils ne cherchaient pas à se rendre à Mogador ou au Châtelet, encore que les bâtiments ne prêtassent pas vraiment à confusion. Cette fois c'était Jacques Lemarchand, collaborateur des *Nouvelles littéraires* et du *Figaro littéraire*, qui avait organisé la circulation en direction de la Huchette. Quant à Georges Neveu, l'acuité de son analyse critique, reconnaît volontiers Ionesco, lui a révélé, dans sa propre pièce, des profondeurs inconnues de lui, qu'il a, bien sûr, immédiatement reconnues et admises.

Lausanne en 1954, Madrid en 1955, Dublin en 1956, on arrive ainsi à la reprise *définitive*, en 1957, à la Huchette. Jacques Noël, cette fois, donnera à *La Cantatrice* ses décors, eux aussi définitifs. Ces décors figurent depuis 1957, et pour on ne sait combien de temps, sur tous les parcours culturels que la Ville de Paris propose aux touristes en visite. Depuis lors, plusieurs tours en béton de la région parisienne auront eu le temps de s'élever très haut dans le ciel et d'être abattues. Par contraste on mesure la solidité, en la circonstance, des constructions théâtrales. Ouvert en 1948, dirigé par Georges Vitaly, puis, à partir de 1952, par Marcel Pinard, la Huchette aurait pu disparaître à la mort de son directeur en 1980. Pour sauvegarder la continuité de l'exploitation, les comédiens se sont constitués en SARL et ont racheté le droit au bail, obtenant ultérieurement le classement de la salle au patrimoine historique. Ainsi l'affectation théâtrale s'en est trouvée confortée, et les murs sont mieux protégés contre l'infortune qui a frappé les tours immobilières. Reste que l'équilibre financier d'un théâtre d'un peu moins de 100 places, où les comédiens assurent leur service par roulement, comme à la Comédie-Française, ne va pas de soi.

Promu littérairement par Raymond Queneau, Ionesco se trouve entraîné dans une mouvance qui s'exprime dans des institutions telles que l'OULIPO (Ouvroir de littérature potentielle) et le Collège de pataphysique dont il deviendra membre en 1951. Ce Collège, fondé en 1948, dont le nom est emprunté à Alfred Jarry, alloue généreusement à ses membres des titres de nature à leur valoir la considération de leurs contemporains. C'est ainsi que, comme Raymond Queneau, Boris Vian, Jacques Prévert, Marcel Duchamp, Michel Leiris, Eugène Ionesco accédera au titre de *Transcendant Satrape*. Cette nouvelle appartenance lui vaut de voir sa *Cantatrice* publiée en 1952 dans les *Cahiers du collège de pataphysique* avec une dédicace à Raymond Queneau. C'était, pour Ionesco, la première publication en français d'un texte littéraire, fixé sur le papier dans une forme qui, comme il en va couramment au théâtre, doit, marginalement, quelque chose au metteur en scène ainsi qu'à quelques autres que les circonstances avaient placés sur le circuit, Akakia Viala, notamment.

Au long des décennies, les mêmes mots exprimant les mêmes images, les mêmes fantasmes s'insinuent dans l'œuvre d'un auteur pour en sceller l'unité. Dans *Voyages chez les morts*, (1981) le *Père*, déchu de sa fonction d'avocat lorsque le régime politique a décidé que les suspects n'avaient plus besoin de défense, a été « recyclé... dans le roman réaliste [41] ». Il relève à ce titre du ministère de la Police. Trois décennies plus tôt, l'une des variantes que Ionesco avait imaginées pour le dénouement de sa *Cantatrice*, faisait apparaître l'auteur au milieu des cadavres de spectateurs fusillés pour l'exemple. Ces exécutions avaient pour objet de décourager le public de venir aux représentations. Pour bien marquer qu'il n'avait aucun besoin de cette intrusion étrangère, l'auteur proclamait : « Je suis un auteur d'État [42] ». Il ne restait plus au directeur qu'à sommer les survivants de quitter la salle en les traitant de *canailles*. L'auteur institutionnel, le public en trop au théâtre, l'État régent des Arts et Lettres, ces thèmes, au long des décennies, ne cesseront de revenir sous la plume d'Eugène Ionesco. *La Cantatrice chauve* : préparé de longue main, servi par les rencontres et les circonstances, l'essai marqué au printemps 1950 sera bientôt transformé. La vertu du texte était qu'il donnait aux commentateurs matière à commenter. Le décryptage d'une œuvre aux allures d'énigme les valorisait. Passé le premier contact, parfois rugueux, avec le public, quelques-unes des images et des tournures de *La Cantatrice* se sont insinuées dans la culture commune, jusqu'à devenir familières, renouvelant de proche en proche le tarmac théâtral, préparant l'atterrissage des œuvres suivantes, dotant l'auteur d'une liberté toujours plus étendue dans son travail de novation, l'usage de cette liberté lui procurant, en retour, l'autorité nécessaire pour inventer de nouvelles formes classiques. Mais des formes classiques qui lui soient propres.

La mise en circulation sur papier du texte de la pièce en 1952, sa reprise la même année à la Huchette, puis, à nouveau, en 1957, toujours à la Huchette, ont bientôt permis d'affronter l'irritante question : pourquoi Ionesco fait-il rire ? Pourquoi les facéties verbales de *La Cantatrice chauve* ont-elles plongé des générations de spectateurs dans une hilarité dont l'intensité ne dépend pas de la langue car au fil des années des publics parlant les langues les plus diverses se sont esclaffés aux répliques de ces six personnages évadés de la tête de l'auteur ? Jacques Lemarchand répondra dans sa *Préface* au *Théâtre I* en 1954 : « Parce que (ces) personnages nous ressemblent sans cesse, aux notables comme à moi, de profil... c'est notre propre profil... (que l'auteur) lance avec verve dans ces aventures imprévues, imprévisibles en apparence, et que nous reconnaissons soudain pour plus vraies encore que toutes celles qui ont pu nous arriver[43]. »

« AH, SI JE M'ÉCOUTAIS ! »

« Ah, si je m'écoutais ! » Eh bien, justement, avec sa *Cantatrice*, Ionesco donne à chacun l'occasion de s'écouter à travers les mots de tout le monde, les mots de tous les jours, réunis selon des syntaxes empruntées à l'une des méthodes d'apprentissage des langues les plus universellement connues. « Ils s'imaginent qu'il suffit de parler pour dire quelque chose[44] », dit Ionesco de ses personnages. Résumé de pas mal de conversations. Rien de social ni de psychologique là-dedans ? Voire. La conversation pour ne rien dire est un puissant analgésique contre l'angoisse individuelle. Les propos de table sont le lien social par excellence. La prolifération des mots forme une bulle protectrice. *La tragédie du langage*, que Ionesco pense avoir projetée sous les feux de la rampe, consiste en ce que cette fonction protectrice du langage s'accommode d'une indifférence au sens qui a plongé l'auteur lui-même dans un véritable malaise. « De temps à autre j'étais obligé de m'interrompre et, tout en continuant de me demander quel diable me forçait de continuer d'écrire, j'allais m'allonger sur le canapé avec la crainte de le voir sombrer dans le néant ; et moi avec[45]. » Dépressif, mais pas trop : ses états d'âme ne l'empêchent pas d'être très fier de son ouvrage.

Cette invasion proliférante de mots réduits à l'état de cadavres sans signification a une signification psychologique. Elle suggère que dans le quotidien, la banalité des échanges occulte l'étonnement métaphysique, l'étonnement d'être. Pour exorciser socialement l'angoisse, l'émerveillement d'être a été, lui aussi, expulsé du langage. Parler pour ne rien dire ? Parler pour échapper au silence intérieur. Eugène Ionesco aurait pu interpréter sa *Tragédie du langage* en se souvenant de ce qu'il écrivait dans son *Journal*, le 12 août 1932 : « J'ai peur de regarder les trous béants à travers les carreaux de la fenêtre. Je ferme les yeux. Je vous en supplie humblement, je vous implore, ne me forcez pas à ouvrir les yeux sur le vide. Mon cri, pauvre cri, résonne comme un soupir. Rien d'autre à faire que de fermer les yeux[46]. » C'était avant la guerre, en Roumanie.

Aussi, les Smith et les Martin s'étant mis à l'abri derrière leurs mots familiers, l'irruption du capitaine des pompiers est-elle obscurément ressentie comme une menace. « Est-ce qu'il y a le feu chez vous[47] ? » demande grossièrement le nouvel arrivant. Justement, par leurs dialogues tirés de l'Assimil, les Smith et les Martin sont parvenus à circonvenir le feu dans leur vie quotidienne.

Ionesco lui-même crédite son texte d'une pluralité de significations. « Une pièce n'est pas ceci ou cela. Elle est plusieurs choses à la fois, elle est *et* ceci *et* cela[48]. » Les Martin comme les Smith confirment au pompier qu'aucun feu ne brûle chez eux. Loin de s'en réjouir le capitaine insiste : « Rien du tout ? Vous n'auriez pas un petit feu de cheminée... un petit début d'incendie au moins[49] ? » Non, aucun feu nulle part. Finalement le pompier se souvient qu'il a, à l'autre bout de la ville, un incendie à éteindre dans « trois quarts d'heure et seize minutes[50]... » L'intrusion de ce personnage en uniforme, assez mal éduqué pour embarrasser tout le monde en évoquant un personnage absent de la scène, la cantatrice chauve, se termine par une pirouette verbale. À Mme Smith qui lui demande si ce feu qu'il doit éteindre sera un feu de cheminée, il répond : « Oh même pas. Un feu de paille, une petite brûlure d'estomac[51]. » Mme Smith, à l'apparition du capitaine, avait eu le réflexe de mettre en garde son mari : « Je te prie de ne pas mêler les étrangers à nos querelles familiales[52]. »

Qui est ce pompier ? Et d'ailleurs, est-il quelqu'un ou n'est-il personne ? Lorsque la sonnerie a retenti, Mme Smith est allée ouvrir la porte. Elle est revenue en disant : « Personne ». Le même scénario s'est reproduit à trois reprises. D'où une controverse, – les hommes d'un côté, les femmes de l'autre –, sur le point de savoir si, lorsque retentit la sonnerie, il y a quelqu'un ou il n'y a personne à la porte. M. Smith soutient qu'il y a quelqu'un. M. Martin aussi, du moins « la plupart du temps[53]. » Mme Smith, elle, affirme que l'expérience démontre « que lorsqu'on entend sonner à la porte, c'est qu'il n'y a jamais personne. » Personne ou quelqu'un ? Il faut que M. Smith, à la quatrième sonnerie, se rende lui-même à la porte pour que le capitaine des pompiers se révèle comme étant quelqu'un. Pour autant Mme Smith ne se laisse pas désarmer. Elle observe que le capitaine n'est apparu qu'à la quatrième fois et que « la quatrième fois ne compte pas[54] ». Le pompier assure que les deux premières sonneries n'étaient pas de son fait, mais seulement la troisième – il s'est caché, pour rire –, et la quatrième. D'où la conclusion de la controverse entre M. et Mme Smith au sujet de la présence ou non de quelqu'un en cas de sonnerie : « Mme Smith : Jamais personne. M. Smith : Toujours quelqu'un[55]. »

Quelqu'un... personne... cela se complique lorsque le même nom abrite une pluralité de sujets. C'est le cas de Bobby Watson dont la femme s'appelait aussi Bobby Watson, qu'on ne pouvait d'ailleurs distinguer de son mari en raison de l'identité des noms. L'oncle aussi s'appelle Bobby Watson, et la tante de même, et les parents bien sûr, et le cousin, l'autre oncle aussi, et aussi le fils de la vieille Bobby Watson : « Le commis voyageur ? » interroge Mme Smith. « Tous les Bobby Watson sont commis voyageurs[56] », répond M. Smith. L'incertitude sur les identités, pareille à celle du rêve, ne cessera de hanter le théâtre de Ionesco. Ressentie comme fragile, la réalité est exposée à se dissoudre comme s'il s'agissait d'un songe. « Ce matin, quand tu t'es regardé dans la glace, tu ne t'es pas vu », rappelle Mme Martin à M. Martin. M. Martin chasse l'angoisse de cette absence en fournissant une explication d'allure rationnelle : « C'est parce que je n'étais pas encore là[57]... »

Le comique des répliques, dont l'efficacité peut se mesurer à chaque représentation, est la manière pour l'auteur de conjurer l'angoisse au sujet d'une réalité que, tout au long de sa vie, tout au long de ses livres, il perçoit comme incertaine, fragile, fugace, fuyante. « Pour moi, dit-il à propos de *La Cantatrice*, il s'était agi d'une sorte d'effondrement du réel. Les mots étaient devenus des écorces sonores, dénuées de sens[58]... » Absents d'eux-mêmes, étrangers aux autres, les personnages sont assujettis à des convenances de pensée qui les portent à exhumer les mots ensevelis en eux comme dans un tombeau. « Révélation d'une chose monstrueuse[59] », en effet, ainsi que le pressent Ionesco le 10 avril 1951 lorsqu'il écrit son *Journal*. Partant de son manuel initial qui lui proposait d'apprendre *l'anglais sans professeur*, Ionesco écrit en 1958 que le texte de *La Cantatrice* se « transforma sous (ses) yeux, insensiblement, contre (sa) volonté. Les propositions toutes simples et lumineuses (qu'il avait) inscrites, avec application, sur (son) cahier d'écolier... se corrompirent, se dénaturèrent. Les répliques... se déréglèrent[60]. » Il aurait volontiers vu qu'à la fin, ce soient les personnages eux-mêmes qui se désarticulent, et pas seulement les mots qu'ils prononcent. Un tiers de siècle plus tard, Ionesco confiera qu'il est toujours aux aguets, en attente de la parole vraie : « Une seule parole et je serai guéri[61] ».

Ce monde qui se protège de la pensée de la mort par l'usage de mots préalablement inactivés est évidemment menacé par l'éruption de la violence. Il suffit que le pompier nomme *la cantatrice chauve*, puis que M. Smith se laisse aller à crier *À bas le cirage !*, pour que la fureur s'empare des personnages, prêts à se jeter les uns sur les autres, poings serrés. Toute leur agressivité se décharge dans des phrases aux allures d'injures, mais des injures appartenant au répertoire particulier d'Eugène Ionesco : « Allons gifler Ulysse », « Escarmoucheur escarmouché », « espèces de glouglouteurs, espèces de glouglouteuses[62] », etc. Les personnages ont oublié ce qu'ils disent, mais ils savent ce qu'ils font : las de se supporter toute une soirée, ils se font la guerre ou du moins ils la miment. Puis les Martin ayant pris la place des Smith, tout recommence.

L'ABSURDE ?

Le sens de tout cela ? Pluralité des interprétations, pas de signification normative régentée par l'auteur, les personnages disent n'importe quoi, jeux de mots, etc. : ce discours autorisé épuise-t-il toutes les ressources du texte ? Les multiples commentaires qu'en a faits Ionesco lui-même incitent à chercher des continuités. Dès le printemps 1950, le mot qui permettra de classer ses pièces est lâché. Le critique de l'hebdomadaire *Arts* écrit le 19 mai : « *La Cantatrice chauve* est réservée aux spectateurs que l'Absurde n'effraie pas, qu'on ne voie dans ce terme *Absurde* aucune intention péjorative[63]. » À ses yeux, il ne s'agit que d'un divertissement, d'une *antipièce*. Antipièce : c'est bien ainsi que l'auteur présente son ouvrage dans *Paris-Théâtre*. Mais l'Absurde ?

C'est Martin Esslin, avec son essai sur *Le Théâtre de l'Absurde*, qui a accrédité ce classement. Mais ce classement-là, Ionesco ne le confirme pas, même s'il semble parfois y revendiquer la première place. « En disant que Beckett est le promoteur du théâtre de l'Absurde, en cachant que c'était moi, les journalistes et les historiens littéraires amateurs commettent une désinformation dont je suis victime et qui est calculée[64] ». Ionesco revendique l'antériorité dans la catégorie. Mais il ne légitime pas la catégorie. Pour son propre compte, et dès le début, il se classe sous le signe de *l'Insolite,* non sous celui de *l'Absurde.* « Mon but était de rendre le quotidien insolite[65] », dit-il dans son entretien à *Paris-Théâtre*. Dans *Arts,* en 1955 (?), il y revient : « J'ai dit qu'elle (*La Cantatrice*) était l'expression d'un sentiment de l'insolite dans le quotidien, un insolite qui se révèle à l'intérieur même de la banalité la plus usée[66]. » En 1958, il retrouve le même vocable : « Le monde m'apparaissait dans une lumière insolite[67]. »

Insolite, absurde : les deux mots ne sont pas interchangeables. Vers 1950, l'Absurde était en suspens dans l'éther philosophique et s'offrait de toute sa pesanteur journalistique aux classificateurs. L'Insolite relève du constat : effroi, émerveillement. Alors que l'Absurde fait le pari du non-sens, l'Insolite discerne le monde comme une étrangeté, un signe, un palimpseste dont il faudrait mettre à jour la première écriture. À faire dire par les comédiens des phrases apparemment dénuées de signification, on se réserve une chance d'accéder au texte d'avant le barbouillage. Faire avouer leur dérision aux mots de la tribu peut ouvrir une voie à leur réactivation. L'Absurde et l'Insolite, ça n'est pas la même chose. « Comme c'est curieux, mon Dieu comme c'est bizarre[68] ! » Curieux, bizarres en effet ces époux Martin qui, de constatation en constatation, finissent par constater qu'ils sont mariés, qu'ils ont en commun le toit, le lit, et une petite fille. Sont-ils donc si étrangers l'un à l'autre qu'il leur faut une vérification d'identité pour redécouvrir qui ils sont et quel lien les unit ? On peut dire cela. On l'a beaucoup dit. Mais l'origine de la scène telle que Ionesco la raconte – un jeu entre lui et Rodica dans le métro un jour d'affluence –, incline plutôt à y voir un exercice de complicité entre gens mariés, communiquant assez bien entre eux pour pouvoir donner aux tiers et à eux-mêmes cette ludique représentation. Peut-être cela signifie-t-il que ces deux couples ne sont pas aussi dissociés qu'il a été dit et redit. En fait les époux Smith et Martin ne sont séparés que par le vide des mots qu'ils prononcent. Mais lorsque, par-delà les mots, ils creusent un peu leur relation, les Martin sont capables de se redécouvrir, et de redécouvrir ce qu'ils ont en commun. « Elisabeth et Donald sont, maintenant trop heureux pour pouvoir m'entendre », déclare Mary, la bonne. Qu'ils ne puissent l'entendre, c'est tout bénéfice pour eux. Ils ignoreront à quelles affabulations Mary se livre sur leur compte. Ils peuvent d'autant plus s'en désintéresser que la bonne, elle, se prend pour Sherlock Holmes [69].

De leur côté, les Smith partagent entre eux différents désaccords tels que celui qui les oppose sur la présence ou non de quelqu'un lorsque retentit la sonnerie. Mme Smith connaît assez bien son mari pour répondre à la question que M. Martin adresse à M. Smith : « Vous avez du chagrin [70] ? », par un lucide : « Non. Il s'emmerde. » Il ne faut pas se hâter de déclamer sur le néant du sentiment qui unit mari et femme dans chacun de ces couples. Ce sont les conventions du parler correct, que leur auteur met en pleine lumière, qui leur donne cette allure de marionnettes préréglées. Allez savoir ce qui se passe entre eux quand l'auteur veut bien les oublier, et que les spectateurs ont quitté la salle. Une chose est sûre : ce même auteur, amateur d'exercices de reconnaissance conjugale dans le métropolitain, à qui dédicace-t-il son premier volume de théâtre lorsque celui-ci paraît chez Gallimard en 1954 ? À Rodica bien sûr. « À ma femme, à ma fille, tout ce théâtre [71]. » Apparition également de la fille sur la scène. Dans la panique universelle, le Transcendant Satrape n'oublie jamais son port d'attache. Quand la mer se fait houleuse, il se souvient toujours où il a jeté l'ancre. D'ailleurs, il sait l'art de naviguer par gros temps. Les exécutions critiques déjà acquises ou à venir l'auront bientôt propulsé sur les sommets du mont Parnasse vers lequel convergent quelques autres alpinistes résolus, eux aussi, à s'emparer du désirable site par la face de l'avant-garde. Avec sa *Cantatrice*, Ionesco a donné aux meilleures plumes tant d'occasions de se manifester pour lui expliquer ce qu'il a fait que la gloire du siècle lui a été vite assurée. D'autant plus vite qu'il a su en tirer la leçon.

C'est le 20 février 1951, moins d'un an après la représentation de *La Cantatrice chauve*, que Marcel Cuvelier crée *La Leçon* au théâtre de Poche.

« UNE INCONCEVABLE... FATIGUE »

Mais auparavant l'amical empressement du chaleureux milieu où il vient de s'introduire, celui du théâtre, lui aura donné l'occasion de manifester l'un de ses talents les moins connus. Une chose entraînant l'autre, le voilà sollicité d'interpréter le rôle de Stepan Trofimovitch dans *Les Possédés* que veulent monter Nicolas Bataille et Akakia Viala.

La pièce est créée le 4 août 1950. Voici donc le correcteur du *Juris classeur périodique* et de *La Semaine juridique* sur les planches, au théâtre de l'Œuvre, dans une adaptation dramatique du roman de Dostoïevski. Cela se joue dans le cadre des *Mardis de l'Œuvre*, c'est-à-dire le jour de relâche du théâtre. Excellent lecteur, Ionesco est aussi un très bon acteur. Mais quel trac ! Du moins c'est ainsi que ses compagnons de théâtre interprètent sa réticence à pénétrer sur la scène où il faut littéralement le pousser. Quant à lui, un quart de siècle plus tard, il assurera : « Contrairement aux comédiens, je n'éprouvais aucun trac à jouer [72] ». Mais alors ? « J'ai toujours voulu être acteur », mais, après *Les Possédés*, « j'ai compris que je n'étais pas né pour être comédien… J'avais vraiment l'impression d'être *possédé* par le personnage. Je n'avais pas sans doute assez de générosité pour me *donner*. » Lorsqu'on lui propose de reconduire l'expérience aux Noctambules, il refuse. En 1970, Ionesco redeviendra acteur, mais ce sera dans un film, tiré de l'une de ses nouvelles, *La Vase*. Le tournage se fera à La Chapelle-Anthenaise. Si l'acteur se veut étranger au trac, l'auteur admet qu'il en est submergé lorsque l'on crée l'une ou l'autre de ses pièces. Il en sera de même pour le conférencier lorsque sa notoriété lui vaudra d'être invité un peu partout dans le monde.

1950 : quarante ans, Ionesco se jette sur la page blanche. Correcteur d'imprimerie pour gagner sa vie, auteur de théâtre pour exister. L'accueil que Nicolas Bataille a réservé à sa *Cantatrice* lui a ouvert une voie. Plus tard, il dira que ce n'était pas tout à fait la sienne : « Je me dis depuis pas mal de temps que je devrais tout de même commencer à écrire mon œuvre », écrira-t-il vers le milieu des années soixante. « Au fond le théâtre n'est pas ma vocation véritable [73] ». Comment alors est-il devenu l'auteur dramatique français le plus connu dans le monde ? Parce que, ayant réussi à faire jouer sa *Cantatrice*, il a, dès le printemps de 1950, écrit *La Leçon* que lui a commandée Marcel Cuvelier. Simultanément, il écrit *Jacques ou la Soumission*. Après ces trois pièces, la voie étant ouverte, il en a écrit une quatrième. « Par la suite réussissant à gagner ma vie après la quatrième ou la cinquième pièce, j'ai continué bien sûr à en faire d'autres, à ne plus faire que cela. Je suis ainsi devenu un *auteur dramatique, un homme de théâtre professionnel.* »

Pour l'émigré roumain, ayant femme et enfant, le théâtre s'est présenté comme une aubaine qu'il ne fallait pas refuser. Il aurait dû écrire autre chose en même temps que du théâtre, juge-t-il. Peut-être. Reste que, salarié, tenu de fournir du travail en contrepartie de la rémunération qu'on lui verse, il déploie, en ces années 1950 à 1954, une activité créatrice qui oblige à retoucher sérieusement le portrait du dilettante fatigué qu'il donne volontiers de lui-même dans ses livres de confidence. Fatigué ? Oui, cela revient souvent sous sa plume. Paresseux ? Peut-être, mais qui sait se contrarier sans ménagement. En 1950, il écrit *La Leçon, Jacques ou la Soumission, Les Salutations*, en 1951, *Les Chaises, Le Maître, Le Salon de l'automobile* et *L'Avenir est dans les œufs*, en 1952, *Victimes du devoir*. À un moment ou à un autre, il a aussi écrit *La Nièce-Épouse, La Jeune Fille à marier, Les connaissez-vous ?* et le *Rhume onirique*, et traduit du roumain *Les Grandes Chaleurs* de Caragiale puisque ces cinq textes sont créés en août 1953 par Jacques Polieri en même temps que *Le Maître* et *Le Salon de l'automobile*. En 1953, il compose *Amédée ou Comment s'en débarrasser* ainsi que *Le Nouveau Locataire*. Il aura en outre veillé, en 1953, à une première édition collective de son *Théâtre* aux éditions Arcanes. En 1954, nouvelle édition collective, cette fois chez Gallimard : *Théâtre I* (*La Cantatrice chauve ; La Leçon ; Jacques ou La Soumission ; Les Chaises ; Victimes du devoir ; Amédée ou Comment s'en débarrasser*). Vu de près, ces travaux de composition et de révision, s'ajoutant à son activité professionnelle, dessinent l'image d'un auteur en plein effort de rattrapage. Dix ans de silence entre 1940 et 1950, l'heure n'est pas à lantiponner. La vie, c'est l'œuvre. La voie du théâtre s'est ouverte. Ionesco s'y engouffre résolument. Les interrogations spéculatives sur sa véritable vocation viendront plus tard. À présent que ses écritures de théâtre ont trouvé preneurs, c'est pour le théâtre qu'il faut écrire. Il se révèle qu'il sait l'art et la manière de faire parler des personnages. Tout ce qu'il écrit en ces quatre années 1950 à 1953 n'est certes pas de la même importance ni du même intérêt. Mais quel élan ! « Longtemps un désespoir a hurlé en moi[74] », confiait-il à son *Journal* le 12 août 1932. Trois décennies plus tard, il constate : « Il suffit que le désespoir s'écarte pour que je sois sollicité, rempli par le désir de création[75] ». Écrivant cela au milieu des années soixante, il se reproche de n'avoir pas fait plus qu'il n'a fait. « J'en aurais pu faire des choses, il y aurait pu avoir tant de réalisations si la fatigue, une inconcevable, énorme fatigue ne m'avait accablé depuis environ quinze ans ou même depuis bien plus longtemps. » Fatigué, oui, mais le Ionesco des années 1950 à 1953 n'en compose pas moins avec ardeur, mettant au jour quelques-unes des pièces les plus jouées au monde. « L'éternelle question *à quoi bon* », si enracinée qu'elle soit dans sa vie depuis toujours, ne l'a pas dissuadé de faire son métier. « J'ai écrit avec une peine presque insurmontable... » Une peine qu'en ce début des années cinquante il a surmontée, témoignant d'une fécondité qui donne à penser qu'en ces jours-là le désespoir s'était écarté de lui. Le moment était encore loin où *l'à quoi bon* le saisirait de nouveau, lui faisant dire dans le cours des années soixante : « À peu près tout ce que l'on devait faire, à peu près tout ce que l'on pouvait faire a été fait[76]. » Que lui reste-t-il alors à faire sinon ses trois petits tours et puis s'en aller ? « L'à quoi bon, de nouveau me paralyse. Pas exactement. Je résiste à l'à quoi bon. » Trois décennies encore il y résistera. En 1950, l'heure n'est pas à *l'à quoi bon*. L'heure est à capter l'énergie créatrice qui le traverse. Il s'agit, la quarantaine à peine entamée, de se saisir à pleines mains de l'instrument théâtral, à présent à sa disposition, d'en remonter les ressorts à sa manière, d'en faire le mode d'expression qui le délivrera des mythes et des images qui l'habitent, de conférer à ces mythes et à ces images la forme qui les fera accéder au statut de représentation universelle de la condition humaine. Voilà le programme !

« La crise du langage n'existe pas »

La Leçon jaillit dans le mouvement de *La Cantatrice*. Ionesco, ayant composé en réponse au vœu de Marcel Cuvelier, une nouvelle pièce, à peu près en même temps que se déroulaient les représentations de *La Cantatrice*, la répétition générale de *La Leçon* a lieu le 1er février 1951 au théâtre de Poche, aux abords de la gare Montparnasse, la première représentation publique le 20 février. Le décorateur en est Jacques Mariaud, les acteurs en sont Rosette Zuchelli, Claude Mansart et Marcel Cuvelier par ailleurs metteur en scène. Succès aussi mitigé que pour *La Cantatrice*, c'est-à-dire échec commercial, échec aussi d'une brève reprise en août 1951 au théâtre Lancry, assistances plus nombreuses lors de la reprise du 7 octobre 1952 au 26 avril 1953 à la Huchette, avec *La Cantatrice*. À ce moment, la présence d'Eugène Ionesco sur la scène parisienne se fait plus insistante.

C'est à un exercice pédagogique que nous convie Ionesco avec cette *Leçon*. Mais comme l'argent manque, Marcel Cuvelier, en passant sa commande, a fixé à trois le nombre maximum de personnages. C'est donc à une leçon particulière que le public aura droit. Il n'y avait pas de cantatrice aux Noctambules, il y aura bien une leçon au théâtre de Poche. Trois personnages seulement ? Qu'à cela ne tienne ! Rien de plus facile pour un auteur. Il y aura *l'Élève*, *le Professeur* et *la Bonne* du professeur que Marcel Cuvelier juge expédient de faire interpréter par un comédien, Claude Mansart. D'une confidence de l'auteur à

Emmanuel Jacquart, il résulte que, quittant cette fois l'Assimil, Ionesco aurait trouvé son inspiration dans le manuel de mathématiques de sa fille. Marie-France étant aux alentours de sa sixième année, ledit manuel n'aura servi, tout au plus, qu'à suggérer quelques-unes des opérations proposées à l'*Élève* sans que l'auteur y limite ses prospections. On ne saurait, au surplus, laisser croire qu'un ouvrage de mathématiques dûment autorisé dans les établissements d'enseignement ait pu avaliser les très singulières solutions que l'*Élève* apporte aux exercices que lui propose le *Professeur*. Une élève qui, aux applaudissements du maître, assure que sept et un font huit *ter*, et qui, ensuite, à la même question, formulée dans les mêmes termes, répond que cela fait « huit *quater*. Et parfois neuf[77] », ne saurait avoir puisé sa science dans un manuel agréé. Malgré quelques autres réponses du même tonneau, l'*Élève* se voit encouragée par le *Professeur* en des termes qui lui laissent espérer un bel avenir universitaire : « Vous aurez facilement votre doctorat total, mademoiselle », écho visible d'un temps où le jeune Ionesco était censé, lui aussi, obtenir le titre de docteur pour une thèse sur le péché dans la poésie française depuis Baudelaire. L'élève ayant soutenu qu'en retirant une allumette à un ensemble de quatre, il en resterait cinq, le maître lui reproche, mais très doucement, sa tendance à additionner, oubliant que parfois « il faut aussi soustraire[78] ». Progressivement la complaisance du *Professeur* s'émousse. Il la prévient : son ignorance des archétypes mathématiques lui interdira d'enseigner à Polytechnique et même en *maternelle supérieure*. Tout de même, lorsque, malgré son ignorance des principes, l'élève lui donne de but en blanc le résultat de la multiplication de trois milliards sept cent cinquante-cinq millions neuf cent quatre-vingt-dix-huit mille deux cent cinquante et un par cinq milliards cent soixante-deux millions trois cent trois mille cinq cent huit, il a un instant d'étonnement admiratif, vite effacé lorsque l'élève avoue le procédé mnémotechnique simpliste qui lui a permis de répondre instantanément à la question posée : elle a « appris par cœur tous les résultats possibles de toutes les multiplications possibles[79] ».

Le professeur délivre à l'élève de très utiles conseils pour bien lire, celui par exemple d'émettre les sons très haut « de toute la force de (ses) poumons » afin que « les mots remplis d'un air chaud plus léger que l'air environnant » n'aillent pas se perdre dans les oreilles des sourds « qui sont les véritables gouffres, les tombeaux des sonorités[80]. » L'émission de sons à une vitesse accélérée leur permet de s'agréger pour former des syllabes, des mots, voire des phrases « c'est-à-dire des groupements plus ou moins importants, des assemblages irrationnels de sons, dénués de tout sens. »

Le maître donne à ses syllogismes toute la solennelle crédibilité qui s'attache à sa fonction. Il n'oublie pas les riches comparaisons que permettent les structures grammaticales héritées de l'Assimil : « Les roses de ma grand-mère sont aussi jaunes que mon grand-père qui était asiatique[81] ». Il en profite pour aiguiser l'esprit de sa patiente en lui posant de difficiles questions : « Comment dit-on grand-mère en français ? » Mais son savoir va bien au-delà. Il lui inspire en particulier cette tirade sur les langues néo-espagnoles qui se distinguent des autres groupes linguistiques, par exemple des langues autrichiennes et néo-autrichiennes ou habsbourgiques, par leur ressemblance frappante qui fait qu'on a bien du mal à les distinguer. Apparentées aux discussions qu'ont entre eux les linguistes, ces facéties verbales autorisent-elles à faire de Ionesco le théoricien d'une crise du langage, prolégomènes à une doctrine de l'incommunicabilité généralisée ? Sur ce point le *Professeur* apporte une utile observation, c'est « qu'un tas de gens qui manquent complètement d'instruction parlent différentes langues... et s'entendent quand même entre eux[82] ». Empirisme grossier, effet de l'instinct, bizarrerie inexplicable, reste tout de même que le savant professeur est obligé de constater que les gens qui se parlent ont l'air de se comprendre, lui qui tient que ce qui fait chuter les mots, c'est justement le poids de signification dont on s'obstine à les charger. Faire de *La Leçon* un matériau propre à illustrer la dégradation du langage, en faire un élément de la célébrissime crise du langage, c'est aller un peu au-delà de ce qu'a voulu exprimer Ionesco. Une décennie et demie après *La Leçon*, il tranchera : « La crise du langage n'existe pas[83]. » Il n'y a pas non plus d'*incommunicabilité*, « sauf une seule, l'incommunicabilité entre moi et moi-même ». On voudrait nier, explique-t-il, qu'il y ait un langage commun pour justifier sa propre surdité, de même que les précieux entendaient se séparer de leurs contemporains en composant un vocabulaire qui leur fût propre. « Mais les mots sont là, clairs, précis, pour dire ce qu'il y a à dire[84]. » La crise du langage est une « affirmation fausse, consciente de sa fausseté. » Après la confusion de Babel « il y a tout de même eu le Saint-Esprit, la Pentecôte[85]... »

Quelques années plus tôt, en 1961, il admettait encore de parler de *crise du langage*, mais comme reflet de la crise de la pensée. Il se sera ensuite lassé du discours de ces « jeunes sorbonnards, normaliens, essayistes, journalistes distingués, rhéteurs et autres intellectuels progressistes » qui l'entretiennent jusqu'à la nausée de cette crise. « Le verbe est devenu verbiage... Le mot bavarde. Le mot est littéraire[86] ». Vers le milieu des années soixante sa pensée s'est clarifiée, affermie : « Le langage le plus complexe, le plus chargé de signification, est souvent le langage de la création artistique[87] ».

Constater qu'il y a dans *La Leçon* comme dans *La Cantatrice chauve* une forte dose d'esprit canularesque n'est pas offenser les auteurs des graves digressions auxquelles ces ouvrages ont donné lieu aussitôt que l'université s'en est emparée. Le Transcendant Satrape lui-même n'a pas été avare, *a posteriori*, de commentaires savants à l'occasion desquels il a repris et validé quelques-uns des contenus implicites dont on créditait certaines de ses compositions. Toutefois, avec le temps, il a éprouvé la nécessité de rectifier certaines classifications ou certaines interprétations qui, à force d'être associées à son nom, finissaient par lui faire dire ce qu'il ne voulait pas dire. Crise du langage comme phénomène social dont son théâtre serait l'expression spécifique ? Non. Tragédie du langage ? Peut-être s'il s'agit de dire la difficulté de se comprendre malgré la communauté des mots. Absurde ? L'Insolite oui, l'Absurde non... « Dire que le monde est absurde, c'est ridicule... nous ne sommes pas plus intelligents que la divinité. Il est absurde de dire que le monde est absurde[88] ». Bien entendu le propos, public dès 1967, n'a pas empêché qu'on continue de classer d'autorité son théâtre dans la catégorie prédéfinie du *théâtre de l'Absurde*.

« C'EST POLITIQUE »

Que Ionesco excelle à repérer le burlesque des situations et des personnages, qu'il propose au spectateur de se défendre du tragique par l'humour et le rire, c'est la tradition du *Joseph Prudhomme* d'Henry Monnier, de *Bouvard et Pécuchet* de Gustave Flaubert. Rire malgré tout. Le rire ne saurait être la réponse à la question. Il peut être le remède à l'angoisse, le remède de l'instant à l'angoisse familière, le moyen légitime d'une nécessaire décontraction des viscères. Mais le rire n'est pas la réponse à la question.

Il faut bien que l'auteur y mette du sien pour nous faire rire avec la très banale histoire qu'il nous raconte : une jeune demoiselle « polie, bien élevée, mais bien vivante, gaie, dynamique, un sourire frais sur les lèvres... », qui se fait égorger, et peut-être préalablement violer, par un monsieur un peu pédophile, d'abord timide, puis de plus en plus brutal, dominateur, l'œil lubrique, jusqu'à ne plus pouvoir se contrôler, cela, en somme, forme la matière ordinaire des faits divers médiatiques. La singularité est ici que le monsieur est un professeur à barbiche et à lorgnon. Comme fascinée par l'autorité séductrice et possessive qui s'exerce sur elle, l'élève perd ses réflexes et s'effondre, devient la proie d'un étonnement et d'une « frayeur indicibles [89] », finissant par s'offrir au couteau qui l'égorge. Noire anecdote : les exercices de calcul mathématique et d'analyse linguistique d'Eugène Ionesco ont beau la rendre hilarante, l'action ne cesse d'insinuer dans l'âme comme une peur gluante. Sous l'anodin loufoque se diffuse une sourde menace. Les avertissements de la *Bonne* pour empêcher des enchaînements qu'elle ne connaît que trop bien ne font qu'ajouter la dérision à l'impuissance. « L'arithmétique ça fatigue, ça énerve [90] », dit-elle. – « La philologie mène au pire [91] ». Ses invitations au calme alors qu'elle sait le sort qui attend l'*Élève*, les incidentes incongrues du *Professeur* – « Vous êtes exquise [92] », dit-il à l'*Élève*, les maux de tête de la malheureuse, les deux coups de couteau que porte successivement le *Professeur*, on le voit, le scénario pourrait être d'Alfred Hitchcock, si le burlesque des répliques ne renvoyait plutôt à *Arsenic et Vieilles Dentelles*. Ainsi le *Professeur* justifie-t-il son exploit par un énergique : « Salope [93]... », suivi toutefois d'une double interrogation existentielle : « Qu'est-ce que j'ai fait ! Qu'est-ce qui va m'arriver maintenant [94] ! » Face à la *Bonne* qui, sarcastique, lui demande s'il est content de son élève, le *Professeur* nie l'évidence : « Ce n'est pas moi. » Puis il invoque l'indocilité de l'*Élève*. Après une explication orageuse, la *Bonne* prend les affaires en main : cette victime-là aussi on va « l'enterrer... en même temps que les trente-neuf autres... ça va faire quarante cercueils [95] ». Personne ne posera de questions. Les gens sont habitués. D'ailleurs la *Bonne* sait bien le langage qu'il faut tenir dans le monde tel qu'il va : « Tenez, dit-elle au *Professeur*, si vous avez peur, mettez ceci, vous n'aurez plus rien à craindre [96]. » Elle lui met un brassard autour du bras et elle prononce les paroles absolvantes : « C'est politique ». On voit par là que la *Bonne* a compris ce qui aura échappé aux plus redoutables, aux plus rusés des chefs de gang du XXe siècle, aux Al Capone et autres mafieux pour films noirs, la *Bonne* a compris que pour tuer tranquillement il faut emballer le meurtre dans un paquet cadeau aux couleurs d'une idéologie politique. L'emballage change la qualification de l'action et stimule puissamment ses possibilités de développement. Le *Professeur* en est déjà à sa quarantième victime de la journée. Or une nouvelle élève se présente, visiblement promise au sort réservé à la précédente. Quelques complices, une organisation, une idéologie, des mots, des chants, des défilés, et il pourrait quitter l'artisanat pour la grande entreprise, accéder à l'extermination de masse. Les facéties mathématiques et linguistiques du professeur

31 August 1957. Lucrurile cele mai importante, cele mai semnificative pentru mine, lucrurile care mă preocupă adânc, total, – nu le scriu aici. E o lene pe care mi-o reproșez veșnic; îmi promit să scriu tot, să scriu măcar un ceas pe zi în caiet și nimic,

zile, săptămâni, luni trec și trece viața pe lângă mine, îmi alunecă printre degete și aici niciun semn despre această trecere, nicio urmă.

Iată. M'am întors de la Paris. A fost magnific. Îmi dau bine, dureros de limpede seama că plecând deacolo, m'am exilat. Eu sunt aici un exilat.

Acolo m'am simțit mai viu, mai substanțializat și, mai ales, m'am simțit bine, bine, bine, ca la mine acasă, ca în țara mea adevărată. Sufăr îngrozitor la gândul că sunt condamnat să rămân aici, în Balkani, că mi-am falsificat destinul plecând din Franța.

M'am întors în țara,

Journal d'Eugène Ionesco,
août 1937.

Chef de camp

Ils sont-ils tous morts ? Non. Celui-là
ne l'est pas. (il montre le père Kolbe)
Ce salaud de curé. Pique - le
tout de suite, au phénol. Là il crève

(le père Kolbe tend son

bras) Vous me débarrasserez
Débarrasse ? ~~sur~~ le ~~cellule~~ bunker
de tous ces cadavres l. Vite : Il
vous faut de la place pour
d'autres ~~sur~~ ~~vériables~~ canailles (le ~~garde~~
chef de camp soirt avec le médecin
la nuit, après avoir fait la
piqure au père Kolbe qui
a tendu son bras

Morceau de la partition
de *Maximilien Kolbe*,
de Dominique Probst.
Et page du livret
d'Eugène Ionesco.

Bucarest, années 30,
Eugen N. Ionescu,
père d'Eugène Ionesco.

Thérèse Ipcar,
mère d'Eugène Ionesco.

La Chapelle-Anthenaise,
pensionnaires du Moulin.
Au 1er rang (de gauche
à droite) : Eugène Ionesco,
Marilina et Marie.

Famille paternelle d'Eugène Ionesco.
Au centre, à droite : Sofia Ionescu,
sa grand-mère ; à gauche,
sa grand-tante : Elena.

Bucarest, octobre 1928. Eugène Ionesco
avec son ami Barbu Brezianu.

Genève, 1942, Eugène et Rodica.

Eugène Ionesco (au fond, de face)
et Boris Vian (de profil, deuxième
en partant de la gauche).

Eugène, Rodica
et Marie-France, en 1949.

Paris, 1946, place de la Bastille.
Eugène Ionesco, l'homme à
la carabine, avec à ses côtés Rodica.

Eugène Ionesco avec le harnachement du *Piéton de l'air*, porté par Jean-Lou Barrault dans la pièc

Ionesco et Skira (Genève, 1968).

Eugène, Rodica et Marie-France Ionesco, la nuit de Pâques.

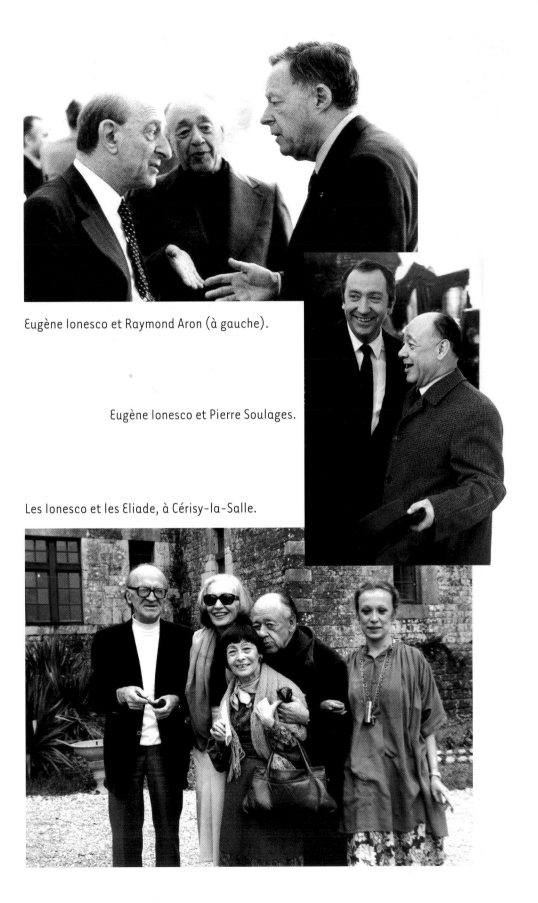

Eugène Ionesco et Raymond Aron (à gauche).

Eugène Ionesco et Pierre Soulages.

Les Ionesco et les Eliade, à Cérisy-la-Salle.

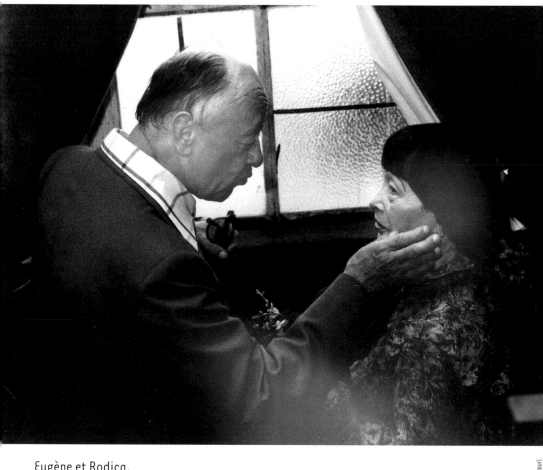

Eugène et Rodica.

Studio de création Flammarion
Documents : collection Marie-France Ionesco (sauf partition page 2 : collection particulière de l'auteur).